捏造と欺瞞の世界史

バリー・ウッド Barry Wood
大槻敦子【訳】

創作された「歴史」をめぐる30の物語

上

Invented History, Fabricated Power

原書房

捏造と欺瞞の世界史　上

創作された「歴史」をめぐる30の物語

コリン・ウッドとマイケル・ウッドに捧ぐ

目次

【下巻】

第4章 共通紀元後の帝国

第5章　イデオロギー

謝辞

わたしたちはみな多くの人から教えを受けているが、飛び抜けて影響の大きな師が何人かいる。学生時代、わたしは当時の指折りの学者、トロント大学のノースロップ・フライのもとで学んだ。やがて友人となった彼とはときどき連絡を取り合っていた。フライの解剖学的な文学の体系化は他に類を見ない。文学を研究するときには一般に次から次へと作品を吟味するが、世界文学の資料からジャンル全体と文化を探っていくとパターンが浮かび上がる。フライが描き出す説得力のあるイメージは、文学、歴史、文化が、相互に作用する概念空間へと広がりながら共時的に創作されている可能性を示唆している。彼の多くの著書が示しているように、文学は歴史、文化、文明を活気づける言葉の力だ。フライに次ぐ師は、才能ある彼の弟子でカナダ人の詩人ジェイ・マクファーソンである。彼女の授業を受けてから半世紀後、彼女は本書の草稿を読むことに同意してくださった。数ヶ月後、丁寧に修正された原稿がジェイの姪から送られてきた。彼女は亡くなる直前まで原稿と取り組み、送ってくれるよう姪に託したのだった。名誉教授のロバータ・ウェルドンにも感謝の意を伝えたい。草稿の3つの部分の主張に説得力があると思うと指摘をいただいた。そうして10年後に誕生したのが本書である。

本書の何章かは、東南アジアから集めた資料や現地調査がもとになっている。ヒューストン大学、テキサス国際教育コンソーシアム、そしてニューヨーク州立大学バッファロー校とマラ工科大学にも謝意を表したい。マレーシアでの4年間（1987〜99）の研修は、いくつもの古代文化の建造物、寺院、廃墟の探索を含め、アメリカでは得ることのできない機会、発見、知識につながった。マラヤ大学、シンガポール国立大学、インドネシアのガジャ・マダ大学の各図書館の司書にもたいへんお世話になった。ヒューストン大学教養社会科学カレッジには出版を支援する補助金を、匿名の読者には貴重な意見を、アンセム・プレスの編集者メーガン・グリーヴィングには学術出版の長い道のりで本書を導いてくれたことに感謝したい。最後に、あらゆる段階でこのプロジェクトを支え、励ましてくれた妻ヴィッキーに心からの称賛を。

序章

「力（パワー）」と聞くと、わたしたちは経済、軍事、政治の分野を考えがちだ。紛争が絶えることのない現代では、レーダーに探知されないステルス航空機や誘導装置つきのスマート爆弾が頭に浮かぶ。古い話ならば、馬に乗るか、大砲で武装した帆船でやってくる侵略者を想像する。力が宮廷の指導者、エリート、画家、彫刻家、物語作家による無形の創造物だと考える人はめったにいない。けれども文明の誕生以来、王、帝国、社会はずっと、碑文、浮き彫り（レリーフ）アート、文学作品、政治冊子で、みずからを強大に見せる「物語（ナラティブ）」を作り上げてきた。本書は世界各地の文化における「力の物語（ナラティブ・オブ・パワー）」をたどるものである。本研究の結果を大きく左右するのは作り話と事実の識別だ。特に後者は実証的な手法を用いる経験科学の発展によって確かな知識になりつつある。「物語」を作り上げる理由は、想像力を駆使して個人、社会、文化、イデオロギーを特別な上位の存在に仕立て上げる必要があるからだ。ルネサンスより前の時代、ものごとの意味は「物語」を通して記憶され、伝えられた。歴史学者ヘイドン・ホワイトは「物語」をひとつの文化に属するメンバー全員が理解できる「メタコード」と表現している。哲学者ロラン・バルトはより広義に「国境を越え、複数の歴史と文化にまたがるもの」と呼ぶ。人類学者ドナルド・ブラウンは「人類すべてに共通するもの」と定義したうえで、「物語」は世界各地の文化がいかに歴史を仕組んできたかを明らかにするために役立つ情報の宝庫だと述べている。いたるところで歴史がねじ曲げられていることを考えれば、力というものの社会的また心理的な性質を研究するにあたって「物語」が貴重な分野であることは明らかだ。

「物語」の調査からわかることは多いが、本研究に関係しているものは3つある。まず、文明が誕生した当初から、王やその側近が人格、地位、権威を高めるために「力の物語」を作り上げていた点である。客観的に見ればそれらは歴史的事実に反しており、ほぼすべてがフィクションだ。王や立法者だけではない。世界のおもな宗教の教祖として知られる心の導き手たちも同じである。次に、人々が総じて「物語」を受け入れて、ほぼ全面的に自分たちのリーダーを支え、王国や帝国に身を捧げる形で応えたことだ。そうした行動は観察から明らかである。たとえ歴史的な事実からかけ離れていても、「物語」はそれにかかわる人々が望むとおりに欲求を満たしてくれるのである。3つ目は、国家主義者や帝国主義者の行動――自分たち以外の文化の征服、場合によっては迫害、宗教裁判、処刑、民族浄化、無差別な破壊――を正当化するべく、帝国の起源や背景となる歴史を語る巧妙な「物語」が、世界中の人々に力を与えてきたという点である。第二次世界大戦後、世界人口は4倍に膨れ上がり、宗教、国家、国際政治同盟、異質な文化のあいだの紛争が増加して、人類は社会、政治、経済の生活と科学が入り乱れた時代に突入した。ゆえに、事実をフィクションから切り離す作業はこの21世紀の喫緊の課題だろう。

本研究では、いたるところで生じている「物語」の内在化について探っていく。人間には、自分自身の人生のストーリーと社会全体の関心とを合体させる「認知ブレンディング」の能力があり、またそうしたがる傾向もある。認知ブレンディングでは自分が文化の「物語」の「当事者」になる。のちに述べるように、エジプトのファラオを埋葬したピラミッド型の墓所の建設やローマにあるトラヤヌス帝の記念柱に施された螺旋状のレリーフが完成したのは、人々が大きな文化の「物語」のなかで暮らしていたためである。そうした壮大な建造物は支配者や権力者の力を強化し、作り上げた職人に満足感を与えた。石造職人は要塞や港を築きながら、文化的な権力をもたらす「物語」もせっせと作っていたのである。

大帝国の多くも創設にまつわる巧妙な「物語」を展開してきた。シュメール人、ヘブライ人、ローマ帝国、フランク王国、大英帝国、インドのマウリヤ王朝は、時間的にも空間的にも誇張して過去のできごとを語る、いつわりの系譜を作った。その多くは考古学調査によって作り話であることが明らかにされている。そうした「物語」からはそれぞれの時代の社会と政治の実態を映し出す非科学的な世界観がわかる。ルネサンス以降、支配者や指導者は、人々を包み込み、人々が入り込んで暮らしていけるような「物語」を作り上げてきた。清教徒の聖職者は、ニューイングランドの植民者を新たに神に選ばれた人々とみなし、植民地化を悪魔の陰謀との戦いとみなす「物語」を描いた。その「物語」は、権威主義だったイギリスの君主制によって迫害され、荒れ野のなかで信仰を保とうとしていた移民の心理的なニーズを満たした。19世紀にカール・マルクスが作った資本主義エリートの台頭を非難する革命「物語」は、やがて、ロシアと中国の数え切れないほどの人々の心を巻き込むことになった。20世紀に入ると、第一次世界大戦の賠償に苦しむ多くの国民を抱えた国家で、アドルフ・ヒトラーがアーリア人の優位性とユダヤ人の悪影響を説く「物語」を創作し、彼がいうところの「最終的解決」の実行に向けて何千何万もの人々を動員した。最近になって、度重なる不平等を味わった人々のあいだに新しい「物語」が誕生したことは記憶に新しい。古代のカリフの劇的な生まれ変わりと古くから予言されていた世界滅亡の戦争は、その「物語」のなかで生きようとする世界各地の若者の注意を引いた。現在（2020年）、過激派組織ISは崩壊寸前だが、新たなミレニアムに多くの人々の心をつかんだ物語のパワーを見れば、にせの権力を作り上げるうその歴史の影響力がなおも健在だとわかる。歴史に残るさまざまな例を見ると、「物語」の虚構が、文明の誕生から現在まで変わることなく、きわめて効果的でありながら正しく認識されていない力の道具であることは明らかだ。その力を分析すれば、過去数千年の世界史をかつてない視点からとらえることができるだろう。

力の表現手段としての「物語」と取り組む手法については、いくらか説明が必要だろう。特定の調査対象となる「物語」は一般に文学研究の分野に入る。もう少し正確に述べるなら、文字で綴られた文章という形をとる文献の根幹にある意味を探ろうとする場合、「物語」の調査対象はほぼ書き残された作品だけになる。米国現代語文学協会、多くの文学者、大学の文学部が用いているこの方法は、詩、戯曲、物語、小説を作り上げる際限のないクリエイティブな能力として人間の想像力をとらえている。だが、より幅広い視点に立つと、「物語」とは人間がもとから備えている認知力であり、それがあるがゆえに、時間、空間、因果関係といった意味のある枠組みのなかで自分たちの経験すべてを理解することができるのだとわかる。バーバラ・ハーディによれば、「人は物語のなかで夢や白昼夢を見て、物語のなかで記憶し、予想し、希望を抱き、失望し、信じて、疑い、計画を立て、復習し、批判して、うわさをし、学び、嫌いになり、好きになる」。論文を読めばすぐにわかるように、「物語」の研究は人類学（マーシャック）、教育学（モンテッソーリ）、認知科学（ハーマン、ターナー）、進化学（ボイド、チェイソン）、宇宙史（クリスチャン、アルバレス）など、ほかの学問分野にも影響をおよぼし始めている。

人間の心の奥深くに備わっている能力を知れば、力をでっちあげ、強化して、ふりかざすためになぜ「物語」が繰り返し用いられてきたかを理解しやすくなる。推論する力、論理的な思考、道徳的な判断、計算する能力の発達よりずっと前から、人間の精神と行動は、「物語」を通して容易に近づき、導き、方向づけ、刺激し、動かすことができるものだった。本研究では、記録に残る最初のストーリーが出現したころに、それがどのように達成されたのかを探っていく。それはまた、わたしたち自身の個人、社会、文化、政治、経済の「物語」について考え、人間の行動をより客観的に評価するきっかけにもなるだろう。

しかしながら、「物語」というものはときに概念上の怪しげな結論につながることがある。現在、因果関係の誤解はよくある論理エラーのひとつだと考えられている。人間の心はつながりを見つけようとするため、現在のできごとが過去のできごとによって引き起こされていると考えてしまうのだ。文学ではこれが予兆を表す仕掛けとして用いられる。実際、現在の多くのできごとは過去にその原因があるとはいえ、人はしばしばその結びつきをさらに拡大して、過去のできごとが予兆あるいは預言だったと考える傾向にある。現在の「説明となる」過去を作り上げるという逆のプロセスは、本研究で取り上げるさまざまな文化に存在する創作された「力の物語」につながる。かつて、「物語」によって作り上げられた過去は、まだ知られていなかった、つまり存在していなかった歴史の代わりとして受け入れられていた。しかしながら、信頼できる科学を応用すれば、天文学、地質学、生物学、人類学にもとづく過去の「物語」を組み立てることによって現在を説明できる。

本研究ではいくつもの謎があらわになる。ひとつは、実際にも歴史的にも根拠のない「物語」を真実として受け入れてしまった昔の人々の傾向だ。ほとんどの「力の物語」はまさにその取り違えをうまく利用している。「物語」の創造主が成功するのは、人が、実世界の状況を表している話と、真実らしく見えるけれども実際には想像力の産物でしかないものとをきちんと正確に見分けることができないためだ。実際、この欠点は現代にも存在し、擬似科学、超常現象の盲信、怪しげな医療、陰謀論などのかげに隠れている。

本研究で探っていく「物語」は多種多様である。エチオピア、ギリシア、日本、清教徒、ローマ人、あるいはシュメール人の文化に伝わる「物語」を見ていくと、一部がフィクションだったり、ほとんどすべてフィクションだったり、実際のできごととはほど遠い完全なフィクションだったりする。ほかの文化に伝わる別の視点からの並行した「物語」を知れば、事実とフィクションを見分ける力が磨かれる。ジェイムズ・フレイザーは1世紀ほど前に、多文化にまたがる同じような神話を集めた『金枝篇』においてその手本を示した。一般に「神話」という言葉は、その性質

から、いにしえの想像上の話やまったくの偽りとして早々に切り捨てられてしまうため、ここでその言葉を使ってしまうとフレイザーの教えが生かされない。そこで本研究では「物語（ナラティブ）」という言葉を用いることにした。「物語」はまだ、読む前から却下される状態にはいたっていない。むしろ、神話とまではいかないが強力な「物語」の上に成り立っているマルクス主義やナチズムといった重大な社会分析を基底に持つ作品を含め、広い範囲を網羅することができる。

時間的にも空間的にも遠く離れた王国、帝国、社会の「物語」を調査すると、それらの関連性、とりわけ超人的なヒーロー、神のような力、事実の誇張、巨大化、起源の捏造（ねつぞう）、ありえない系譜といった創作の側面が明らかになる。自分たちとは異なる文化にそうした「物語」が見つかると、わたしたちはたいていそれを作り話とみなし、作り話にもとづく記念碑は価値がないと考える。古代の人々は自分たちの「物語」は受け入れたが、別の文化の「物語」は拒絶した。そのため、はなんのためらいもなく古代イスラエルの神殿を取り壊し、キリスト教徒はオリュンピアでギリシア人る場所にあったイスラム教のモスクを潰し、スペインのコンキスタドールはメキシコにあったアステカ文明の宗教的な肖像のほとんどを壊した。人は一様にほかの文化の「物語」を作り話とみなす一方で、自分たちの文化にあるでっちあげには気づかない。そうしたうそは支配者の権威と権力を揺るぎないものにするくらい十分に信じられている。その違いを見分けて公表する勇気があった古代ローマの哲学者キケロやフランスの思想家ヴォルテールのような人物はまれだ。

本研究は5章に分けて展開される。第1章では王朝の初期の社会組織を追う。それらはメソポ

タミア、エジプト、ギリシア、パレスティナ、インド、東南アジア、中国、日本で、初期の実質的な都市とともに姿を表した。王朝の「力の物語」では、地上に降りてきた神々、地上における神々の化身、あるいは「デーヴァ・ラージャ」（神の王）など、王がさまざまな形で表現される。死ぬと神になる人間だと考えられていることもある。忠実な家臣に支えられながら多数の人々を支配する王の権威と権力にまつわるそうした「物語」の効果は、初期の文明の壮大な建造物に見て取れる。宮殿、神殿、ジッグラト（古代メソポタミアの階層状の神殿）、都市要塞、そしてエジプトのピラミッド、中国の万里の長城、イリノイ州のカホキア墳丘群といった驚くべき建造物はみな、当時のおもだった文化の物語に突き動かされた人々が築いたものである。

続く文明の段階は、都市が近隣の街、隣接する領地、多様な人々に支配の手を広げて帝国になった時期だ。そのころ、しばしば半神半人の祖先や超自然現象と結びつき、ときにははるか昔のすばらしい文明までさかのぼる系譜で強化された、いにしえの帝国の起源を語るまったく新しい「物語」の形が誕生した。そうした帝国の「物語」では、帝国の年代が甚だしく、場合によっては先史時代にまでさかのぼって引き伸ばされており、都市、宮殿、神殿は実際より広く描かれ、帝国軍の大きさや、戦争における勝利、捕虜、犠牲者の数が持ち上げられている。

3つ目の「物語」は宗教の教祖と初期の法典のまわりに積み重なっている。教祖の「物語」はその文化に属している人々のあいだでは、例外なく信用できる伝記として認識されているが、実際にはみなその人物が生涯を終えてから数十年あるいは数百年後に書かれたものだ。くわえて、当事者とは無関係の独立した証拠に裏づけされているものはどれひとつとしてない。結果として、

切り崩すことができないほどの神話、伝説、奇跡、超自然現象の積み重ねができあがって、作り話のなかの事実を見分けることが不可能になってしまっている。キリスト教とイスラム教の「歴史上実在した」教祖の生涯を「探る旅」からはいずれも、主要な宗教指導者すべてを取り巻いて積み重ねられている神話と伝説の厚い層の存在があらわになる。本研究では可能な範囲でほかの宗教や法を作った人々についてもまとめているが、そこで明らかになったのは「物語」が抱える大きな問題だった。正しい歴史、正しい伝記は必ず神話や伝説という誤った「物語」を生み、預言、奇跡、超自然現象を引き寄せてしまうのである。これは人間が持つさまざまなレベルの認知的な視野の狭さとかかわっている。人は、自分がよく知る文化のなかでは、神話、奇跡、伝説を歴史や人物にまつわる真実だと誤解する傾向にある一方で、自分が属さない宗教やイデオロギーに対してそこまで寛容であることはめったにない。その拒絶の傾向はまさに「物語」が創作物であることに起因している。たとえば、キリスト教の信者は自然の法則を超えた処女降誕は受け入れても、ヒンドゥー教や仏教の超自然現象、あるいは中国や日本の帝国の「物語」にある支配者と神々の融合を受け入れるとはかぎらない。

4つ目のグループには、ローマ帝国をはじめとする西暦紀元以降の帝国の「物語」が含まれる。古代文明の魅力と策略がもたらした影響、発展しつつあった教会の影響、そしてローマの歴史家や詩人が築いた帝国のひな型による第3の影響を受けて、伝説の過去という文学あるいは歴史のフィクションが、やがてフランク、イギリス、ポルトガル、エチオピアで発達していったことがわかる。いずれの場合にも、新しい文化はときに聖書、たいていはトロイアの王家にまつわる古

代の遺産を受け継いでいた。またそれらと並行して、いわゆる神聖ローマ帝国がヨーロッパで至上権を得て、ルネサンス以降もなおその力を維持していた。その権威は完全な史実にもとづいていると長く考えられていたが、実際には、現在では創作として認識されている捏造された記録に支えられている。当時事実として信じられていた「物語」は、巧妙な創作そして捏造であることが判明するまで、教会のヒエラルキーに莫大な力を与えていた。本研究ではそうした捏造創作物語とならんで、ペルシア、フランス、イギリス、エチオピアの文化の起源を描く壮大な冒険にも目を向ける。

第5章では、未達成の完璧な文明を描く理想化されたヴィジョンに突き動かされた社会に焦点を当てる。世界支配とキリスト教化というローマ教皇のヴィジョンに感化されたヨーロッパの人々は、遠く離れた地域の自分たちの「発見」はすでにそこで暮らしていた先住民より優先されるとうたう「物語」を作り上げた。アメリカ清教徒の「約束の地」とみなされたニューイングランドのカナンのような場所は、自分たちが選ばれた民であるという熱い信念に強化された聖書の「物語」が根底にあった。マルクス主義の無階級社会と、アーリア人種は世界の支配者になる運命だとするアドルフ・ヒトラーが広めた主張は、歴史を狭い特定の範囲で分析した結果にもとづいていた。マルクス主義の分析は確かに学問的だったが、のちの思想家によって論争、革命、全体主義者の支配へとねじ曲げられた。アーリア人とユダヤ人にまつわるナチスの「物語」は、もっとも深刻で常軌を逸した、ヨーロッパ史の歪んだ解釈を説いている。その裏には、自分たちにとって都合のよい理想の「物語」に沿って征服また支配しようとする意図があった。こうした文化の

なかで暮らしていた人々は物語を歴史上の真実とみなし、そこで示されているものごとを実現しようとした。だが、歴史を見れば、物語のでっちあげの極端な例だったとわかる。

本研究では文学の要素にも焦点を当てる。歴史的な側面は4000年以上ものあいだ探索されてきた世界各地の幅広い社会を見れば明らかだ。けれども、文学と歴史を切り離すのは不自然である。学問の世界には慣習とはいえかなり厳格な「分野」があり、部門別に分かれた構造になっているため、つい切り離したくなるのはよくわかる。だが、意味深い比喩表現がある――現実の世界では文学と歴史がひとつの文化的アイデンティティの集合体を作っているのだ。本研究からは、古代史というものがほぼ必ず物語で構成されており、想像上のストーリーを紡ぐ「力の物語」が史実を覆い隠してしまっているとわかる。『イリアス』、『アエネーイス』、トーラー(モーセ五書)といった古典の叙事詩はそれぞれギリシア、ローマ、ヘブライの人々に、『シャー・ナーメ』、『ラーマーヤナ』、『ケブラ・ナガスト』はそれぞれペルシア、インド、エチオピアの人々に「歴史」を与えた。紀元前1世紀のリウィウスによる『ローマ建国史』や12世紀のジェフリー・オブ・モンマスによる『ブリタニア列王史』には系図になった「歴史」が描かれているが、ほぼまったくの作り話である。

本研究では3番目の学問分野からの証拠も用いる。古代文明の考古学的な出土品からは、古代の主張と考古学の記録とを照らし合わせることができる。驚くことに、不一致があるにもかかわらず、そのような比較研究はこれまでほとんど実施されておらず、実施されても深く掘り下げられることはまれだった。たとえ歴史的に正しいと主張されていても、うわべだけの判断が多く、そのうえ、古代史の作品に登場する地理的な場所が実際に存在していても、その作品が事実にもとづいているとはかぎらない。『風と共に去りぬ』で描かれる南北戦争時のアトランタ陥落のストーリーが的確で気象学的に正しいからといって、真実とはかぎらないのと同じだ。考古学調査によれば、多くの古代王国、とりわけイスラエルとインドの話は実際の証拠にもとづかない文学的な創作物であることがわかっている。王国や帝国の政治権力にまつわる古代の「物語」には、歴史が誇張されているようすがうかがえる。わずかだけ残された、あるいは一部が欠けたままの遺物から推測される大きさよりも広大なものとして描かれる宮殿、神殿、都市には、古代の「力の物語」が示されている。一部の例では、史実にもとづくと考えられていたものに考古学的な証拠がいっさい見当たらず、まったくの作り話だったことが示唆されている。

本研究の役割は調査の対象にならないことが多い歴史の一面に光を当てることである。歴史学者は歴史や経済の事実については詳しく語るが、初期の文化で信じられていたものごとについては言及を避ける傾向があるため、「物語」の起源になっていることがらを見落としがちだ。例外はまれだが、すぐにそれとわかる。レオ・オッペンハイムはメソポタミアの神聖な王国について論じるなかで、「王と神とのあいだに存在する特別な関係は――王室のプロパガンダによれば――支配者が戦争で勝利をあげたときと国が平和に栄えているときに現れるようだ」と述べている。これは、王国、帝国、宗教の教祖、立法者を取り巻く伝説が当該の文化から生まれた作り話であることを、学者が認めた数少ない例のひとつだ。『教皇の書 *Liber Pontificalis*』について論じているレイモンド・デイヴィスは「自分より前の時代の暮らしについて、初めから思いつきで資料を作るつもりだった［5世紀の］編纂者の虚偽を嘆いてもしかたがない」と述べ、教皇の歴史の最初の25パーセントはもっともらしい作り話であることを明らかに認めている。アーサー王の初期の話が含まれているジェフリー・オブ・モンマスの『ブリタニア列王史』を論評しているサイモン・シャーマはそれを「とんでもない空想」と臆することなく語っている。マーク・G・スペンサーはマルクスの『資本論』について、ゴシック小説、ヴィクトリア時代のメロドラマ、あるいは風刺的なユートピア論として読めるものだという。こうした各方面からの見識は、古代から現代までの世界中の文化に当てはめることができる。

一般に、歴史的事実を神話や伝説の資料から抜き出す作業からは、不確かな結果以上のものは得られにくい。また、そもそも作り話であるため、そうした作業そのものが敬遠されることが多い。だが、それでは肝心な点が置き去りにされてしまう。歴史の構築に関して実証可能かつ信用できる内容は何もないようだからと本書でいう作り話の「力の物語」を退けてしまうと、想像の上に成り立つ、人を動かす作り話の力も存在しないものと考えてしまいかねない。けれども、いにしえの時代、「物語」は歴史を語るために用いることのできる唯一の知的な道具だったのだ。

本研究の方法論的な目標は、権力の創造、主張、維持における虚偽の大きさを明らかにすることである。そこには数多くの文化で生まれた作品を見直す作業が含まれる。長く続けられてきた習慣や抱かれてきた信念を疑い、それらに挑む危険を犯すことも多いだろう。だが、この手法にはそれだけの価値がある。二元論から離れ、科学にもとづく世界観へ移り変わろうとしている今、時代を超えて人間が置かれてきた状況を理解するために不可欠な作業だといってもよい。当然のことながら、神聖なもののいくつかは力を失う。それでも認知的解放のためにはこの一歩が必要だ。

こういえばよいだろうか。すべての時代の情報に瞬時にアクセス可能な現在では、時間というものが容易に短縮される。それに付随して、事象の継続期間や、事象間あるいは事象とそれが文字で再び語られるまでのタイムスパンも縮まってしまう。ホメロスの『イリアス』を教材にアリストテレスから手ほどきを受けた若きアレクサンドロス王子（のちの大王）がトロイア戦争の話にたいそう興味を抱き、戦場跡を見るためにわざわざ回り道をしたとき、そこには都市の痕跡など微塵(みじん)もなかったと聞くと驚く人が多い。年代を意識していないために驚くのである。アレクサンドロスが現地を訪れたのは紀元前4世紀で、トロイアが陥落（紀元前1184）してから7世紀も経っていた。その時間はダンテやペトラルカの時代と現代ほどに離れている。それを理解すればホメロスが記したトロイアの痕跡が何もなかったことが理解できる。

事象間のそうしたタイムスパン、とりわけ古代、なかでも尊ばれていた人物やできごととのちに文字で残されたときの時間の幅を認識することは本書にとって重要だ。わたしたちは文字で残されたものを通してしか過去に触れることができない。着目すべきは年代である。時間軸に沿った詳細の調査こそが本研究のカギである。

プロローグ

権力の先史時代――魂、霊、神

多くの理由から、初期の人類が生き延びることは容易ではなかった。樹上で暮らしていた霊長類の祖先は、すぐれた木登り術、色つきの両眼視、大きな脳、ものをつかめる手足という一連の身体的特徴に進化した。また、彼らは群れとなって集団で暮らした――これは人類より数百万年前にアリやミツバチを含む多くの種に出現した進化の傾向で、エドワード・ウィルソンがいうところの「地球の社会征服」を可能にした特徴である。およそ6600万年前の恐竜の絶滅後に激増した霊長類は、総数が200種を超え、群れの規模も長く生き延びられるくらいに大きくなった。けれども、樹上という安全な世界からあえて飛び出した数少ない種にとっては、そうした利点はたいして役に立たなかった。400万年前ごろに発達した効率のよい二足歩行によって前脚が自由になり、食べものを手に入れたり、ものを運んだり、ものを作ったり、道具を使ったりするために新しい方法を用いることができるようになったとはいえ、それを除けば、最初の人類は多くの意味で弱い存在だった。地上に生息する捕食動物が大きくてすばやいのに対して、ヒト科の動物には実用的な牙、爪、角、ひづめはなかった。

そうした身体的弱点があったにもかかわらず、過去300万年のあいだに、ヒト科の動物の脳の大きさは2倍以上になり、現存しているホモ・サピエンスはとうとう地球で最強の種に成り上がった。認知力、言語、そして特に想像力という漠然とした能力がその助けとなった。もっとも、それらが組み合わさって環境の脅威を打ち負かすほどの力になった年代を特定することは事実上不可能である。文字による記録を通して有史時代の精神、言語、想像力の発達の軌跡をたどることはできるが、そうした人間の能力が先史時代にどのように組み合わさったのかは当てずっぽうで推論するしかない。それでも、先史時代の世界観、一般的な儀式のパターン、そして神話について判明している内容から、力というものは個人と部族のいずれにおいても言語と想像力のたまものであり、「物語（ナラティブ）」によって形作られていた新たな現実のなかで誕生したことが示唆される。自分たちを取り巻く世界にまつわる部族の言い伝え、覚えているかぎりの過去の記憶、危機的な状況でとるべき行動――それらはみな何世代にもわたって繰り返し語り継がれてきた「物語」のなかに含まれていた。架空の話と史実とのあいだに明確な関係がないことは、有名な神話にざっと目を通すだけですぐわかる。神話の「物語」に確かな歴史的記述を見つけることなどできない。それでも、「物語」の継続――部族内での繰り返しと何世代にもまたがる受け渡し――を見れば、たとえ歴史的事実ではなくても、やはり「物語」はそれを語る人と聞く人の両方に力を与えるのだとわかる。

　実生活における不確かなできごとを説明するために生まれたのが、卓越した能力を持つ架空の存在である。「魂などのスピリチュアルな存在」の信仰は、先史時代の人々の世界観の礎として出

現した。学生時代に初期の人類の信仰に隠された存在を分類してアニミズムと名づけた文化人類学者、エドワード・バーネット・タイラー（１８３２～１９１７）はそう主張した。タイラーは理論に重きを置くヴィクトリア時代の人類学者で、ジョージ・ピーター・マードックがいうところの「未開の現代人」である部族の人々についてヨーロッパに流れ込んでくる学術論文を熱心に読んでいた。15～17世紀にかけて勇敢な探検家たちがアフリカを一周し、アジアに到達して、大西洋を横切り、アメリカに上陸を果たすと、大航海時代は大調査時代に転じた。18～19世紀を通して、科学者や民俗学者が探検家に続いて未知の土地に足を踏み入れた。アルフレッド・ラッセル・ウォレス、チャールズ・ダーウィン、ジョン・ジェームズ・オーデュボンは動植物の新種をリストにして説明をつけ、ヘンリー・モーガン、リチャード・コドリントンをはじめとする数十人の民俗学者はアメリカ大陸からメラネシアまでの部族を訪れた。タイラーはそれらすべてを、原始文化と信仰にかかわる全2巻、９５５ページの大作としてまとめあげ、初期の人類学者が報告したいくつもの信仰のようすから「アニミズムの発展」をたどることで、未開の現代人の霊魂に対する考え方を「系統立てて調査」しようとした。彼は冒頭部分で、自分の役割を人類学的発見のまとめ役と称している。タイラーはアニミズムに焦点を当てながら、「本作品の半分以上は世界各地から集められたたくさんの証拠で占められており、『宗教哲学』というものの性質と意味がそこに表れている」と述べている。

タイラーの文献には、先史時代の人類と未開の現代人の日々の体験にかかわる4つの観察記録が含まれている。経験から実証可能で議論の余地のないそれらの事実は、今日の人々にとっては

あたりまえの体験だ。

（1）就寝中の人の体は、目が覚めるまでのあいだ一時的に動かなくなる。
（2）夢やトランス状態のあいだ、人は見たり、聞いたり、他者に会ったり、なじみのあるものごとに遭遇することがある。
（3）死後、人の体は永久に動かなくなり、蘇生は不可能である。
（4）夢のなかで、最近あるいは昔に亡くなった人と出会うことがある。

経験からわかるように、これらは日々体験する事実だが、ばらばらで、明確な結びつきがない。その理由は、歴史学者のヘイドン・ホワイトが述べているように、個々の事実がまとまったストーリーになっていないためである。ストーリーでは個々のできごとに「まとまりのある全体の一部分として意味が与えられる。［中略］完全な形をとるストーリーはみな［中略］個々のできごとが事実であるか架空のものであるかにかかわらず、できごとにたんなる順序以上の意味をもたらす」のである。この例における話の共通点は魂の存在と不在で、とりわけ寝ているあいだの魂の不在にくわえて死後の永久的な不在が取り上げられている。タイラーの定義によれば、魂とは「生きている体と死んだ体の違い」を定めるものである。「覚醒、睡眠、トランス状態、病気、死」だけでなく「夢や幻覚にあらわれる人の形」も魂で説明できるという。ある例では、寝ているあいだやトランス状態のあいだは、魂が一時的に肉体を離れて、この世に近いところにとどまってい

る親族や友人の死者の魂に出会うことがあると説明されている。別の例では、魂は死ぬと肉体を離れてどこかへ行き、この世とは別の死者の国で暮らすようになるという。死者の国にいる親しい人の魂にくわえて、自然界の物体（動物、森林、川、山）も人間の生活に大きな影響をおよぼすことから、死後の魂はそうしたものにも遭遇する。ゆえに、タイラーのアニミズムには「物質界のできごとに作用したり、支配したりしている［中略］さまざまな霊や、人間の現世と来世」が盛り込まれている。「完全な形のアニミズムには魂や来世の信仰が含まれる」。このように覚醒、夢、生、死というばらばらな体験が魂を通してつなぎ合わされると、まとまったストーリーになる。

今日、タイラーは文化人類学の祖として知られ、アニミズムは「最古とまではいわないまでも、初期の人類学の概念のひとつ」と位置づけられている。アニミズムはまた「民俗学の一般的な用語として広く採用され」、それ以外の学問分野でも価値が認められるようになった。タイラーの本の読者は、ボルネオ島の首狩り人種やアフリカのシャーマン、アメリカのインディアンをはじめとする数々の「蛮人」（文明化されていない人々を指すタイラーの用語）について読んで優越感に浸っていたような、教養はあるけれどもうぬぼれの強いヴィクトリア時代の人々だった。そうした読者はおそらく初めて、動植物、川、海、山に霊魂があるかもしれないという、彼らから見れば風変わりな信仰について知ることになった。ヴィクトリア朝文明の永遠の真理と比べて、なんと原始的なことか！

一方のタイラーは、未開の現代人から系統立った分析に必要な数々の資料を得て、『原始文化

の宗教 *Religion in Primitive Culture*』（1871）にまとめあげた。彼の理論は、多数の人類学の文献に記されているとおり、人間の霊魂は実在するという考えにもとづいている。たくさんの詳細な記述をまとめたタイラーは、霊魂を「透き通り、実体のない人の姿で、蒸気や薄い膜、あるいは影のような性質を持ち、各人の生きる目的や思想を活性化し、今も昔も変わることなく、一体化している持ち主の意識や意志の働きを自在に支配しているもの」と定義した。いくつかの詳細（「蒸気や薄い膜、あるいは影」）は幽霊やゾンビといった架空の生きものをイメージさせるが、人に魂があるという考え方は現代でもよく耳にする。それらは、古典やキリスト教のプシュケ（ギリシア語の霊魂）、イスラム教のルーフ（霊）、ヒンドゥー教のアートマン（我）、中国のフン（魂）ほか、現代のたくさんの伝統に残されている同様の観念によく似ている。だが、タイラーにとってはそれがおもな不満のひとつだった。なぜなら、人に魂があるという近代宗教の考え方がアニミズムから進化したことになり、近代になってもアニミズム信仰が――彼の目から見れば残念なことに――なおも残っていることの表れだったためである。

タイラーの定義は、魂のものとされる一連の想像上の働きを交えてなおも続く。魂は「体を離れて、あちらこちらにすばやく現れたり消えたりすることができる。たいていは見ることも触れることもできないが、物理的な力を示すこともあり、特に覚醒時や睡眠時に肉体から離れた幻影として現れるため、肉体と同じような姿をしている」。彼は説明の最後で、魂は「同じ姿をした肉体が死んでからも存在また出現し続け、ほかの人間、動物の体、果ては物体にまで入り込み、それらを操って動くことができる」と述べている。現在では、この影、幻、亡霊、幽霊の集合体は辺縁に追いやられて、もはや主要な宗教の中心的存在ではなくなり、魂が支配するという古い概念も残っていない。

ヴィクトリア時代の典型で、人を「men and women」あるいは「people」ではなく「men」と表現した父権主義的表現はさておき、タイラーの定義からは、魂にはいくつもの力があり、それがさまざまな形で現れるとわかる。肉体とは別の存在である魂が主役の「物語」では、そこに含まれるさまざまな架空の筋書きにしたがって魂の力が描かれる。生死や健康や病気はみな魂の「物語」であり、物質界の万物は霊的存在を介して説明される。

アニミズムにもとづく世界観では、すべての知識は個人のものだった。つまり、世界全体――男や女や子どもたち、太陽と月、動植物、季節や嵐、生と死、森林や山や海――が自分自身と他者という人間の経験を中心に解釈された。要するに、原始の人々には、自分たちの存在、世界、天候、季節、あるいは生活に直結する動物の移動を理解するにあたって、それ以外に方法がなかったということである。

タイラーの『原始文化の宗教』は、ほぼすべてのページに脚注がつけられており、その数は本全体で数百に上る。資料はもともと18～19世紀初めに刊行された新聞、探検家の回想録、一時的な報告書、忘れ去られていた日誌などだった。数少ない例外を除いて、そうした資料を手に入れることはもはや不可能である。けれども、文化人類学者は、ほとんどの部族を再訪し、たくさんの新しい文化を調査してきた。その結果、世界各地の部族の信仰に関するタイラーの分析は正しかったことが確認されている。

アフリカ南部のいくつかの部族は、動き回る魂に夢で会い、死ぬと体から魂が離れていくという、同じ思想を共有している。バントゥー語を話す400ほどの部族のひとつであるスワジ族では、死者の霊はエマドロッティ（霊の世界）へと旅立つが、埋葬の儀式をおろそかにすると、霊が戻ってきて生きている者に悪さをすると信じられている。霊は生者より上位の存在であるという考え方は、祖先崇拝につながった。スワジ族の近隣沿岸地域に居住しているズールー族は、魂はふたつの部分からなると考えている。それは、呼吸という意味に近い命の源イドロジと、死と同時に現世を去って、地下にいる祖先の霊アマドロジのもとへ赴（おもむ）く影イシトゥンジだ。影はそこで、生きていたときと同じような暮らしを楽しむ。この創作話のバリエーションはバントゥー語を話すたくさんの部族だけでなく、アフリカ南西部のホッテントット族にも広がっている。そちらでは、霊は墓所から出てきて夢に現れるばかりか、異常気象を引き起こし、草を生やしたり動物の群れを増やしたりする力――農業と家畜の飼育に関連する役割――を持っている。また、生きている者に干渉して、日常の病気や混乱も引き起こす。霊には、部族内で敬われているタンゴマ（予言者）が語る創作物語を通して働きかける。たとえば、タンゴマによって、敵意のある霊に取り憑かれたことが病気の原因だと判明すれば、悪霊ばらいの儀式が行われる。ズールー族の予言者は「物語のなかの祖先の霊から知識と知恵を引き出す橋渡し役をつとめている」。病人の想像力と感情に訴えるこうした物語を信じることで、予言者、患者、またそれを見ている集団全体に想像上の力が生まれる。

作家ロバート・アードレイが記した、ホモ・サピエンスの「アフリカ起源」説に目を向けよう。知ってのとおり、アフリカ南部は地球上の女性を通して受け継がれているミトコンドリアDNAが最初に出現した場所であり、最近の遺伝子研究によってその場所がかなり正確に絞り込まれて、ボツワナ北部であることが判明している。現在では、遺伝子マーカーによって、ホモ・サピエンスが世界各地に広がっていったときの移住ルートがわかる。アフリカ東海岸から紅海の南端にあるバブ・エル・マンデブ海峡、別名「悲しみの門」を通って、アラビア半島の南岸へと渡る「南方分散ルート」を通ったホモ・サピエンスは、「漂流物を拾う者のルート」と呼ばれる道筋をたどった。そこからインド洋沿岸を経て東南アジアへ、また移住者の一部はさらに東アジアの沿岸部へと北に進んだ。数千年後、移住者はようやくシベリアとベーリング地峡――現在は海面が高いため沈んでいるが、シベリアとアラスカのあいだにあるベーリング海峡で海上に現れていた広大な陸地――にたどり着いた。移住者はそこから「西ルート」をたどり、アメリカ大陸の西海岸を南下して、やがて南米のパタゴニアに到達した。

こうした解釈のいくつかは、先史時代の移住者が居住していた場所で発見された道具に裏づけられている。オマーンの洞窟で発見された石器とスーダンの道具の類似性について述べているジェフリー・ローズらは、沿岸部の移住ルートを示す「石のパンくずの目印」に言及している。何千年も前に祖先が移動したと考えられる道筋に今も残るコミュニティーの遺伝子追跡調査からは、さらに正確な内容も判明している。しかしながら、道具や遺伝子からわかるその道筋は、8～10万年前の移住の時期にアフリカから持ち出された、死後も存在し続ける魂、夢、霊が暮らす世界にまつわる先史時代の信仰からたどることもできる。そこにあるのは、世界各地で追うことのできる「想像上のパンくず」の道だ。霊魂を信じるアニミズム信仰はすべての大陸における未開の現代人に見つかっている。

マレー人より前のマレー半島の先住民オラン・アスリ（最初の人々の意）であるセマイ族は、オーストラリアとメラネシアに向かう主要な先史時代の移住ルートに沿って点在している。人間にはルアイ（魂）とカロン（霊）があるとセマイ族は信じている。ルアイは肉体と同じ姿をしているが、肉体を離れて動き回り、夢のなかでほかのルアイに出会う。一時的に「ルアイを失う」と、元気がなくなる、熱を出すなどの不調につながる。ルアイがニヤニ（悪霊）の影響を受けると深刻な病に冒される。カロンが1週間を超えて体を離れると命を落とす。悪霊の力に対するセマイ族の救済手段は、トランス状態を誘発する打楽器の音楽、詠唱、踊りを含む「歌」だ。歌にともなわれる「物語」はさまざまな段階で歌の支えとなって幽霊の力を効果的に取り払い、取り憑かれていた病人とコミュニティー全般の力を強化する。

数百キロ南にあるボルネオ島中西部のマーンヤン・ダヤク族は自分たちのアニミズムの世界をカリンガと呼ぶ。彼らの「物語」によれば、命あるものもないものもみな命の力、すなわち霊によって動かされている。そこでは、この世を去った動物や祖先の霊との調和を保つために入念な儀式が執り行われる。儀式を統括するワディアン（女性のシャーマン）は、宗教の専門家であるだけでなく、部族の歴史、伝承、慣習にも通じている。そうしたものごとは儀式中の詠唱によって伝えられ、儀式の知識と遂行自体が治療行為だ。文字を持たない部族では、ストーリーだけがものごとを知る手段である。数日におよぶこともある儀式で繰り返し語られるストーリーは、個人と部族の治療、健康、力にまつわる想像上の物語だ。ホモ・サピエンスはおよそ6万5000年前にオーストラリアにたどり着いた。最南の移住地であるオーストラリアのアボリジニは自分たちの起源を「ドリームタイム」に置く。それは時が始まる前のスピリチュアルな過去で、アボリジニの女性たちが語る神話、物語、伝説に示される話を通してしか理解できない。

アジアからやってきた一部の移住者にとってはオーストラリアが世界の端だったが、別の一部は北をめざしてヴェトナム、中国、シベリアへと東アジアの沿岸部をたどり、フィリピンや台湾にも骨や道具などを残した。数千年後、今日のアイヌ民族の祖先は日本の北端にある島、北海道に到達した。魂や霊を土台にした「物語」はそこにも見られる。アイヌ民族では、人の霊魂はふたつある。それは夢やトランス状態に体を離れることもある魂と、命の根源である霊で、死ぬと後者は永遠に肉体から離れ、生きていたときと同じような暮らしをするあの世へと退く。霊が戻ってくると病気になり、儀式で慎重に霊をなだめなければならない。人だけでなく、動植物にも霊魂がふたつある。アイヌ民族の子孫について記しているジョージ・ピーター・マードックによれば、それらは「徹底的なアニミズム信仰」である。

ホモ・サピエンスはやがてベーリング地峡にたどり着いたが、そこで数千年にわたって氷河に足止めされた。およそ1万4000年前に氷河が解けると、移住者はいくつかに分散して異なるルートをたどった。アラスカとカナダの北の沿岸部を東に進んでグリーンランドに向かった北極圏のエスキモー族は、人には名前と魂というふたつのスピリチュアルな性質があるとする物語を信じていた。名前はスピリチュアルな存在の表れである。生涯を通じて変わらない名前はエスキモー族の重要なアイデンティティであり、名を受け継ぐときにはもとの人物の特性も受け継ぐ。死ぬと、名前は肉体を離れて妊娠している女性の体に入り、生まれた子どもが亡くなった人の性質を継承する。死者の幽霊が生きている人を訪れて、この世を去った祖先の夢を見させることもある。初期の部族民と同じように、エスキモー族も動物に魂があると信じている。

どう見ても、10万年以上の年月をかけて何千キロも離れた地域に広がった人類が、魂、魂の存続、夢のなかでの帰還、動植物や無生物の魂といった同じような世界観を一から生み出すとは考えにくい。膨大な時間と空間に隔てられれば、まったく同じ遺伝子変異を起こせないのと同じくらい、まったく同じ信仰を発展させることなどできない。つまり、信仰、概念、イデオロギーは、遺伝子マーカー、手工芸品、言語、文化と同じように、途切れずに続いているのである。ゆえに、カナダとアメリカ大陸の西海岸を南下したホモ・サピエンスの足取りをたどったときに、ブリティッシュコロンビア州のハイダ族、ワシントン州のアメリカ先住民族である太平洋沿岸のサリッシュ族、サンフランシスコからモントレー湾にかけての地域の多くのオローニ族、カリフォルニア州とネヴァダ州のワショー族、はるか南米のヤノマミ族とカネラ族に似たような「物語」が見つかっていることは驚くにあたらない。

北米部族の主要な移住ルートがこの順序だからといって、魂、霊、アニミズムの信仰が西海岸だけの現象だということにはならない。西海岸からの移住者はまた、自由に動き回る魂や祖先の霊の来世にまつわる原始的な創作話を道連れに、フレーザー川、スカジット川、コロンビア川、コロラド川、さらに何百もの小さな流れに沿って内陸に向かった。

タイラーの大規模なアニミズム研究を土台に優秀な人類学者が輩出し、彼らが実施した原始文化の発掘からは先史時代の人々の基本的な信仰が明らかになった。解明された霊魂の世界からは、根底にあるアニミズムの思想だけでなく、現在にいたる文明や文化を支配してきた「力の物語（ナラティブ・オブ・パワー）」も浮かび上がってきた。発端となったリチャード・コドリントンは20年にわたってメラネシア文化に触れ続け、基本となるマナの考え方を知った。彼は著書『メラネシア人 *The Melanesians*』で、マナは「物理的な力とはまったく異なり、ありとあらゆる善悪に組み込まれていて、手に入れて操ることができれば大きな強みとなる力の信仰」だと述べている。メラネシア人の概念では、マナは「通常の人間の力を超え、一般的な自然作用の範疇に入らない〔中略〕超自然的な力あるいは影響力」だった。マナは人にも物体にも結びつく。マナは名詞として用いられ、マナを持つ物体がマナと呼ばれるほか、マナに影響をおよぼす（マナグ）、マナを移す（マナヒ）、マナを運ぶ（マナンギ）といった動詞にも使われる。マナの重要なポイントは、霊魂に宿らせることができる、つまりタイラーがいうところのアニミズム的な「霊魂」を刺激するエネルギーになるという点である。

コドリントンの研究から9年後、ロバート・マレットは論文「アニミズム以前の宗教 Pre-Animistic Religion」を発表し、メラネシアのマナをラコタ・スー族のワカンやフィジー諸島のカロウと関連づけた。その後、J・N・B・ヒューイットが画期的な論文「オレンダと宗教の定義 Orenda and the Definition of Religion」（１９０２）で、オレンダとは、「岩、水、潮、草木、動物や人間、風や雨、雲や雷、つかの間の流れ星、日中の温かい光、邪悪な夜、太陽と月、明るい星々、大地と山々」に宿るイロコイ族の命の力であり、アルゴンキン族のマニトウ、ヒューロン族のイアレンダ、タスカローラ族のウレンテ、スー族のワカンダあるいはモホパ、ショショニ族のポクントと同等のものであると述べた。ヒューイットが宗教の定義としてオレンダを選んだことについては、ロバート・マレットの有名な本『宗教と呪術　比較宗教学入門』で取り上げられている。こうして、スピリチュアルな「物語」の人類学的な土台が明らかになった。

ルイス・スペンスの『北米インディアンの神話と伝説 *Myths and Legends of the North American Indians*』では、生気を与えるオレンダの力が、イロコイ族、アルゴンキン族、スー族、ポーニー族の神話、伝説、信仰の集合体を通して詳細に説明されている。多くのアメリカ先住民族が「生物と無生物」の両方に宿るスピリチュアルな力を信じていた。ゆえに、アメリカ先住民族は、

> 周囲の物体はすべて自分と同じように生命に満ちあふれていると考える。彼らの目には木々、風、川（「長い人」と呼ばれる）にはみな命と意識があると映る。うなり声をあげ、サラサラと音を立てる木々は話をしているのだ。もしかすると強力な霊が住み着いているのかもしれない。風は、言葉、ため息、警告、脅威、あるいは、友好的か非友好的な存在であるさまよう力が立てる物音であふれかえっている。

自然界の特徴を描くスペンスの説明はたいていの人類学的な解説よりわかりやすく、なおも今日

の人々の心に働きかけ、自然は力に満ちていると考えるアメリカ先住民族の世界観を理解させる。

　原始の人々の群れは先史時代を通じて海岸に沿って移動し、やがて地球全体に広がったが、同じ場所にとどまって定住した人々もいた。内陸への移住者はティグリス、ユーフラテス、インダス、メコン、黄河、フレーザー、スカジット、コロンビアといった河川の岸に集落を築いた。すると新たな状況が生じた。1万2000年前ごろから定住し、農業や家畜の飼育を始めた人々のあいだで、信仰が変化し始めたのである。マナ、オレンダ、ワカン、ポクントの霊魂の影響力が弱まり、太陽、季節、天候、家畜、食用の穀物に焦点が移った。人の魂についてはスピリチュアルな力がなおも「物語」を彩っていたが、形のない霊は特定の生物へと進化を遂げ、物語に登場する存在が個々のアイデンティティを持つようになった。紀元前1万〜2000年ごろの農業革命に続く時代、原始の霊は人々を取り巻く環境の神々へと姿を変え、シャマシュ（太陽の神）、ポセイドン（海の神）、イーリス（虹の女神）、ガンガー（川の女神）、ペレ（火山の女神）、ヴォータン（嵐の神）、ハトホル（牛の女神）、ケレス（穀物の女神）、あるいは月、惑星、星、星座、風、山といった各文化に特有の神々になった。その後、恒久的な文明の都市構造が発展すると、ヘルメス（道の神）、ヤヌス（ふたつの顔を持つ門の神）、ポルトゥヌス（鍵の神）、テルミヌス（境界を示す神）に見られるように、神々は文化を守る地位を得た。中国では、楊継盛（別名楊椒山、北京）、霍光（上海）、文天祥（杭州）など、ほぼすべての都市で城壁と堀を守る神である城隍神が崇められるようになった。やがて、アテナ（アテナイ）、ローマ（ローマ）、ムンバデヴィ（ムンバイ）、ウィツィロポチトリ（テノチティトラン）といった都市の守護神が誕生した。

それでもまだ、自然界に霊が存在するという初期の世界観が、合わせて数千にものぼるシュメール、ギリシア、インド、中国、アステカの諸神の基礎をなしていた。

一方、原始のシャーマニズムの慣習は、飢えた幽霊の祭りと呼ばれる中国の中元節、シャイアン族をはじめとするグレートプレーンズの部族のサンダンス、アリゾナ州のナヴァホ族の砂絵を用いた治療の儀式を含む、多くのバリエーションへと進化を続けた。都市が拡大するにつれ、そうした屋外の儀式は次第に儀式用の小屋ホーガンや神殿、のちにシナゴーグ、教会、モスクへと移った。同時に、シャーマンや魔術師は司教、神官、アヤトラとなり、やがてそれぞれが先史時代のアニミズムを起源にもつスピリチュアルな力を主張するようになった。タイラーは「文明化された」ヴィクトリア時代の宗教と「蛮人」の原始的な信仰の結びつきを嘆いた。彼はむしろヨーロッパの宗教が先史時代の起源とは無関係であってほしいと思っていたのだ。けれども、初期の部族の長は酋長から首長、さらに王となって、部族内で権威を持ち続け、いっそう強いスピリチュアルな力に満たされるようになった。こうして、シュメールの神聖な支配者、イスラエルの油を注がれた王、ローマの神格化された皇帝、インドのデーヴァ・ラージャ（神の王）、ローマ・カトリック教会の教皇、天命を受けた中国の皇帝、そして近代にいたるまで王権神授を主張していたヨーロッパの君主のための道が整えられたのである。

科学的には、霊魂が自由に動き回るという原始時代の信仰は根拠のない概念である。世界各地で原始的な世界観の礎となった非物質的な力の観念もそうだ。王、聖職者、立法者のスピリチュアルな力として霊魂に注目し続けることにも、科学的な意味はいっさいない。けれども、想像の世界では、スピリチュアルな力は、雨雲や川の動き、動物や人間の思惑を説明する物語の知識の原動力である。かくして、姿を変えたスピリチュアルなエネルギーは架空の歴史と力の捏造という形をとって、現在にいたっている。

第1章　王と皇帝

メソポタミアの神聖な王

[illegible]とその権力にまつわる最古の「物語（ナラティブ）」は、紀元前3世紀のメソポタミアに出現した。[illegible]・キース・メイゼルスは、イラクのザグロス山脈で発見されたかなりの数の資料にもとづいている。「歴[illegible]域の「文明誕生」の地をトルコ中南部の山岳地帯とシリア北部の渓谷に特定しメールの王たちの絶[illegible]ールから始まる」というサミュエル・ノア・クレイマーの主張は、シュ平野だった「肥沃な三日月地帯」の[illegible]力を見ればわかる。東と北をザグロス弧の高地に囲まれ、水の豊富なけ継がれていった。数千年にわたって辺りを覆っていた氷河が解け始めて気候変動が生じ、温暖化傾向になったことは、メソポタミア低地とその近隣地域にとってとりわけ大きな恵みとなったに違いない。中東とその周辺のイラン、アナトリア、シリア、パレスティナ、エジプトは、19世紀以降、多くの考古学的発掘調査を通じて世界でもっとも綿密に調査されてきた地域である。こ

の地域については、避けることのできない記録の損耗（そんもう）、文献の紛失、古代遺跡や墓所の略奪にもかかわらず十分な量の証拠が残っていることから、最古の都市の指導者の歴史について、かなり筋の通った説明ができる。メソポタミアはまた、よくわかっていないほかの文化や地域について理解するときのひな型にもなる。

碑文、文学、考古学の記録からは、指導者を一般の人々と区別する「物語」をもとに、早い時期からリーダーの権威や権力が発展したことがわかる。中心となった「物語」は、シュメールの王たちにあるとされた神聖な地位にまつわるものだった。そうした作り話は、指導者には争う余地のない権威があるものと思わせて人々の注意を引き、指導者のために行動したくなるような気持ちにさせる。それがうまく働くかどうかは、人々の想像力をかき立てられるかどうかにかかっていた。シュメールの王たちは神々に等しいという概念が発達するまでにはしばらく時間がかかったが、中心的な「物語」になるやいなや、王たちの血筋が１０００年も過去にさかのぼって語られるようになった。

王朝にまつわる最古の文献のひとつである「シュメール王名表」は古代の王の一覧で、事実と伝説が混在しており、紀元前2千年紀の初期に作られてから少なくとも１６００年のあいだメソポタミア文化の中心にあった。いくつもの写本が残っているその王名表に照らせば、王は「天から降臨した」存在で、大洪水で陸地が洗い流されてからも再び天から降りてきたという。超自然界から自然界への「降臨」をたどるこの「物語」を土台に、神から与えられた身分を踏襲する者は神になるという、また別の「物語」が生まれた。レオ・オッペンハイムは「もしきちんとした記録があったなら、メソポタミアの王朝の研究はそれだけで1冊の本になるだろう」といいながらも、要するにそれは「崇高なフィクションで〔中略〕王家のプロパガンダ」だと述べている。

下メソポタミアの低地に繁栄したいくつもの都市のなかでは、ウルク、次いでウルがよく知られており、陶器のかけらや手工品から、はるか昔の紀元前5500年ごろにはすでに集落があったと思われる。ウルはアブラハム（前名アブラム）の故郷として聖書の創世記11章28～31節に出てくることから名が知られるようになった。ウルは、ウルク、エリドゥ、ニップールの3都市とならんで紀元前4千年紀に人口が急増してシュメール文化の中心地となったため、おそらく何世紀もあとになってからヘブライ人の書記官の目に留まったのだろう。なかでも知られているウルクは前4千年紀半ばから後300年ごろに放棄されるまで栄え続けた。その時期、ティグリス＝ユーフラテス川流域では、シュメール、アッカド、バビロニア、アッシリア、セレウコス、パルティアの文化が続けざまに発展し、いずれも王朝を中心にまとまっていた。

現在のウルクはユーフラテス川の西16キロに位置し、砂漠に囲まれ、およそ240キロにわたって蓄積した川の堆積物によってペルシア湾と隔てられている。6000年前、一帯は三角州の水路や湿地が入り交じる、農業に適した肥沃な低地だった。考古学者はウルクを主要な「水力文明」のひとつと呼ぶ。これはカール・ウィットフォーゲルが考え出した用語で、支配者を中心に組織され、春の洪水の水を川から離れた農場へと運ぶ大規模な給水設備と運河に頼っていた社会を指す。水力文明は今なお初期の大河文明を表す言葉だが、ウィットフォーゲルが指摘していた専制政治との結びつきは、のちの歴史学者によって弱い独裁政治へと修正されている。紀元前

4000〜3000年のあいだに、集落の人口は数千人に増え、支配地域は都市国家へと大きく進化した。都市が複雑になるにつれて、排水、灌漑（かんがい）、原材料の輸送を行うために集団を取りまとめる行政組織が必要になった。初期の民主主義論に則（のっと）って、民主的に組織された集団が、急な問題の解決や非常時の指揮を当時誕生したばかりの最初の王たちに任せたのだと考えられていた時期もある。この仮説は影響力の大きいヘンリ・フランクフォートの著書『王朝と神々 *Kingship and the Gods*』（1965）で広く認められ、近年ではメイゼルスの『文明の誕生 *Emergence of Civilization*』（1990）でも肯定されているが、現在では説得力のある証拠を欠いた、やや非現実的な解釈とみなされている。

最古の王たちが名声を得るために用いたさまざまな方法が、歴史学者が再現に苦労するような類いであることは疑いようもない。関連する記録によれば王朝の始まりは先史時代であることが多いからだ。ヒントとなるのはおそらく職業の専門化と階層状に組織された社会だろう。そこでは指導者が、昔の部族時代のシャーマンのような力を持つスピリチュアルな指導者と権力を争っていた。どうやら王というものは宗教の権威という大きな枠組みのなかで生まれ、最初からスピリチュアルな権威者として選ばれた存在だったように思われる。

やがて、選ばれた王は、支配階層の最上位である最高権力者として、神殿の権威者よりも高く、自分が尽くすべき民よりはるかに高い地位を得た。この初期の段階では、フランクフォートが指摘しているように「神に選ばれたということで、王は一般の人々をしのぐ能力を授かっていることになった［が］、まだ神と同等ではなかった」。ウルクが栄えた時期にあたる紀元前4千年紀の王たちの記録が残っていないのはそのためかもしれない。王名表以外にも記録が残っている最古の王エタナは、初期王朝時代の紀元前3千年紀に統治していたと考えられており、王名表では「天に昇りし者」と描写されている。これは神聖な王を表す一般的な表現だが、王名表の言葉は1000年もあとに作られたものだ。ある詩では、エタナは天空の神アヌのもとへとワシに乗って運ばれたと語られている。別のウルクの王メスキアッガシェルは「太陽神ウトゥの息子」で、表現が一歩神に近づいている。王名表以外の資料には、ウルで最古の王朝を築いたメスアンネパダが紀元前2500年ごろ神聖化されたと記されている。

シュメール語の「王（ルガル）」は人間（ル）と大きいあるいは偉大（ガル）を意味するくさび形文字で構成されている。現存している図像ではたいてい王が臣民よりも大きく描かれ、文字通り大男のイメージを与えている。現在、大英博物館に保存されている「ウルのスタンダード（軍旗）」と呼ばれる工芸品の「戦争」と「平和」の場面ではいずれも、王が周囲の戦士よりも大きく描かれており、王は神聖であるという伝説が比喩的に強調されている。たとえば、ラガシュの王エアンナトゥム（紀元前2560頃）は、彼に捧げる碑文がいくつも作られていることから、メソポタミアのほとんどと周辺地域の一部を征服した力強く、誉れ高い王のひとりだったとわかる。イラクのテルローで発掘され、現在はルーブル美術館にある「ハゲワシの碑」の碑文は、エアンナトゥムが、灌漑と豊穣（ほうじょう）の神でラガシュの特別な神でもあったニンギルスと、戦いの女神としても知られる大地の女神イナンナの息子であることを告げている。ハゲワシの碑は不完全だが、アイリーン・ウィンターは現存するかけらからその特徴を「歴史的な物語のはじまり」と呼んでいる。実際、碑文では神の子であるという作り話があたかも事実であるかのように語られて、王の偉大さが賛美されている。さらに、エアンナトゥムが戦場で先頭に立って戦士を導いたようすを描く絵物語と神の子であるという系譜の組み合わせを考えれば、どう見てもこれは権力を捏造した架空の「物語」でしかない。

やがて、王たちには神聖であることを示す接頭詞がつくようになった。それが始まったのはアッカドの大サルゴン（在位紀元前2334〜2279）が築いたアッカド王朝である（正確な位置はおそらくバビロニアと同じ場所かその付近と思われるが確定されていない）。サルゴンの征服によって6人の王が配下に置かれ、王朝は拡大した。かごに入れられてユーフラテス川を流れていたところを助けられたというサルゴンの出生にまつわる「物語」と、庶民の生まれでありながら強大な王という地位に上り詰めたという話から、彼は続く1000年のあいだ、伝説的人物として、ほとんど神話のようなアッカド王朝の礎となった。息子のリムシュとマニシュトゥシュはどちらもサルゴンの偉大さにはおよばなかったが、孫のナラム＝シン（在位紀元前2254〜18）はサラゴンの遺志を継いで征服を続け、神になったといわれる最初の王となった。クレイマーによれば、「彼は自分を『アッカドの神』として神聖化するだけの厚かましさを持ち合わせていた」という。その地位は、ルーブル美術館にあるピンクの石灰岩でできた彼の勝利碑に刻まれている。この碑は「物語」を描写する浅浮き彫り（バスレリーフ）の典型例で、王が兵士よりもきわだって大きく描かれ、碑文はそれが神聖化の物語であることをはっきりと示している。

混乱の時代に彼が統治する都市［アガデ］の基盤を不動のものにしたことにより、市はエアンナのイシュタル、ニップールのエンリル、トゥットゥルのダガン、ケシュのニンフルサグ、エリドゥのエア、ウルのシン、シッパルのシャマシュ、クタのネルガルに対し、［ナラム＝シン］を］神と認めること、アガデ［市］の中央に神殿を建設する許しを乞うものである。

アッカドの主要な神々のほぼすべてがそこにあげられている。「混乱の時代に」「基盤を不動のものにした」のは、この神聖化が、おそらく近隣諸国の軍事的脅威にさらされた帝国の危機に際して成し遂げられた偉業の「物語」にもとづいていることの表れだろう。太陽神シャマシュを前に山頂に立つナラム＝シンのレリーフのイメージには、ウィンターが用いた「神々に触れる」という比喩が映し出されているように見える。

史学史の正しい基準に照らすなら、この神聖化物語の碑には、王の言いなりになる彫刻家や王家の一族が彫ったものなのか、それとも勝利を収めた王に敬意を表して団結した役人たちが作らせたものなのかを明確にするための背景情報が必要である。けれどもそのような情報はよくても当て推量でしかない。ナラム＝シン家の紋章のきわだった美しさや、彼が統治していた時代のくさび形文字のすばらしいできばえからは、そうした視覚的な表現が芸術家の誇りだったとわかる。軍事的な背景としては、覇権を握ろうとしていたアッカド人に対して周辺都市で絶え間ない抵抗が起き、それを鎮圧したナラム＝シンのうわさが彼の支配地域の外にも広まったことがあげられる。北側に位置するキシュの王は少なくとも10都市の連合を作り、南のウルクの王はさらに

8都市を結集したが、ナラム＝シンは数々の勝利をあげ、祖父のサルゴンと同じように伝説の域に達した。レオ・オッペンハイムの言葉を借りれば、それは「絶望的な状況から王が勝利を導く典型例」で、メソポタミアからはるかに遠く離れた場所までもが勝利の地に含まれている。軍事に長けたナラム＝シンは大物らしい存在感を身につけ、それが、自身を神と呼ぶことにつながった。勝利碑には、太陽神シャマシュの山をめざして、馬に乗り、致命傷を負って馬から落ちる兵や彼らの死骸を乗り越えて進むナラム＝シンの姿が描かれている。紀元前3千年紀の多神崇拝では、ひとつの都市での勝利は、自分たちの守護神が征服した都市の守護神を打ち負かしたことを意味した。ゆえに、ヴァン・デ・ミエループが指摘しているように、勝利碑の文言には、激しく抵抗していた都市の8柱の神々、つまり征服された都市に向かってナラム＝シンを神にするための支援を乞うという皮肉が含まれている。敗北した人に課せられる精神的な代償を含め、「物語」を作るということの強さがそこに見て取れる。

続くウル第3王朝を築いたウル＝ナンム王（在位紀元前2112～2095）は聖なる王の地位を望みもしなければ得ることもなかったが、その地位と権威は四大神殿――エリドゥ、ニップール、ウル、ウルクの多層のジッグラト――を建設させるに足るものだった。そびえ立つジッグラトは、王が天と地の仲立ちという神とはやや異なる地位にあったことを象徴している。そうした目立つ建造物は、のちにヘブライ人の他文化批判、とりわけ建設者は神の領域に上ることができるという人間の思い上がりを伝えている聖書のバベルの塔の「物語」の背景になったと考えられる。

ウル＝ナンムの統治はみごとだった。戦士を率いて戦死したのでなければ神聖化されたかもしれない。彼の死はメソポタミア史上初めての王の戦死だった。その屈辱的なできごとは神の反感を買ったためだと考えられた。人々にとっては心痛むできごとだったが、王の後継者にとっては自分の偉業の「物語」を創作するさらなるチャンスとなった。シュルギ王（在位紀元前２０９４～47）は儀式の地だったウルとニップールの両都市に捧げものを奉納し続けた。そうやって神々に気に入られようとしたのだろう。現存する記録によれば、この時代はメソポタミア史上もっとも豊かな時期である。くさび形文字が記された数万もの粘土板からは、高度に組織化された王朝、広範な経済活動、学校、訓練によって統一された書記体系などの全体像が見えてくる。王族はそれぞれふさわしい公職に就いていた。ウル第3王朝では政略結婚が広く行われていた。シュルギは少なくとも9人の妻をめとり、ウル第3王朝の5人の王のうち3人は、ウルと同盟関係にあったザグロス山脈の東側地域の王子に娘を嫁がせた。それによって辺境地域からウル第3王朝の中心部へと流れ込んでくる多額の税金や貢ぎものに対する嫌悪感が和らいだに違いない。ナラム＝シンが立て続けに軍事的勝利をあげて達成したものを、シュルギは行政手腕と賢明な外交によって成し遂げた。48年間の在位の20年目、非公式ながら、彼の名に「神」の接頭詞がついて回るようになった。

紀元前21世紀のシュルギ王の治世にはふたつの新たな展開があった。ひとつは、ウルクを囲む壁を築いたといわれる伝説の支配者、シュメールの王ギルガメシュにまつわる話で、壁は発掘と年代特定から紀元前２７００年ごろのものと判明している。ギルガメシュの人気は６００年もの年月をかけて高まったため、彼を取り巻く伝承は幅広く、今となっては伝説と真実を切り離すことはどう考えても不可能である。紀元前3千年紀の終わりに向かって、現在は「シュメールのギルガメシュの詩」として知られる、彼の生涯のさまざまなできごとを賛美する一連の詩が出現した。全部でいくつ創作されたのかはまったくわからない。現存しているものは、「ギルガメシュとフンババ」、「ギルガメシュと天の牡牛（おうし）」、「ギルガメシュとエンキドゥと冥界」を含む7つである。これらの詩ではギルガメシュは神の王であり、英雄王ルガルバンダと女神ニンスンの息子である。年代錯誤も甚（はなは）だしいある「物語」ではシュルギとギルガメシュが兄弟になっている。いったいどうすれば600年後のシュルギがギルガメシュの兄弟になりうるのかはまったくわからないが、そうした年代錯誤は古代の「物語」にはよくある。兄弟の「物語」はシュメールの賛歌「ギルガメシュとアッカ」で褒めたたえられており、シュルギを直接神々と結びつける系図を作り上げることでシュルギの神聖化を強化する役目を担っていた。この展開からは「物語」が持つきわめて重要な特徴のひとつがよくわかる。神の子という文学的にも実際にも不可能で時系列的に成り立たないできごとは、物語のなかに埋め込まれたとたんに人々の想像力をかき立て、現実に取って代わるのである。王たちはまさに、そのような「物語」の創造から力を引き出した。そうして作り話は歴史を形作る力となった。

おそらくシュルギの時代に起きたと思われるもうひとつの展開は、先に述べたように、石の角柱に刻まれた「シュメール王名表」が作られたことである。王名表は1922年に発掘されたが、のちに十数の写しが見つかっている。アッカドのくさび形文字で刻まれたその王名表には、ギルガメシュを含む133人の過去の王が記されているが、考古学によって立証されている最古の王はリストの30番目だ。それより前の人物については謎のままで、創作された歴史としか考えられない。何人かは王名表が作られた時代の支配者たちに合わせて作られた名前かもしれないが、後継となる権力者についての記録はほとんどない。初期の王たちのリストはあたかも4000年前の歴史のように見えるが、オッペンハイムが「歴史の資料か、それとも文学か？」の議論で述べているように、「厳密な歴史の文献でさえ文学作品であり、意図的であるかないかにかかわらず、特定の政治的また芸術的な目的に合わせて事実が操作されている」ことを肝に銘じておく必要がある。政治的な目的とはつまり、王たちの系譜を創作し、王というものを畏れ多い神秘のベールで包み込むために、太古の昔へと彼らの血筋をさかのぼらせることだった。

すばらしい伝説であるだけでなく、メソポタミアの王が神聖な王であることを裏づける証拠でもあったギルガメシュのストーリーは、当然のことながら、「物語」を膨らませるときの法則にしたがって肉づけされていった。文明にとって重要な創作物は時とともに成長する。エピソードが追加され、出どころのあやふやな話が完璧な筋書きになる。およそ300年後（紀元前1700頃）に現在知られている明確な形になった『ギルガメシュ叙事詩』は「シュメールのギルガメシュの詩」から大きく飛躍して、最古の文学的叙事詩となった。この傑作について述べたいことはいくらもあるが、本書においては、聖なる王でさえ死は免れないことと、神聖な王の文学的な描写が重要なポイントである。この作品は、数千年にわたって西南アジア一帯に影響をおよぼすことになった。バビロニアのくさび形文字の作品としてスタートした「物語」はメソポタミアを出て、ヒッタイトや、いまだに完全には解析されていないフルリといったユダヤ系以外の言葉を含むさまざまな言語に翻訳された。アナトリア、レヴァント、シリアでもかけらが発見されている。

メソポタミアの記録からは、王の神聖化には数多くの形があり、その地域の王朝が変わっても継続して行われていたことがわかる。王の神聖化に関連して幾度となく繰り返された儀式は、自然界を再生するために欠かせない、神と女神の聖なる結婚という形で表されている。当時は、神と女神の結婚が自然界を形作ると考えられていた時代で、初期の神殿でそれを再現するにあたって神の代役をつとめたのが王だった。たとえば、ある賛歌では宵(よい)の星々の女神であるイシュタルと神タンムズの結婚が祝われているが、タンムズの役割を演じたのはイシン王朝3代目の王イディン・ダガン(在位紀元前1974~54)だった。おそらく、女神イシュタルの役は神殿の巫女が担ったと思われるが、証拠がないため推論するしかない。リピト=イシュタル王(在位紀元前1934~24)の神聖化について語っている少しあとの文献には、豊穣の神ウラシュと女神イシュタルとの聖なる結婚で、王が神の代役をつとめているようすが描かれている。

クレイマーによれば、季節ごとの儀式だった神々の結婚はかなり頻繁に行われ、いずれも王が、その地域で崇拝されていた神の役割を担った。結果として、メソポタミアの主要な神々のほとんどが、いずれかの聖なる結婚で祝福されることになったが、豊穣の儀式で王がつとめる役割どおり、穀物の豊作、豊富な食べもの、土地の全般的な繁栄をもたらした功績で褒めたたえられたのは王だった。数千年前に定住を可能にした土地の豊かさが、依然として、支配者の儀式や神々との交わりの焦点だった。

こうした王たちの「物語」はさまざまな形で数世紀後のバビロニアにも存在していた。これまで発見されたなかで最古の法典は、名の知れたバビロン第1王朝の王ハンムラビ（在位紀元前1792～50）が作ったといわれている。5世紀前の大サルゴンによく似たハンムラビの経歴は、メソポタミアとザグロス山脈の東側一帯への軍事力による拡張が特徴だった。その結果、彼は広大な農地とバビロニアの中心部を潤す税を取り立てる地盤を手に入れることができた。ハンムラビの支配は150枚の粘土板に文字で記されているが、もっともよく知られている彼の偉業は、組織化された統治と法にもとづく正義の理念が要約された法典である。

ハンムラビ法典は高さが2・4メートルほどの黒玄武岩の石碑に刻まれている。600年のあいだシッパルに立っていたが、エラム（ハンムラビが数世紀前に征服した地域）の王シュトゥルク＝ナフンテがザグロス山脈南部のスーサへと移動させたため、その地で1901～02年にフランスの考古学者に発掘された。現在はルーブル美術館に展示されている。石碑にはぐるりと円柱を回るようにハンムラビ法典全体が記されている。書かれているのは判例で、財産権、灌漑の規制、貿易の手続き、婚姻法、負傷時の個人補償などさまざまな問題が含まれている。命令ではなく判例として重点が置かれていることから、学者のあいだでは現在、この石碑を法典とする従来の見解は間違いだったという見方で一致している。文章はすべて「もし…ならば…である」という同じパターンで書かれている。そこで伝えられているメッセージは法というより「これがわれわれのやり方だ、これがわれわれの司法の仕組みだ」というイデオロギーに近い。石碑の役割は、厳格な法律を知らしめることではなく、むしろハンムラビと当時彼が支配していた王朝こそが最高の法の執行者であることを伝えるものである。

それがもっとも強く表れているのは「物語」の枠組みだ。石碑の上部4分の1には、山の上にすわった太陽神が石碑の下部にある文言を王に口述しているようすが描かれている。石碑の下半分には、51列にわたるアッカドのくさび形文字で、王朝の司法の仕組みに関連する282条の詳細が記されている。神シャマシュからすべての文言をじかに伝えられたハンムラビは、神々と人間との仲介者である。けれども、ハンムラビは山の頂上――一般に神が住まうところ――で神と同じ高さに立っているため、神と同じ地位に格上げされている。付随する文章には、「地域に司法を浸透させる」という神の命を受けた者としてだけでなく、ハンムラビは人々の頭上に「太陽のように昇り」、「大地を照らす」者であると明記してある――ハンムラビを太陽神とみなす言葉だ。

ナラム＝シン、シュルギ、そしてハンムラビが数多くの碑文、書簡、レリーフに記録されているのに対して、ほかの数十の王たちは名前しか知られていない。しかしながら、名前につけられた接頭詞から、彼らもまた神々と結びついていたことが示唆される。シュルギの直系の後継者たち――アマル＝シン（在位紀元前2046～38）、シュ＝シン（同2037～29）、イッビ＝シン（同2028～04）――は、短い統治のあいだに神聖化されたしるしがあることから、シュルギのように文化的な偉業を達成したために神聖化されたというよりはむしろ、シュルギになぞらえて神々と同じ存在として認められたのかもしれない。神であることを示す接頭詞はそれから1世紀ほどあとのブル＝シン（在位紀元前１８９５〜74）、イシン王朝のシン＝マギル（同１８２７〜17）、そして紀元前１８４９〜１７４０年のラルサ王朝の最後の１００年にも見つかっている。それ以降、接頭詞は消えていった。それでもやはり、ウィンターが主張しているように、「メソポタミア文明において、支配者が出自、性質、特権において神々とほぼ等しくならんでいない時代は存在しない」。6世紀後、アッシリアの王トゥクルティ＝ニヌルタ１世（在位紀元前１２４３〜07）は、シュメールとアッシリアの狩猟と戦争の神ニヌルタの名を携えている。くわえて彼は、アッシュルにあるイシュタルの神殿に置かれたふたつの石の祭壇のバスレリーフで、ひとつは光の神ヌスクのシンボルとともに、もうひとつは太陽神シャマシュとともに描かれている。それからおよそ３００年後、アッシュルバニパル（在位紀元前８９０〜84）の即位の賛歌に、彼が太陽神シャマシュと記されているのが見つかっているほか、別の文字列では「戦士の神ニヌルタ」と表現されている。

その後もずっと王が神々と結びつけられていたことは、数百年続いた『ギルガメシュ叙事詩』の影響力と、のちの王朝で何世紀にもわたって繰り返されたその叙事詩の数々の写本から間接的にわかる。英雄ギルガメシュは3分の2が神で、3分の1が人間だと数学的に示されている。さらに、ヴァン・デ・ミエループが述べているように、大サルゴンとナラム＝シンの名声は、歴史学者たちが作り話と史実を分けるために四苦八苦している数多くの伝説や神話の題材となったことをもくわえておかねばならない。本書ではナラム＝シンに次いでハンムラビも追加しよう。両者とも立派な石碑で太陽神シャマシュとともに描かれている。サルゴンが川で助けられた話と聖書のモーセの類似点はかなり前から認められている。ナラム＝シンが太陽神のもとへと山を登る彫刻は、モーセがシナイ山を登る姿と重なる。口述によってハンムラビに託され、石に刻まれた法は、ヤハウェ（聖四文字ＹＨＶＨに母音をつけた読み方で、ユダヤ教における唯一神の学問的な呼称。ユダヤ教では神の名を唱えることを避けるため、学問ではこう呼ばれる。）が石板でモーセに十戒を授ける前兆のように見える。メソポタミアの伝説で事実とフィクションを分ける作業が難しいのは、実際に起きたといわれるできごととその描写にタイムラグがあるうえ、のちの文化で何度も繰り返されるうちに、事実というよりストーリーとして魅力的なものになってしまっているためでもある。正しい文学批判の一般原則にしたがえば、象徴やわかりやすい典型例が繰り返される場合、それは正確な歴史というより文学的なパターンの表れだ。人の心をつかむ「物語」はたいてい、つまらない事実がならぶ歴史にまさる。メソポタミアで次々に神聖な王の先例が作り上げられると、地中海東岸地域のいかなる文化においても、似たような権力を王に与える「物語」を避けることはほとんど不可能だった。

不滅のファラオ

集落の規模が群れから部族、そして長を中心とした集団、やがて都市国家へと発展すると、王が誕生した。階層になった組織の頂点に立つ王の至上権は、集落の人口が増加するにつれて複雑になった。王の権力の大きさは、王を取り巻き、王の望みを社会秩序の下位に伝える忠実な特権階級の者たちの力に左右された。けれども、議論の余地などない王の究極の権威と権力は、王その人を神の代理あるいは地上の神の化身とみなして別世界に置くことによって生まれた。

聖なる王の「物語（ナラティブ）」は西アジアのメソポタミアで花開いたが、同じような状況はナイル川流域のアフリカ北東部にも生まれつつあった。ジョン・ウィルソンは著書『古代エジプト文化 *The Culture of Ancient Egypt*』で「エジプトという国のあらゆる側面にかかわる重要な教え、すなわち神の王の教え」について触れ、「ファラオは地上の人間のなかに降り立った神という立場で支配していた」と述べている。ファラオが数千年にわたって人々の忠誠と献身を集め続けたことを考えると、神の王の教えがエジプトの人々におよぼした影響は明らかに大きかったといえる。

初期の家畜の飼育から農業の集落、そして統一された国へと続く道のりは、先史時代のエジプトに容易に見て取れる。考古学の資料によれば、紀元前5千年紀初期のエジプト西部にあった青々と茂った土地で行われていた遊牧は、雨量の減少とともに徐々に消えていった。部族の長を中心に組織されていた遊牧民は、広がりつつある砂漠からナイル川沿いの農業集落へ移住し、彼らの牧畜スキルを持ち込んだ。その結果、農業と牧畜を中心とした多様な村社会ができあがり、安定した食料源を確保できるようになったために人口増加の条件が整って、職業が専門化し、力のある指導者が必要になった。こうして、生まれくる王を中心とする力強い「物語」の土台ができあがった。権威ある著書『古代エジプトの興亡 *Rise and Fall of Ancient Egypt*』でこの時代についてまとめ上げているトビー・ウィルキンソンも同じ見解にいたっている。「この時代を決定づける特徴があるとするならば、それは聖なる王というイデオロギーだ」

先史時代のエジプト（紀元前5000〜3000頃）——ナイル川沿いに村のようなものができ始めたころから王朝が築かれるまで——については文字による記録が残されていない。したがって、王朝より前の「物語」は、手工品、儀式の遺物、レリーフアート、そしてとりわけ支配階級の墓をもとに再構築する必要がある。複雑な社会生活はまず、上エジプト——「上」という言葉はナイル川の上流、すなわちエジプト南部を指す——で生まれた。交易による輸入品や希少金属、なかでも金の採掘からそれがわかる。エジプト第1王朝が築かれる前から、特権階級の墓はそれ以外の人と分けられており、支配階級に富が集中していた。エドワード・エアトンとW・L・S・ロートが発掘したエル＝マハスナの先王朝時代の墓がそれを裏づけている。典型的な埋葬品は、衣類、装飾品、化粧品、花びん、武器、道具——ある例ではチェッカーボードのようなボードゲームの一部――などで、死者の魂が来世でも生活できるようにと添えられた所有物である。これまで見てきたように、魂があの世で使えるようにと死者とともに私物を埋葬する習慣は、先史時代の人々と現代の未開人の両方に広く浸透している。実際の富と象徴的な豊かさの両方を持ち合わせていたエジプトの支配階級は、その習慣をまさに驚くべきレベルにまで高めた最初の人々だったと考えられる。

紀元前3千年紀の初めごろまでに、支配は世襲君主制へと進化した。紀元前2950年ごろ、ファラオ、ナルメル王のもとに第1王朝が築かれた。この王は、現在は「ナルメルのパレット」として知られる手工品が1897〜98年に発掘されるまで知られていなかった。パレット上の象形文字から中心人物の名が判明したのだが、王は、典型的な古代エジプト人のポーズを取り、圧倒的に敵を制した英雄が上エジプトと下エジプトをひとつの都市国家として統一した話――石に掘られた勝利の「物語」――を伝える象徴的表現とともに描かれている。ナルメルは統一エジプトを支配した最初のファラオだった。ここで重要なのは、このときすでに、パレットに描かれている王の勝利を見下ろすふたりの牛の女神によって、王が神聖な存在として承認されているように見えることである。古代エジプトの基盤となる社会状況はメソポタミアとは異なっていた。メソポタミアでは、互いに競い合っていた異なる都市国家からライバルとなるいくつもの王朝が生まれて権力の中心が移動していたが、古代エジプトのモデルでは、ひとりのファラオのもとに早くからナイル川流域全体が統一され、その後続いた王朝はみな先の王朝が残した君主制を踏襲した。

この時期、富のほとんどはファラオの墓に集中して見つかっている。ブライアン・エメリーが記しているように、サッカラで発見された第1王朝の王の墓では、来世のための準備が驚くレベルに達している。そこにあるのは膨大な数のナイフ、剣、のこぎり、銅製の短剣、花びん、椀、水差し、くわ、そして何百もの手斧、のみ、きり、針などだ。それだけあれば、来世でも新しい王朝を築くことができるに違いない。75枚の銅板が含まれているのは、来世で王に仕える銅細工師が、必要に応じてさらなる武器や道具を作れるようにとの配慮だ。ひとりのファラオの墓でもこれほどたくさんあるが、エメリーが示しているように、来世に向けたファラオのための準備は、初期のエジプトでは重要な優先事項だった。現世から来世へとつながる話が王の物語のほとんどを占めていた。

エジプト古王国（紀元前2575〜2125）における創意に富んだ最大の偉業といえば、クフ王（在位紀元前2545〜25頃）の統治時代にピークを迎えた王の物語と、彼の墓碑である巨大建造物、ギザの大ピラミッドである。来世で特別な役割を担うピラミッド建設の目的は、とてつもない力の誇示にくわえて、来世への王の旅——彼の霊魂の旅——の物語の強化でもあった。

古代エジプト人は人間の霊魂を「分身、像、霊」を意味する「カー」と呼んだ。ウィルソンはカーを「魂」とみなし、「カーには力、領域、階層があり、元来神聖なものであるため、神の王にはあるが、命にかぎりのある一般の人々にはない」とつけくわえている。カーは支配者の永久不滅の部分であり、死してなお残るものだが、その存続には食べものや飲みものを必要とする。神殿のレリーフではカーは主（あるじ）である神の王と同じ姿形をしており、生きている者には霊魂が陰あるいは影に見えることがあるという世界各地の古い概念と結びついている。古代エジプトの葬礼文書のひとつである「ピラミッド・テキスト」には、カーは天国で暮らすとあるが、この言葉は誤解を受けやすい。中世の神学が現代思想にもたらした二元論が原因で、天国という概念が自然を超えた領域であるかのように思われるからだ。古代エジプトでは、物質的な存在と精神的な分身のあいだの結びつきが繰り返し示されていることから、それらはこの世で共存すると考えられていたのだと思われる。カーは天国と現世の両方に存在し、命にかぎりのあるファラオの体に入り込んで、ファラオを神のような存在にする。ウィルキンソンが述べているように、「それは、王が人間でありながら神でもあるという明らかな矛盾を説明し両立させる、古代エジプト人が考え出したなかでもっとも創造性豊かな宗教的観念である」。この都合のよい作り話によって、王は争う余地のない権威と権力を手に入れた。したがって、カーは王にまつわる創作物語の中心的存在である。物語のなかで王は現世を離れても生き続けると明言され、そのことが広く知らしめられ、ふさわしい葬儀を通して確実なものにされたのだ。

カーはもともと人間だけのものではなかった。先史時代の古代エジプトでは、霊魂は命あるものと命なきもののすべてに宿っていると考えられていた。古代エジプトの初期の図像では、鷲、甲虫(かぶとむし)、牛、ワニ、鷹、カバ、ライオン、蛇などがみな霊魂の力とともに描かれている。のちの王朝の芸術作品には動物、鳥、爬虫類の図像があふれている。命の霊魂であるカーと動物にまつわる先史時代の「物語」は、やがてエジプトの神々に取り込まれて(置き換えられたのではなく)、太陽神ラー(レーともいう)はハヤブサと、天空の女神ハトホルは牛と、そして十数の下位の神々が下等な動物の物神と結びつけられた。紀元前3000年ごろまでには、それまで霊魂によって動かされているとみなされていた明確な自然界の動き――太陽、月、星々、川、海――が、神々として擬人化された霊的な存在の働きによるものと考えられるようになった。生きている存在の集合体と解釈されていた自然界は、神や女神たちの保護下や支配下に置かれた。そうして先史時代の概念は残り、新しい「物語」が生まれるたびに古い「物語」の上に層が積み重ねられた。王朝が続いた3000年を通して進化を続けた王の物語にはそのすべてが組み込まれており、最近までエジプトの社会組織に影響を与えてきた王政の基盤をそこに見ることができる。

エジプト王政の根底にある「物語」は、初期王朝時代（紀元前3100～2686）と呼ばれる第1ならびに第2王朝の時代に出現したと思われる。そのころ、ファラオの埋葬の儀式は、自然界の霊を信じるアニミズム信仰と、人の死後も霊は存在し続けるという考え方をもとに発展した。エジプト古王国のピラミッド・テキストには、そうした考え方を示す最古の文字記録がいくつかある。それらは714節（現在は759）の一連の呪文からなり、ファラオの墓碑として建てられたピラミッドの内壁に刻まれている。現実にはありえないが、その言葉は死んだウナス王がじかに神々に述べた言葉、あるいは神々からの直接の回答の記録とされている。呪文の第217節（番号はクルト・ゼーテによる）はウナス王の石室の南側の壁に刻まれており、「不滅の霊を持つ者／ウナスはくる／4本の柱がある場所をわがものとして」と断言している。その場所とはおそらく来世における王族の大きな天幕のことだろう。同じような通告のあと、第245節で天空の女神が答える。「天にあなたの座を作りなさい／天の星々のあいだに」。控えの間の壁に刻まれている

第263節には「ウナスは彼のカーとともに生きるだろう」とあり、第273節には彼は「すべての神を食べて生き永らえ」、「神々の内臓を食し」、「天空に住まう者はウナスに仕える」とある。テティ王の石室の西側の壁にある第337節は、「彼［テティ］が現れ、天へ向かう／彼の兄弟たちである神々のもとへ！」と読める。ペピ王の石室にある第432節では、王は「天空となった偉大なる者」であり、彼の体内には「不滅の星」があると描写されている。

こうしたピラミッド・テキストからは、死んだエジプトの王はみな不滅で、神々のあいだに自分にふさわしい場所を求めて来世へと旅立ち、天空に居場所を得て、場合によっては神々を食して彼らになり代わりさえするとわかる。要するに、これらの呪文は複雑な「物語」なのだ。古代エジプトの王は神である――神の代理ではなく、地上に降り立った神そのものであり、死後は星々のあいだに座す。けれども、ファラオが昇天するからといって、神聖化が必ず死後に生じるとはかぎらない。ファラオは現世においても神聖な存在で、実際、神々の行為によってこの世に生まれたといわれる。ここで、自然と超自然に分けられる現代の二元論との違いについて述べておくべきだろう。ウィルキンソンはいう。「古代エジプト文化で、神々がどこにいるかと問われたら、答えに困ったかもしれない。古代エジプトでは王そのものが神だったからだ。君主は宗教に不可欠な存在だっただけではない。そのふたつは同義だったのである」

デル・エル＝バハリの埋葬殿にある一連のレリーフに、ファラオの聖なる誕生のストーリーが描かれている。テーベの神々の王アムンはイアフメス王妃の寝所へと導かれ、身籠ったイアフメスはハトシェプストを産んだ。ハトシェプストは聖なる霊であり分身であるカーを持ち、エジプトの次の女王（在位紀元前1473～58）になった。当然のことながら、女性によるエジプト支配がまれだった時代に自分の正当性を裏づける「物語」を作り上げるため、おそらくハトシェプスト女王がこのレリーフを用意するよう指示したのだろう。実際、彼女はファラオの地位を得た数少ない女性のひとりだった。

王や女王が誕生の瞬間から神聖であることは、即位時にも改めて確認された。子どもは生まれたときにひとつの名を与えられるが、およそ3000年続いたエジプトの王朝支配では、即位のときにいくつもの称号が授けられた。ひとつは「カヤツリグサとミツバチ」を意味するネスビティで、上エジプトと下エジプトの両方の支配者であることを示している。カヤツリグサはナイル川上流の流域、ミツバチはデルタ地帯の象徴だ。ふたつ目の称号であるネブティは「二女神名」で、北と南の女神――ウアジェトとネクベト――に認められたことを示している。それ以外のふたつの名前ホルスと黄金のホルスは王が太陽神ホルスと同一であることの証である。

王と古代の伝説の神々が結びつくことで架空の歴史が生まれた。王は奇跡によって生まれた子で、神に等しく、星々のあいだで永久に生き続ける。そして、その「物語」は王による王の領土、すなわち国家を支配する基盤として維持された。王の勅令以外に法律はなく、王の命令がなければ何も動かなかった。すべての神々――太陽神レー、大地の神ゲブ、天空の女神ヌト、海の神ヌン、ナイル川の神ハピ――をしたがえたファラオは、社会秩序と季節の法則であるマアトとも一体になった。人間の現世とは異なる超自然界で暮らすほかの民族の神々と違い、エジプトのファラオは、自然と超自然、天と地、上エジプトと下エジプトを含むひとつの「物語」をみずからの人格に取り込んで、秩序、豊穣、繁栄を約束したのである。

儀式とは意味と道理を行動によって確かめるものと考えるとわかりやすい。繰り返しが可能なよくわかる言葉と行動を用いて、人々は自分たちの存在——個人、家族、社会、政治——の根底にある「物語」のなかに入り込む。毎年行われる祝祭や就任式のように、即位も儀式による確認の機会だが、頻繁にあるわけではない。ヨーロッパ史では、いずれもイギリスの君主であるエリザベス1世、ジョージ3世、ヴィクトリア、そしてこれまででもっとも在位期間が長かったエリザベス2世のように、統治が数十年にわたることが多い。そのように治世が長期にわたると、儀式によって承認する機会を人々から奪ってしまう。即位の儀式によって確認される社会の団結はほぼ忘れられ、場合によっては一度も経験しない世代も出てくる。そう考えると、ピラミッドを建設する巨大プロジェクトという他に類をみない手法によって、毎年のようにエジプトの人々を王の「物語」のなかに引き入れたという点で、エジプトの王の「物語」は、歴史のなかでもきわだっている。

ピラミッドの建設は第3王朝（紀元前2686〜13）の時代に、ジョセル王の墓室として階段式ピラミッドを築いたところから始まった。現在ではかなり浸食が進んでいるが、それ以前にこれほど複雑なものが作られたことはなく、人類の創意工夫の証として存在している。創意工夫の頂点は、紀元前25世紀のなかごろに、クフ王の埋葬場所としてギザの大ピラミッドの建設が始まったときだった。建設には30年かかったといわれている。ギリシアの歴史学者ヘロドトスは、労働者が「10万人ずつの集団で3か月交代で働き」、切り出した石を運ぶ街道を整備するだけで

10年かかったと述べている。「ピラミッドそのものは建設に10年を要した」。この数字を確かめる方法はないが、反論する理由もない。ヘロドトスは自分が直接話をした人々から得た情報だと主張している。けれども、ヘロドトスが生きていたのは紀元前5世紀、ギザの大ピラミッドの完成は紀元前2560年ごろで、彼の時代より2000年前だったことは心に留めておく必要がある。現代の推定でちょうどよいくらいかもしれない。トビー・ウィルキンソンが現実的な労働者のチーム分けについて提示している。「大ピラミッドのプロジェクトで1度に働いた労働者の数は、1万人を若干超えた程度ではないか」

近年の証拠からは信じられないほど複雑な全体像が判明している。マーク・レーナーが実施した発掘調査では、ギザのピラミッドに近い場所に「ピラミッドの失われた都市」と彼が呼ぶ広大な集落が発見された。そこには最大2万人の労働者が収容可能で、栄養状態のよい専門技術者がいたと考えられる。もしかすると、石を積み重ねる前に、荒削りな石に最終的な表面加工を施す労働者だったのかもしれない。また、建設プロジェクトに物資を供給する遠方の拠点にも、数はわからないがかなりの人数のサポートチームが必要だった。ピエール・タレットは紅海の西海岸にあるアイン・スクナとワディ・エル＝ジャルフの古代の港で発掘調査を実施してきた。そこでは、クフ王のピラミッド建設のあいだ巨大な船を保管するために、岩を切り出して作られた入り江が使われていた。航海に適さない時期に船が置かれていたようである。海が穏やかな夏は、紅海の奥にあるシナイ半島の鉱山から掘り出された銅が船で輸送された。ギザに使われている数百万トンの石を切り出す道具を作ったり修理したりするために、何千トンもの銅が必要だったことを考えると、驚くべき採鉱能力である。鉱山、船、銅を溶解する港の労働者、そしてギザまでのおよそ120キロの道のりからは、多種多様な仕事を含む供給ラインに支えられていた巨大建設プロジェクトの全体像がわかる。船の保管場所で発見された手工品のなかに、エジプトの役人メレルが残したパピルス紙の一連の古文書がある。メレルは自分の担当チームの仕事を記録していたが、およそ200人がナイル川を行ったりきたりして、石灰岩を含む材料を集め、船で運び、ギザの建設現場に届けていたという。

数千トンの石を切り出して形を整え、200万個を超えるブロックを設置するだけで、クフ王の時代のほとんどが費やされたに違いない。エジプト各地から何万という労働者が集められたことで、ピラミッドの建設は、ほぼすべてのエジプト人家族を、ファラオを中心とする巨大な社会のストーリーへ引き込む珍しい例となった。社会全体がそれほどまでに大きな事業に専念するという状況は現代人には理解しがたいが、エジプトの多くの人々を巻き込んだとてつもなくパワフルな「物語」への社会的な参加として、この歴史的プロジェクトを理解すればよいかもしれない。

古代エジプト人のスピリチュアルな世界では、ファラオには地上の支配を超えた宿命があった。神であるファラオの死後の道は、神々の領域にある不死へとつながっていた。古代エジプトの人々はそれを困難な道と考えていた。彼らの埋葬には物質的な支援——遺体とともに埋葬する手の込んだ手工品の備蓄——のほか、目的地までの道のりで王の魂を助けるピラミッド・テキストが含まれていた。言葉という意味では、ピラミッド・テキストは、結婚式や就任式の誓いの言葉のようにその言葉を口に出すか、あるいは読むことで行為が達成される類いのものである。ただしそこで達成されること自体は想像上のものごとで、王の魂――ひいては人々の魂――を永久不滅の領域へ送り出すことだった。

古代エジプト人の天文学者は空を見て、天空のほとんどが回転していることを発見した。星々は北の空の見えない点を中心に円を描いていた。現在、その点には北極星が見える。古代エジプト時代、その点に近い場所にふたつの明るい星があり、見えない中心の周りを正確な軌道を描いて動いていた。明らかに、古代エジプト人はその中心点こそが動かぬ永遠の世界だと考えたようである。考古学者ケイト・スペンスが示しているように、ピラミッドの設計者は南北軸の上にそれらを建てた。ジョセル王の階段式ピラミッドをはじめとするいくつかの例では、王の墓室から建造物の上部の傾斜に向かって、天の見えない中心点と完璧に一直線にならぶ細い縦穴が開けられている。その考古学的な見識にもとづいて、極星の周囲を正確な軌道でめぐる星々は「無限の時」の比喩に最適だったのではないかとウィルキンソンは述べている。「不滅」の星々はまさに、死んだファラオが永遠の命を達成できる場所だった。北極星と一直線にならんでいるということは、ピラミッドには墓室だけでなく、王の魂が星々のなかのふさわしい場所へとまっすぐに向かっていける直通路があるということだ。宇宙開発の時代よりはるか昔の古代エジプト人は、ファラオの魂を永遠の世界へ打ち上げる方法を思い描いた。ケンブリッジ大学で実施された2001年の会議の記録で、ティム・レッドフォードは、ウィルキンソンはピラミッドを「星々への階段」と定義したと述べている。ピラミッドは「来世を過ごすことになる北の空の星々へとまっすぐに王の魂を打ち上げるための発射台」の役目を果たしていた。

大ピラミッドの建設には、巨大な石材を切り出す熟練労働者、道具を研ぐ助手、必要な水を運ぶ人、50トンにもなる重い石の塊を木製のそりにのせて長い傾斜路を運搬する大集団、そして建造物全体を輝く白い大理石で覆う仕上げ職人が、何年ものあいだ身を粉にして働かなければならなかった。最終的におよそ120メートルの高さまで巨大な石の塊を運びあげる方法としては、建設が進むにつれて徐々に長く、高くなっていった巨大な傾斜路が用いられたと考えられている。一方、ジャン＝ピエール・ウーダンとライナー・シュタデルマンは、ピラミッド内部に傾斜路を作り、四隅で向きを変えて螺旋状に一段ずつ高くしていったという、それとは別の仮説を立てている。そのルートで頂点まで石の塊を運び、最後に入り口を封じれば見えなくなるという寸法だ。精密重力計による内部調査の謎めいた画像を含め、それらしい証拠はあるが、さらなる調査にあたってピラミッドを破壊しなくてもすむような何らかの方法が見つからないかぎり、興味深い仮説としかいいようがない。

しかしながら、ピラミッド建設は巧みに操られていた。その大がかりな取り組みのすべてにおいて、労働者、その家族、そしてすべての人々がそこにあるストーリーのなかに引きずり込まれた。各家庭が、埋葬の儀式が終わって墓が封印された瞬間に動き出すよう仕組まれた王の存続の物語を築き上げる支えとなった。現在では、ピラミッドは奴隷ではなく徴集された人々によって建てられたことがわかっている。王の感動の「物語」に自分も参加していると感じる喜び以外に、かくも長期にわたる献身的な労働は説明できない。ピラミッドの完成から何世紀ものあいだ、だれもが空を見上げ、光り輝く巨大な石のピラミッドとしてそこに存在する自分たちの労働の成果を目にして、自分が貢献したからこそ王たちは「不滅のもの」のなかで生き永らえるのだと実感する。そうするあいだにも、それまでと同じようなストーリーで、神と同じ名を持つ新しい王が新しい英雄となり、人々はその芝居のなかでまた自分たちの役割を演じる。

現在、エジプトで発見されたピラミッドの総数は138基である。2008年の最も新しい発見は、約6メートルの砂に埋もれていたもので、紀元前2345〜33年に統治していたセシェシェト女王のために建てられたと考えられている。それはかなり小さな13・7メートルほどの高さで、建造物の小型化の傾向が表れている。もしかすると文化が疲弊していったことの表れかもしれない。何万人もがかかわった王朝初期の巨大な取り組みは人々を疲れさせた。それでも、そうした巨大建築物の建造が紀元前664年ごろに建てられた最後のタハルカ王のものまで2千年紀以上続いたことからは、ピラミッド建設の根底にある「物語」の力の大きさがわかる。すでに述べたように、第5王朝の最後の支配者だったファラオのウナスは、自分の墓室の壁を飾るピラミッド・テキストに「物語」を追加した。墓室自体は宇宙を象徴していた。頭上には星々が、足元には水が描かれ、黒い棺と白い壁は地上と周囲の輝く砂漠の世界を表していたのかもしれない。巧みに配置され、芸術的に表現されたピラミッド・テキストは呪文や格言で構成され、一部は古くからすでにあったものだが、ウナスの昇天に合わせて作られたものもある。ウィルキンソンが述べているように、それらはみな「天極の周りの不滅の星々となるため宇宙へと旅立つ死後の王を助ける」べく形作られている。「食神賛歌」として知られる、とりわけ衝撃的で生々しい呪文では、ウナスは神の魔法を食べ、神の精神を飲み下す。まさに、ファラオの聖なる力が神々にもまさることの証だ。

王家の墓でもそうでなくても、墓に刻まれたおびただしい数の祈り、呪文、詩、賛歌からは、古代エジプト人が来世に夢中になり、確実に到達するための儀式がゆっくりと広がっていったことがわかる。そこに示されているのは、彼らがそうした思想を未開の部族民から途絶えることなく受け継いできたという連続性だ。なかでも、ピラミッド・テキストとして言葉に表すことで実行されると信じていた点については、後世のファラオ——在位期間が長かったペピ2世（在位紀元前2260～2175）——の墓室に記されたテキストを、異父姉妹のネイトがのちに自分の小さなピラミッドに書き写した行為に見て取れる。それはファラオではない人物の手による初の星々への旅立ちのストーリーとなった。やがて、王を不滅の世界へ旅立たせるという儀式的な作り話は、ファラオに近い人々以外の上流階級や官僚にも用いられるようになった。ファラオでなくともピラミッドと装飾の施された墓が建てられるようになり、唱えれば実行される「物語」があちらこちらで用いられるようになるにつれて、それらは滅びることのない「芸術と建築、言語と像のプロパガンダ」の役割を果たすようになった。ピラミッド・テキストを通して成し遂げられる永遠の命という魅力的な「物語」はエジプト以外にも広まった。およそ1600年後、第25王朝のクシュ（スーダン地方）の王で、紀元前728年にエジプトを征服したピイ（ピアンキ）（在位紀元前747～16）の墓は、ピラミッド・テキストと、それより新しい葬祭文書である『死者の書』の写しで飾られている。

ピイの後継者、シャバカ（在位紀元前716～02）の時代には、過去2000年の理想像が、古代エジプト、メンフィスの「古きもの」と呼ばれる創造神プタハに焦点を当てた古代神学の創生につながった。「物語」とも演劇ともとれるその「メンフィス神学」と呼ばれるものは、シャバカ石として知られる黒い花崗岩（かこうがん）の板に記されており、19世紀にエジプトのメンフィスにあるプタハ神殿で発見され、現在は大英博物館にある。かなりすり減って一部が消えてしまっているその花崗岩の石板は縦横がそれぞれ92センチと137センチの大きさだ。バッジとリヒトハイムはいずれも、その「物語」を聖体の祝日に演じられていた中世の謎めいた戯曲と比較して、芝居はおそらく春の訪れに向けて毎年行われる祝祭などの祝賀行事にメンフィス神殿で演じられていたのではないかと述べている。芝居の舞台は神話となっている先史時代――第1王朝のファラオの誕生より前――で、神ホルスとセトが上エジプトと下エジプトに二分された世界を治めていた時代だ。「メンフィス神学」では、エジプトの統一はメンフィスの最高位の神プタハが成し遂げたことになっている。復興論者がそう強調したのは、その直前に、古代エジプトの首都がその300年以上前から輝きを失っていたメンフィスに移されたことと関連していたのだろう。「力の物語（ナラティブ・オブ・パワー）」である芝居は、メンフィス、メンフィスの創造神プタハ、ファラオのシャバカの地位を強化する手段だった。

第25王朝であるクシュ王朝の手工品には、エジプト古王国文化の模倣が見られる。そこでは古い時代の古語がさまざまな碑文で復活している。だとすると、シャバカ石の「物語」にはもうひとつの側面があったことになる。シャバカ石の「物語」の冒頭には、物語は神殿で発見された古代――何千年も前――の話の写しであると記されている。その言葉からは虫食いがひどく、物語の一部がすでに失われているようなパピルス紙に書かれていたものが想像される。シャバカの命令で刻まれた物語の続編は、架空のパピルスから写したものとされる言葉が古王国の古い言語で刻まれているために、いかにも本物であるかのように見える。昔のエジプト学者がだまされたのも無理はない。たとえば、ウィルソンとリヒトハイムはそれが本当に古王国の作品だと考えたが、最近の学者はそれを否定している。ウィルキンソンが述べているように、それは「過去の遺物に見せかけて巧妙に作り上げられたもので、クシュの狂信者たちの心の内だけに存在した文化の統一性に関連する想像上の過去」である。

きわめて巧妙に作られたシャバカ石は、160年以上ものあいだ学者の目を欺いてきたことから、創造された歴史と呼ぶにふさわしい。それはまさに、物語中の物語を使って意図的に、、、、、、、、、、、、、2000年も前のものだと思わせる抜け目のない作り話である。また歴史的信頼性という点では、事実とみまがうほどの創造の歴史を作るにあたってストーリーの力を利用していることから、最古の偽造文学だといえる。じきにわかるが、「メンフィス神学」は伝説の過去を作り上げた、たくさんの捏造された「力の物語」の始まりでしかない。

3 ヘブライ人の王

旧約聖書の出エジプト記によれば、ヘブライ人のエジプトからの脱出ルートはナイル川デルタ地帯からシナイ半島を経て、やがてイスラエル南部にいたる道だったと考えられる。ユーラシア大陸に散らばっている証拠は、ホモ・エレクトスがアフリカから出たのは今から100万年以上、ことによると200万年も前である可能性を示している。彼らが北極地方を除くユーラシア大陸のほとんどに拡散したことは遺物からわかるが、アフリカを出たルートは不明で、今後明らかになるとも思えない。のちのホモ・サピエンスが現在のイスラエルにあるケバラ洞窟に残したわずかな痕跡は、彼らがエジプト北部から移住したことを示す強力な証拠だが、その地で数千年暮らしたあと姿を消しており、おそらく絶滅したのだろう。その後の遺伝学的なデータは、移住に成功した人々が紅海の南端を渡り、アラビア半島の沿岸をつたって、南アジア沿岸部から東南アジアへと東へ向かう、南部拡散ルートと呼ばれる道を通ったことを示している。

その道筋で移住者の一部は河口に落ち着き、一部は明らかに内陸をめざして大陸を突き抜け、川岸に集落を作った。ティグリス＝ユーフラテス川流域は、インド洋に沿って発見された、最初のそうした河川ルートだった。ホモ・サピエンスが内陸に移動し始めたのはおそらく7～8万年くらい前で、彼らはそこで狩猟採集生活を始めた。川の近くにある先史時代の野営地からは、およそ1万2500年前から定住生活と農業が徐々に出現し始めたことがわかる。パレスティナのイェリコにある4万平方メートルほどの遺跡は紀元前9000年ごろの定住地で、たくさんの人手を要する高さ6メートルほどの城壁からは、力のある長を中心とした社会組織が誕生していたことが示唆される。紀元前7750年までには、野草の栽培や動物の家畜化に支えられた集落が、パレスティナを通ってナイル川流域へと南に広がっていた。紀元前3000年ごろまでには、地域全体に定住地が築かれていた。

紀元前1000年ごろになると、比較的少数の遊牧民がカナンと呼ぶ地に定住し、王朝を築こうとした。聖書でヘブライ人と呼ばれる彼らは、15世紀にわたって、東のシュメールとアッカド、南西のエジプトという神聖な王国にはさまれ、カナン人、ペリシテ人、ヒッタイト人の影響を強く受けていた。ヘブライ人の文化は聖書に描かれているものに似ていたのだろうが、旧約聖書の最初の7つの書から士師記までに記されている王政以前のできごとについては、聖書以外の記録で裏づけることは不可能である。考古学者のアミハイ・マザールは、聖書の話は「イスラエル人がこの地域に住み始めた士師記の終わりごろとイスラエル王国の時代を描く、歴史的価値のない文学作品」に等しいと控えめに述べている。聖書の申命記とヨシュア記から列王記までの書は、一般に申命記史と呼ばれる。イスラエル・フィンケルシュタインは別の観点から証明の限界を示している。「聖書にはそれが書かれた時代より前に生じた内容が含まれている。問題は、多くの例で、古い記憶がかなりあいまいだったり、のちの書き手によって改ざんされていたりするために、記述のなかの古い事実を見分けることが不可能になってしまっている点にある」。士師(しし)記は年代としては紀元前１２００〜１０２５年の内容だが、ほとんどの学者は、書かれた時期を紀元前７世紀後半と見ている。実際、これは族長の力について語るきわめて脚色された「物語(ナラティブ)」で、数十年あるいは数百年後に集められたものだ。王政が始まる直前の時期のかなりパターン化された話でもある。王朝時代の前ぶれであるこの物語は聖書におけるもっとも重要な書のひとつで、ヤハウェとして知られる神の聖なる力に守られた神政時代へつながる導入部分になっている。

士師記は王朝時代より前の長（「士師」）が治めていた部族組織について語っている。その時代の士師は、困難なときに現れたカリスマ的指導者として描かれている。士師のようすや活動は神聖な王朝の到来を予感させるが、士師記は明らかに、次に何が起きるかをよく知ったうえで、かなりあとになってから書かれたものである。最初の士師オトニエルについては「主［ヤハウェ］の霊が彼の上に臨み」とある。２番目の士師エフドでは「主が彼ら［イスラエルの人々］のために一人の救助者を立てられた」という。士師バラクでは、ヤハウェは異なる手段をとり、敵を恐怖におののかせる。士師ギデオンに対してはこう述べる。「わたしがあなたと共にいるから、あなたはミディアン神をあたかも一人の人を倒すように打ち倒すことができる」。同じような描写は士師エフタの戦いにも使われている。その後、「主の御使い」がマノアの不妊の妻に、彼女は身ごもって男の子を産み、その子がイスラエルを助ける英雄サムソンになるだろうと告げる。遊牧民の古い物語にもとづくサムソンの奇跡の誕生は、創世記でアブラハムの妻サラのもとを神が訪れ、イサクが生まれた話の繰り返しである。文学的には、このような事象の繰り返しはひとつの創作方法で、ミドラシュ（聖書の注釈）として知られている。

超自然な力の介入は続く。神殿を破壊したり、縛られた縄から逃れたり、1000人の敵を殺したりするサムソンの並はずれた力は、神の霊がつかのま彼に憑依したためだと説明されている。さまざまな士師の話はどう見ても、ヤハウェの存在、支援、関与をひとつのテーマとして、大げさに誇張しながら、まとめたものだ。それぞれの士師はまったくの人間でありながら、何らかの形でヤハウェと特別な関係を持っている。士師記全体はまったく異なるできごと、伝承、伝説の「物語」の寄せ集めである。それぞれの指導者は異なる手段で力を手に入れ、だれひとりとしてそのリーダーシップを親から譲り受けたり、子に権力を受け継がせたりしていない。力は、神の子だから、あるいは神に選ばれたからではなく、個人のカリスマによって得たものである。それでいて、指導者とヤハウェの結びつきがつねに中心にあり、やがて誕生する聖なる王の前ぶれになっている。

士師記のふたつ目の特徴は、ユダヤ教の聖典で示される「物語」のパターンの縮小版になっていることである。パターンはのちの新約聖書の書き方にも受け継がれている。ノースロップ・フライの的確な説明にあるように、聖書の「物語」では、天地創造から黙示までの興亡の「物語」のリズムが正弦曲線を描いている。士師記の対称的な繰り返しには、それがもっともはっきりと示されていて、力強い指導者の安定した存在がないと、人々は繰り返しヤハウェを忘れ、「バアルとアシェラ」を崇拝してしまう。もっとも、多神教の神々をそうやってひとくくりにすることは、深刻な道徳上の問題を表現するにあたって好都合ではあった。サムソンがペリシテ人の畑を焼き払うためにジャッカルの尾に火をつける場面や、内縁の妻をならず者に差し出して一晩性的虐待を受けさせたうえ、翌日、彼女の体を12に切り分けたレビ族の話もそうかもしれない。そうした話では、王の誕生より前の社会は無秩序で、不道徳に満ちており、適切な権力を欠いていたという意味が言外にある。士師記の締めくくりはまさにそう断言している。「そのころ、イスラエルには王がなく、それぞれ自分の目に正しいとすることを行っていた」(士21章25節)。これは、のちにヤハウェとの契約にもとづいて王朝を確立するための明白な理由づけだった。あいだにあるルツ記では、未来の王ダビデの空想小説的な系図が定められている。士師記は明らかに、ヘブライ人の王の前置きとして、ずっとあとになってから意図的に作られたものである。

世襲制のヘブライ人の王朝についてはサムエル記と列王記に記されているが、紀元前10世紀のダビデとソロモンの王朝については、聖書以外の資料がほとんど存在しない。王の即位では油が注がれ、聖書にはサウル、ダビデ、ソロモン、イエフの儀式が記されている。即位の「物語」では、神に選ばれた者に権威と権力が授けられる。メソポタミアとエジプトでは、君主の権威は、都市の城壁、巨大神殿、ピラミッドなどの大きな建造物で示されていた。そうした目に見える力の象徴には、兵役の義務あるいは推奨、君主を支えるための課税、土地や人員の公用徴収、作物や家畜の10分の1税といった、暗黙の社会統制がほのめかされている。近隣地域の権力構造を意識していたに違いないヘブライ人の書記官たちは、古代イスラエルの民に権力の濫用について警告しようとした。王を立ててほしいと頼むイスラエルの人々に対する注目すべきスピーチで、サムエルは警告として、王の強大な権力について説明している。

彼はこう告げた。「あなたたちの上に君臨する王の権能は次のとおりである。まず、あなたたちの息子を徴用する。それは、戦車兵や騎兵にして王の戦車の前を走らせ、千人隊の長、五十人隊の長として任命し、王のための耕作や刈り入れに従事させ、あるいは武器や戦車の用具を造らせるためである。また、あなたたちの娘を徴用し、香料作り、料理女、パン焼き女にする。また、あなたたちの最上の畑、ぶどう畑、オリーブ畑を没収し、家臣に分け与える。また、あなたたちの穀物とぶどうの十分の一を徴収し、重臣や家臣に分け与える。あなたたちの奴隷、女奴隷、若者のうちのすぐれた者や、ろばを徴用し、王のために働かせる。また、あなたたちの羊の十分の一を徴収する。こうしてあなたたちは王の奴隷となる。その日あなたたちは、自分が選んだ王のゆえに、泣き叫ぶ。」(サム上8章11〜18節)

これは実在しないスピーチで、信憑性(しんぴょうせい)がまったくない作り話である。さまざまな例を積み上げて説得の効果を高めているが、話の内容は過去を振り返ったものだ。話の背景からは、イスラエルが王に支配されたらどのようになるかを語る預言のように見えるが、このセリフは、イスラエルの王の支配下で出現した慣習の悪い点をあげるものとして、また、近隣の帝国ですでに示されていたような多くの悪い慣行をともなう制度を取り入れている人々を非難するものとして、ずっとあとになってから考案されたものだった。

聖書の話では、サムエルの警告は受け入れられず、人々はどうしても王がほしいと訴えて、サウルが王になった。サムエルが述べた内容のほとんどは、サウルの時代とはいわないまでも、間違いなくダビデ、そして特にソロモンの時代に現実のものとなった。ソロモンの施政のようす、ぜいたくな暮らし、建築プロジェクトは、まさにサムエルの警告どおりだった。ユダヤ教とキリスト教の観点からこの「物語」を読み解くと、ヤハウェがひとりの登場人物として、「油を注がれた」——文字通り聖油を注ぐ即位の儀としての意味と、比喩的に神から命を受けたという意味を持つ言葉——と描写されている王たちのそばにつねに存在していることが強調されているとわかる。

ダビデは、少年時代に「石投げ紐と石一つ」で巨人ゴリアテを倒し、王となってからはエルサレムを陥落させて「ダビデの町」と呼んで首都を置き、3万人の軍勢を使って王国を北のシリアと東のトランスヨルダンへと広げるなどの偉業を成し遂げた。外部の人間がすばらしさを称賛する行動をとると、公に認められたという意味で大きな力となる。ダビデの場合には、エルサレムの占領に続いて「ティルスの王ヒラムはダビデのもとに使節を派遣し、レバノン杉、木工、石工を送って来た。彼らはダビデの王宮を建てた」とある。これらは強い印象を与えるがありえない話で、その後ダビデの力がイスラエル人からも認められるということの前置きである。

ダビデが書いたといわれる詩編（しへん）は、何世紀もあとになってから正典を作る過程で生まれた完全な作り話である。創世記（そうせい）から申命記（しんめい）までの五書をモーセのものとする解釈と同じように、詩編をダビデが書いたと主張するのは、そうすることでヤハウェとの結びつきが強まるためだ。聖書の編纂者は詩編の内容やテーマがさまざまに異なっていることを知っていた。それでも詩編が王国の創始者に帰すると述べるのは、ダビデと詩編をヤハウェの啓示を受けた聖歌として、また文化的な「力の物語（ナラティブ・オブ・パワー）」に等しい神話として強化したいからだった。

そうして受け入れられた伝説のなかのさまざまなできごとには、ダビデを直接音楽や歌と結びつける手がかりが示されている。初期の話では、彼は竪琴の名手として描かれている。ペリシテ人から「神の箱」を取り戻してからは、ダビデと「イスラエルの家は皆」ヤハウェの前で糸杉の楽器、竪琴、琴、太鼓、鈴、シンバルを奏でた。のちの書には「ダビデが命じたように」ヤハウェの神殿で「賛美と感謝を唱えた」という表現があり、バビロン捕囚から帰還したあとに神殿を再建するときにも同様の表現が繰り返されている。詩編ではダビデが神殿崇拝の中心に置かれている。詩編はそれぞれ祈りの言葉で終わる5つのセクション（1〜41章、42〜72章、73〜89章、90〜１０６章、１０７〜１５０章）に分かれており、はるか昔から信仰の基盤となっていたモーセ五書を賛美する詩の朗読の影響を受けている。こうした文学的な模倣では詩のパターン化が優先されるため、歴史から逸脱していることがほとんどだ。ヘブライ語版の詩篇では、編者が追加したと思われる73の詩にダビデの名が記されており、ギリシア語の七十人訳ではその数が83に増えている。詩は英語に訳されたほとんどの聖書にも残っている。もっとも、当初は、詩編のテーマとそこであげられる名前のあいだには漠然とした結びつきしかなかったのかもしれない。

一般に詩編はダビデが書いたと考えられているが、数世紀かけて作られたことを示唆する内部証拠がある。詩編の一部はダビデの統治といわれている時代より前のものかもしれない。詩編50

と73～83はダビデの時代に音楽を司ったレビ人のアサフ、詩編90はモーセ、それ以外の詩篇はほかの人々の作品だといわれている。「ケルプを駆って飛び／風の翼に乗って行かれる」嵐の神としてのアニミズム的な描写、「神の子ら」また「神々の間」といった多神崇拝を思わせる表現、そしてシリアの「バシャンの山」を「神々しい山」とみなしている部分は、「イスラエルの近隣諸国にある神話から借りてきたイメージ」である。こうした表現のもとになったのは、ダビデの統治といわれる時代より200年も前の、紀元前12世紀以前にシリアのウガリトにあったカナン王国の神話だった。しかし、そうした神話はダビデの言葉として、神の選民という大きな「物語」に組み込まれ、王朝全体、とりわけ統一君主制のもとでヤハウェ崇拝の基盤を作るという役割に正当性を与えることになった。

強大な国家を築いたダビデの「物語」と比べても、ソロモンの偉業はまさに圧巻だが、エルサレム・ヘブライ大学の考古学者マザールが強調しているように「統一君主制に関連する文献は聖書しかない」。トーマス・トンプソンがその意味を説明している。サウル、ダビデ、ソロモンといった王たち、そしてダビデが征服して手に入れた領土やソロモンの神殿は「実際の歴史上はどこにも存在せず、物語としてしか知られていない。［中略］伝説で語られている大きな帝国はもとより、統一君主制の証拠、エルサレムに首都があった証拠、あるいは西パレスティナを支配したといわれる統一政治勢力の証拠もない」。何世紀もあとになってから作り上げられたそれらの話には、イスラエル人の目から見た自分たちの姿、史実よりも重要な想像上のストーリーが描かれている。それは一般にいわれているような歴史上の事実というよりむしろ、のちのイスラエル人の力を実際より強大に見せるための創作された歴史である。

聖書の「物語」のなかの脚色によれば、ソロモンのすばらしい施政はかつてないほどの豪華さ、力強さ、ぜいたくさ、特権を王朝に与えた。それらは聖書に出てくるほぼすべての登場人物をしのぐ規模で、何世紀ものあいだソロモンの名を轟(とどろ)かせることになった。「戦車用の馬の厩舎(きゅうしゃ)四万と騎兵一万二千」と記されている目録はソロモンの軍事力を示しているが、その数はありえないレベルまで持ち上げられている。領土の誇張は、ソロモンが「ユーフラテス西方の全域とユーフラテス西方の王侯をすべて支配下」に置いているとする主張を見れば明らかだ。「ユーフラテス西方／全域」という言葉はエルサレム聖書では「ユーフラテス全域」と訳されているが、ジェイムズ王欽定(きんてい)訳をはじめとするほとんどの聖書では「ユーフラテス西方」と表現されている。ただし、新エルサレム聖書の注釈には、「ユーフラテス全域」は「この節が書かれたペルシア時代［ペルシア人から見た紀元前538年以降の時代］に、ユーフラテス川と地中海にはさまれた地域の正式名称」になったとあり、「ユーフラテス全域」とは東方ではなく西方を指すものだとわかる。その節、そしておそらくその周囲のほとんどの話も、紀元前6世紀になってから紀元前10世紀の伝説を取りまとめたときに追加されたものである。これは年代錯誤の言葉が年代錯誤の作り話を証明している数少ない例のひとつである。ダビデとソロモンの領土はヨルダン川と死海の東にある高地を越えて広がったことはなく、「ユーフラテス全域」と呼ばれる土地の東寄りは人の住めない砂漠だった。

ソロモンの治世と君主制を表す不滅の象徴は、列王記、歴代誌、エゼキエル書と3度にわたって描写されている神殿である。聖書の説明によれば、神殿の建設には「徴用された男子」3万人、荷役の労働者7万人、山で石を切り出す労働者8万人を要した。その合計は相当に誇張された数字で、ギザの大ピラミッドのようなもっと大きな建造物を築くときに必要な数に匹敵する。それほどまでに多い労働者集団を組織できるということは、むろん、ソロモンがおよぼす力が大きいということである。正確な数字を示して現実であるかのような幻想を作り出しているが、ポール・アクティマイアーの「聖書にからむ資料はプロジェクトの大きさを誇張している可能性がある」という言葉は控えめだといってよい。古代イスラエルでは長さの単位はキュービット（腕尺、中指から肘までの長さ）で、1キュービットは52・5センチである。神殿の内部の広さは奥行きが60キュービット、間口が20キュービットといわれた。さらに前廊と、周囲を取り囲むように3階建て階段つきの脇間があって、その高さが25キュービット、神殿の壁の厚みは6キュービットであり、足し合わせると建造物全体の広さは奥行きが100キュービット（52・5メートル）、間口が50キュービット（26・25メートル）、高さが30キュービット（15・75メートル）、壁の厚みは12キュービット（6・3メートル）ということになる。聖書の「物語」で描写されている内部のデザインは、エフラ、メギド、シケムで発掘された紀元前2千年紀の神殿の構造と一致するが、あまりに大きすぎて信頼できない。マザールが述べているように、聖書に書いてある大きさは「カナン人やフェニキア人のものとして知られているどの神殿よりも大きい」のである。事実に対するマザールの考古学的な意見の表明には、聖書の大きさの誇張に対するさらなる批判を避けたい意向が感じられる。一方で、まさにこの誇張こそが、聖書の神殿の説明が君主の権力を捏造するための作り話であることを決定づけている。建造物の大きさにくわえて、豊かであることを見せびらかす希少金属の使用も信憑性を損なっている。聖域である内陣（奥行きが20、間口が20、高さが20キュービット）の内面が純金で覆われているだけでなく、驚くことに「彼は神殿全体をその隅々まで金で」覆ったのだ。

ソロモンの神殿は、デザインという点では全般的にほかの建造物と似ているが、それらはソロモンよりあとの時代に建てられたもので、みなソロモンの神殿よりかなり小さいうえ、ソロモンの神殿が建てられたというエルサレムの位置にはいかなる神殿の遺物も発見されていない。神殿の建築プロジェクトが誇張されているというよりむしろ、プロジェクトそのものが大げさな作り話かもしれない。神殿の建築は後世に作られた過去の「物語」のなかのできごとであり、建造物の大きさと豪華な装飾についての主張は、何世紀にもわたって積み上げられてきた「物語」の正当性と力を示すものである。同様の例は、間口と奥行きがそれぞれ50キュービットと１００キュービット、高さが30キュービット――神殿とほぼ同じ――のソロモンの宮殿にも見られる。この豪華な宮殿の考古学的な証拠はいっさい見つかっておらず、ティルスのヒラムが手がけたとされる内装のすばらしい青銅製備品の数々もかけらすら見つかっていない。考古学的な知見からは、ソロモンの神殿と宮殿の建築は立派な過去を描く架空の「物語」だと考えられる。

ソロモンの治世の権威と権力が巧妙に作り上げられたものであることは、建築プロジェクト以外にも見て取れる。聖書には「ソロモンの知恵は東方のどの人の知恵にも、エジプトのいかなる知恵にもまさった」とあり、ソロモンが語った格言は３０００で、旧約聖書の『箴言（しんげん）』の作者もソロモンだといわれているが、箴言にある格言の数はそれに比べたらほんの少しだ。また、彼は「獣類、鳥類、爬虫類、魚類についても論じ」、「あらゆる国の民が、全世界の王侯のもとから送られて」きたという。実在あるいは架空のいかなる王でも、これほどまでに高く評価され、褒め上げられた人物はほかになく、ソロモンほどたくさんの女性に囲まれた王もおそらくいないだろう。ファラオの娘を妻にめとり宮殿を建てたもののそれだけでは満足できなかったソロモンには、王家の出である700人の王妃と300人の側室がいたという。これはどう見ても数字の誇張でしかない。古代の王に複数の王妃と側室がいることはめずらしくなかったとはいえ、この主張は独裁的な権力の暴走にしか見えない。後世のイスラエル人にとって、巨大なハレムは王の権威と権力を象徴するものごとのひとつだった。ソロモンの妻の多くは隣接する王国から送られた友好の意思表示だ。つまり、ソロモンの絶対的な権力が広く認められていたことになる。妻たちを住まわせるために必要な広大な居住空間については、聖書はいっさい触れていない。たとえ聖書の記述どおりにソロモンに並はずれて大きい宮殿があったとしても、1000人は入らないだろう。この見落とされがちな詳細は、ソロモンの話が想像上の作り話の領域にある確かなしるしである。

パレスティナに誕生した王朝は短命だった。それが理由で、ダビデの子孫の王朝を取り巻く物語が膨らんだのかもしれない。ソロモンの統治(紀元前961～22)が終わってから80年も経たないうちに分裂が生じた。イスラエルは南北の王国に分かれ、北の王国は紀元前8世紀後半に向かうにつれて弱体化していった。それでも王朝の理想は保たれていた。なぜなら、ジョン・ブライトが指摘していたように、「ひとつの民族としてのイスラエルの500年にわたる歴史はみな、巨大勢力が存在しなかった空白の時代に紡ぎ出されたもので、当時は、イスラエルを深刻に、また永続的に悩ませるような帝国が存在しなかった」からである。空白はエジプトの勢力が弱まり、アッシリアの勢力が結集し始めたころに生じた。そのため、近隣に競争相手となるような攻撃的な侵略国がないのは、イスラエルの王朝に力があったからだと容易に脚色することができた。だが、実際には彼らはその小さな王国では太刀打ちできない相手だった。「紀元前8世紀以降はそうはいかなくなった」

凶兆はアッシリアの脅威として現れ、ネブカドネザル2世（在位紀元前605〜562）の即位とともに現実となった。そのバビロニアの王がエルサレムを征服し、紀元前586（あるいは587）年にソロモンの神殿を破壊したといわれている。祭司や高官はバビロンまで強制的に歩かされ、その後半世紀のあいだそこで捕虜のように扱われた。ダビデとソロモンの初期の描写は手の込んだ作り話だと考えられるが、アッシリアによる征服と、数多くのイスラエル人がバビロンにいたことについてはさまざまな証拠がある。ヘブライ人の王国が創設から4世紀も経たないうちに崩壊したとき、王朝は暴力的な最後を迎えた。バビロニアがペルシアに打ち負かされ、ヘブライ人の指導者を解放して故郷に戻るよう命じた「キュロスの勅令」（紀元前536）が出されたあとでさえ、昔の状態に戻ることはなかった。エズラ記とネヘミヤ記にあるようにソロモンの神殿は再建されたが、以前の想像上の栄光にはほど遠い大きさだった。最初の神殿は4世紀にわたって積み上げられた伝説と「物語」を通して豪華さが誇張されていたが、2番目の神殿は建造のようすがリアルタイムで説明されているように見える。とてつもなく大きいと考えられていた最初の神殿に比べて見劣りするその模造建築にはたいした意味はなかった。それから6世紀のあいだ、イスラエルはペルシア、エジプト、ギリシア、そしてローマの支配下に置かれ、再興することはなかった。

紀元前6世紀までに神聖な王朝が滅ぼされると、「物語」は二方向に向きを変えた。ひとつは、イスラエルの歴史の大幅な強化による黄金時代の再現である。現在、その歴史は大幅に狂いが生じたヤハウェの計画ともいわれ、トンプソンはそれを「道を見失った人類を表す哲学的な比喩」と表現している。イスラエル王朝の話は旧約聖書以外には存在しない。王朝が本物の歴史であることを証明するものは何もない。それどころか、ほぼすべての詳細が「物語」の強化、架空の話の構築、文学的な色づけを示唆している。イスラエル王朝は、何世紀もあとになってから創作された英雄の支配者のストーリーで、イスラエルを近隣文化——シュメール、アッカド、バビロニア、エジプト——のすばらしい王国と肩をならべる存在にするために作られたものである。

2つ目の傾向は、王国の衰退という避けられない事実をもとに発展した。耳障りな声が支配するようになった。論争好きな詩人が「発言」(ギリシア語のpro-phesy)し始めた。「物語」はこの世の終わりを思わせる悲運の方向へ舵（かじ）を切った。歯に衣着せぬ社会と政治の批評家が、しばしば卓越した演説能力と個人のカリスマ性を発揮しながら、人々に説教をした。アモス、ホセア、イザヤ、エレミヤといった論客が過去の解釈に大きく関与して、王朝の「物語」を、失われた機会という皮肉の叙事詩に仕立て上げたことは間違いない。おそらく預言者のなかでもっとも論争好きで大げさだったエレミヤは、ヤハウェが神殿を破壊し、「この都［エルサレム］を地上のすべての国々の呪いの的とする」だろうと公言した。エレミヤはバビロニアによる征服の最後の日々にそうした主張を繰り広げたが、数十年後に話が書き換えられて、国が滅びた紀元前５８６年の大惨事をそれより17年前の紀元前６０４年に彼が預言したことになった。

ヨシヤの第十三年から今日に至るまで二十三年の間、主の言葉はわたしに臨み、〔中略〕それゆえ、万軍の主はこう言われる。お前たちがわたしの言葉に聞き従わなかったので、見よ、わたしはわたしの僕バビロンの王ネブカドレツァルに命じて、北の諸民族を動員させ、〔中略〕ことごとく滅ぼし尽くさせる。（エレ25章3〜9節）

ヤハウェの言葉とされるモーセ五書の数千の文言と同じように、ヤハウェが述べたとされ、エレミヤが引用しているこうした言葉は、預言者本人が想像し、作り上げたものである。エレミヤには明らかにドラマティックな表現の才能があった。あるときは、革ひもにつるした巨大な牛用のくびきを首からかけた姿でエルサレムを歩きながら、ヤハウェが世界をネブカドネザルに引き渡したので、すべての国が「バビロンの王の軛（くびき）を首に負」わなければならないと語ったという。何年も経ってからエレミヤ書が改ざんされたため、彼はバビロンの王との長期的な関係とそれに続く解放——彼の死後何年も経ってから生じたできごと——を予言したことになっている。本来預言者はイスラエルの過去の概念を形作る人だった。ところがのちに未来のできごとが預言に組み込まれるようになって、「預言者」の意味が言語学的な「発言する者」から「先のことを語る者」へと変化した。そうして、預言者がまったく意図していなかった意味が彼らの言葉の上に重ねられるようになった。

実際のバビロン捕囚とそれに続く1世紀を通じて、預言や予言はエゼキエル、第二イザヤ（イザヤ書40〜55の書き手）、ハガイ、マラキ、ゼカリヤ、第三イザヤ（イザヤ書56〜66の書き手）の手でさらに繰り返されるようになった。そうして誕生したのが、未来の救世主を描く劇的な新しい「物語」である。人間離れした特徴を持つ王のような人物が地上に神の国を作るのだ。結局、イスラエル人から見れば彼らにとっての超自然な救世主は現れなかった――今もまだ現れていない――けれども、たくさんの救世主候補のための土台はできあがった。彼らは何世紀ものあいだ繰り返し現れて、カリスマ的な力を発揮し、人類を救うために戻ってきた身分の低い王という「物語」を通して、教えにしたがうよう命じた。それから２０００年以上経ってようやく、人類は「物語」に着目し、そのような主張を行う人々を架空の物語作成者、詐欺師、話を悪用する人物とみなして拒絶することができるようになった。

そのあいだにも、神々とその化身、天命、神々の名を持つ王たち、王家の血筋にまつわる想像上の「物語」、聖なる力、そして神から授かった力は、世界各地の人々に影響を与え続けた。

ローマ皇帝の神格化

ローマの建国について昔から伝えられている年代を受け入れるなら、ローマの歴史は紀元前７５３年から後４７６年の崩壊まで、１２００年以上も続いたことになる。１世紀に始まった、皇帝に神の力を与える神格化は、３００年にわたってローマの歴史を支配していた。神格化は元老院が作り上げた新たな「物語（ナラティブ）」の土台になる儀式だった。帝国時代、ローマは地中海沿岸地域、ヨーロッパの多く、西アジア、北アフリカにかけて権威と権力の範囲を広げた。皇帝は事実上、ローマでもっとも強く、抗（あらが）うことのできない力の象徴であり、地域を支配していた皇帝崇拝（カルト）の中心となる存在だった。

神聖な支配者の時代は、14年の初代皇帝アウグストゥスの死後初めて神格化の儀式が行われてから、３１２年にキリスト教に改宗した皇帝コンスタンティヌスまで——ローマ史全体の約４分の１に相当する——続いた。皇帝崇拝より前の歴史の記録はほとんどないが、地中海沿岸地域の多くのカルトの影響がもつれあって生まれたというめずらしい状況がそこからわかる。現在「カルト」という言葉は主流ではない宗教を見下すような意味になっているが、ラテン語の「クルトゥス」は洗練された、あるいは教養があるという意味で、神聖な地位にふさわしい言葉だった。皇帝崇拝、カルトの時代への移行はつまり、皇帝が崇められ、賛美されるにふさわしい対象となったということである。

皇帝崇拝が始まる前、ローマはふたつの形の政治をたどってきた。250年続いた君主政(紀元前753〜509)とその後500年続いた共和政(紀元前530〜後14)である。ローマの歴史学者リウィウスはその両方について説明しているが、『ローマ建国史』(紀元前27)における彼の君主政の扱いには信頼できる史実が不足している。ローマが建国された年代については諸説あり、それぞれの主張に100年ほどの開きがあるため、ローマの初期の歴史はあいまいである。建国は神話と切り離せない。たとえば、ある話では、ギリシア神話のオデュッセウスとキルケの子であるロモスが都を築いたことになっている――残された言葉から歴史的事実を導き出し、ひときわ有名なギリシアの英雄の名声を組み込んだ伝説だ。リウィウスはたくさんの神話的なエピソードを取り入れたために、彼の本はかえって信頼できる歴史書ではなくなってしまった。彼は古い君主制の資料の原典として自分より前の歴史学者の著作をいくつもあげているが、それらはみな君主政よりあとの共和政時代に書かれたものである。最古のクィントゥス・ファビウス・ピクトルでも紀元前200年ごろに書物を著した人物で、君主政が滅んでから300年もあとだ。現在、古い記録は手に入らない。したがって、君主政と7人の支配者は、伝説の王たちの時代と呼ばれることが多い。

それに続く共和政は元老院の支配による統治だが、ギリシア人がポリスの時代に試みた民主主義の影響を受けていたともいえる。正確な歴史のつながりはつかめないが、タルクィニウス王が統治していた紀元前6世紀の「デルポイの神託」をローマ人が参考にしていたことから、ギリシアとローマの文明には連続性があると考えられる。伝説の7人の王は元老院によって選ばれた。戦神マルスの息子といわれ、出自が神話の域にあった最初のロムルスを除けば、だれも神聖な存在とはみなされていない。王が自然を超えた力の崇拝とかかわっていることもあった。珍しい例では、頭に突然火がついて燃え上がったにもかかわらず目を覚ますと傷ひとつなかったという、セルウィウス・トゥリウスという名の少年が、王子として扱われ、6番目の伝説の王として王位を継承した話がある。ルキウス、その後継者セルウィウス、そして最後の王タルクィニウス（ルキウスの息子あるいは孫）が統治した数十年は混乱が激しくなり不安定だった。また、この3人によって皇位の継承という慣習ができあがろうとしていた。世襲制になれば、君主の力が強まることは明らかだった。まさに元老院にとって好ましくない傾向である。タルクィニウスの死と同時に、王政は終焉を迎え、ローマの市長官の監督のもとでふたりの執政官（コンスル）が選ばれるようになった。

　元老院の支配下にあった共和政の時期は、人間に神の地位が授けられることは一度もなかった。政治機関は集団による政府を中心に組み立てられ、指導者がそれまでの王たちのような権力を蓄積しないよう、公の投票のような形がとられていた。しかしながら何世紀も経って共和政時代の終わりが見えてくると、文化の力が作用して、ローマの指導者を賛美する声が大きくなり、それにともなって元老院の力が弱まった。きっかけは、次々に進められた帝国の拡大である。紀元前4世紀に始まった帝国の拡大は、紀元前3世紀に加速して、紀元前2世紀の終わりまでには地中海沿岸地域のほとんどをローマ帝国が支配するようになった。マケドニアの征服後、ローマの将軍たちは地中海東岸の神話と、周辺文化に知れ渡っていた神聖な王の話に触れることになった。ある意味、いつの日かローマで皇帝崇拝が取り入れられることは避けられなかったのだ。

直接の影響を大きく与えたのはギリシアだった。先史時代のギリシアの神話すべてがローマの文化に移動した。そこには、ゼウスの6代目の子孫にあたるプリアムス、女神テティスの息子アキレウスなど、ホメロスの叙事詩に登場する神聖な王たちも含まれていた。ゼウスの息子で、ゼウスの妻ヘラの妨害によってギリシアの王になれなかった神ヘラクレスは、ヘシオドスの作品といわれる『ヘラクレスの楯(たて)』やエウリピデスの戯曲によって紀元前6世紀ごろからすでに人気があり、ローマではヘルクレスと呼ばれて崇拝された。

ギリシアに進んだローマ軍団が遭遇したのは、ポリスの衰退とともに発展した支配者崇拝だった。紀元前5世紀の終わりごろには、神聖な地位は神々の血を引く人々のものだけではなくなっていた。実在するギリシアの将軍たちが英雄の地位に持ち上げられて崇敬の対象になっていたことで、ローマ人が崇拝のアイデアを取り入れる土台はすでにできあがっていた。スパルタの戦士ブラシダスは、ペロポネソス戦争（紀元前431〜04）のあいだ、アテナイ軍に対する数々の軍事作戦を指揮し、北部の都市アンフィポリスを解放した人物である。紀元前422年に死去した彼はアンフィポリスの創設者として英雄の地位を与えられ、崇拝されるようになった。アンフィポリスで発掘された納骨堂には火葬された彼の骨があると考えられている。数年後には、同じくスパルタの海軍指揮官リュサンドロスがみごとに戦争を終結させたが、続いて起きた争いからは、神格の授かり方が政治的偏見に左右されていたことがよくわかる。ウォルバンクが指摘しているように、階級の問題が原因でスパルタのリュサンドロスは並の称賛しか浴びなかった。とはいえ、彼はギリシアの生身の人間としては初めて崇拝の対象になった。サモス島にあったヘラ神殿（ヘライオン）のスパルタ人流刑者たちは、彼の祭壇を作り、毎年行われる宗教の祭りで彼を崇拝し、自分たちの街をリュサンドラと改名した。こうして、局地的ではあるけれども、神格化が始まった。

すべての神聖な王のなかでもっとも影響力が大きかったのは、マケドニアの王フィリッポス2世とその息子アレクサンドロス、すなわちのちのアレクサンドロス大王である。フィリッポスは、彼にちなんで街の名がフィリッピと命名されるほど、トラキアで尊敬されていた。この街は聖書にあるパウロの「フィリピの信徒への手紙」でよく知られている。紀元前336年、フィリッポスはオリュンピアにフィリペイオン——霊的に重要であることを示す円形の建造物（トロス）——の建造を命じた。フィリペイオンには金と象牙で作られた彼と家族の彫像がいくつもある。金と象牙は一般に神々の彫像に使われる素材だったことから、それらは近くにあったゼウスの像に匹敵すると考えられる。おもに神々のために確保しておく素材で人間の彫像が作られたということは、人間の王に神と同じ地位が与えられ始めた証である。この家族の彫像には当時まだ20歳だったアレクサンドロスも含まれている。アレクサンドロスも父にならって、トラキアにアレクサンドロポリスという名の街を作ったことで知られている。その後まもなくフィリッポスが暗殺された。それから死ぬまでの13年のあいだに、アレクサンドロスは先例を見ない征服を成し遂げ、父が夢にも思わなかったような地位を手に入れ、人間が神聖な王の域に達するための基準——アレクサンドロスにならぶほどの領土を支配した最初のローマ人、ユリウス・カエサルと甥のオクタウィアヌスのモデル——となった。

アレクサンドロスは父をモデルにしただけでなく、著書『国家』を教科書に哲人王を育てるというプラトンの理想を一歩先へ進めたアリストテレスからも教えを受けていた。若きアレクサンドロスはアリストテレスの指導でホメロスを読み、アキレウスやオデュッセウスといった神々を祖先に持つ半神の英雄たちを理想像として取り入れ、また、偉大なる王とは、アリストテレスが著書『政治学』で述べているような「人間のなかの神のような存在」であることを学んだ。ひとたびアレクサンドロスが軍による征服に着手すると、彼が神であるしるしが次々に現れた。エジプトのテーベの神アモンの神託所へ巡礼すると、彼の血筋がわかった——神託を受けた神官に「アモンの息子」として迎え入れられたのだ。のちに発行された硬貨では、アレクサンドロスの耳の上あたりにアモンのような巻き角がある。別の硬貨では、勝利の女神ウィクトリアによってアジアの王として冠を授かっており、古代近東の神々にも認められたことが示されている。右手に稲妻を持っている姿は、ゼウスと同格であることの表れだ。エジプトのルクソールにある神殿のバスレリーフには、アレクサンドロスがエジプトの神ミンに敬意を表しているようすが描かれている。ミンの勃起した男根は肥沃多産の神としての役割を象徴している。伝統的にファラオが担っていた祭儀を行うアレクサンドロスが描かれているこのエジプトの彫刻は、アレクサンドロスがエジプトの神の王たちと同等であることをはっきりと示している。フェニキアのシドンにあった王家の墓地の石棺の装飾には、戦いのさなかに、ヘラクレスの象徴であるライオンの兜(かぶと)をかぶり、かの有名なテッサリアの雄馬ブケファロスにまたがるアレクサンドロスが描かれている。ルーブル美術館にあるアレクサンドロスの彫像は、ヌードの古典的なスタイルで、戦神マルスの兜をかぶっている。こうした描写それぞれがアレクサンドロスの神格の物語に積み重なって、拡大しつつあったローマ帝国で新たな「力の物語(ナラティブ・オブ・パワー)」の土台となり、神聖な王になること自体が征服王の究極の偉業になった。

ポリスというギリシアの理想を受け継いだアレクサンドロスは、広大なアジアの君主としてその地域を支配した。小アジア(トルコ)のアナトリアから現在のアフガニスタン北東部にあたるヒンドゥークシへと東へ遠征しながら、アレクサンドロスは多くの都市を築き、そのうちの十数か所がアレクサンドリアと名づけられて(現存するのはエジプトのアレクサンドリアのみ)、創設者であるアレクサンドロスを崇め敬う場所となった。紀元前323年にアレクサンドロスが他界すると、彼の後継者だったプトレマイオスがその後300年続く王朝をエジプトに築いた。なかでも知られているのが、最後の支配者だった女王クレオパトラである。一方、将軍セレウコスもシリアからアフガニスタンに広がる王朝を築いたが、まもなくいくつもの小さな王国に分裂してしまった。マケドニアは混乱状態に陥ったが、やがてアンティゴノス朝が築かれた。そうした各地の王朝政治が共和政時代のローマに持ち込まれた。「ローマの覇権は、よく知られているように、さまざまな支配者崇拝がすでに存在していた世界に広がった。[中略] 地中海沿岸地域にあった古来の都市国家文化では、一般に君主が神と結びついている。〔中略〕紀元前の最後の2世紀に神にならぶ栄誉を受けたローマの執政官たちだけで長いリストが作れるだろう」とグレッグ・ウルフは述べている。それはローマの政治の発展に直接影響をおよぼした。ローマの将軍はエジプトのファラオのように扱われ、アレクサンドロスが征服した領土一帯で崇拝の対象になった。

紀元前31年に共和政ローマが終わりを迎えるころには、古代イタリアのエトルリア人、古代近東のペルシア人、マケドニア人、エジプト人から受けた影響によって、ローマの将軍たちは聖なる支配者の存在に精通していた。なかでもユリウス・カエサルは、神になった人間を意味するディヴスの称号を生きているあいだに得ようともくろんだほどである。ローマの伝説では、彼はロムルス、すなわち神マルスの子孫だといわれている。若いころにはユッピテル神官（フラメン・ディアリス）の称号を与えられていた。聖なる支配者崇拝が盛んだった地中海東岸地域で過ごした彼は、やがてローマの最高神祇官（ポンティフェクス・マクシムス）になった。多くがカエサル自身の言葉で語られている彼が成し遂げた征服は、彼がただ者ではないことをさらに裏づけ、あたかもすでに神であるかのようにみなの尊敬を集めた。紀元前48〜47年のクレオパトラとの関係によって、カエサルはエジプトの女帝崇拝とも直接結びついた。クレオパトラがみずから女神イシスの生まれ変わりと称していたからだ。

何世紀もあとに書かれたシェイクスピアの『ジュリアス・シーザー』（1599）では、神という敬称を得たいという野望につながった可能性のあるプライドと、実際に紀元前44年3月のカエサルの暗殺をまねいた嫉妬のようすが描かれている。暗殺から4か月後に観測された彗星がその大事件と結びつけられた。歴史家スエトニウスと詩人オウィディウスは彗星をカエサルの魂だと解釈した。その解釈には、その先何世紀にもわたって続く「物語」の起源、ローマ皇帝の聖なる力を確立する役目を担った創作の歴史を見ることができる。オウィディウスは『変身物語』の最後のエピソードで「カエサルは、みずからの都で神となっている。戦時にも、平時にも、衆にすぐれていた彼だったが、その彼が新しい星に変わり、きらめくほうき星に」［中村善也訳］なったと記している。彗星はユリウス彗星やカエサル彗星などさまざまな名で知られているが、人類の歴史が宇宙のできごとに比喩的に反映されている古代の「物語」と、命のない物質にも魂があるという奥深いアニミズムの考え方がそこに集約されている。元老院の意見は満場一致だった。暗殺から2年後、カエサルの神聖視と神格化の儀式が養子オクタウィアヌスによって執り行われ、続いてオクタウィアヌスその人も、神になった者の息子を意味するディヴス・フィリウスと呼ばれるようになった。このできごとは言葉に表すことで実行されたとみなされる遂行的儀式である。そしてこの儀式こそが、カエサル以降数世紀続いたローマの「力の物語」を誕生させた。

紀元前31年、アクティウムの海戦でマルクス・アントニウスに勝利したオクタウィアヌスはみずからの権力の強化を図った。それはパクス・ロマーナ、つまりローマの平和として知られるようになる時代、ローマの帝国時代の幕開けだった。オクタウィアヌスは生きているあいだにアウグストゥス（尊厳者を意味する称号）を名乗り、そちらの名のほうがオクタウィアヌスよりも知られている。死後、彼はカエサルと同じように神聖視されるようになって神格化された。これが先例となって、その後数世紀続く皇帝崇拝が始まった。

皇帝崇拝の誕生はアウグストゥスを崇めるために建てられた神殿を見れば明らかだ。パラティーノの丘とカンピドリオの丘のあいだに位置していたディヴス・アウグストゥス神殿は37年8月に彼に捧げられたもので、ローマ帝国各地に数多く建てられたなかで最初のものかもしれない。アウグストゥスがまだ生きているうちから、アウグストゥス神殿がクロアチアのポーラ（現プーラ）に築かれた。東方ではトルコのアンカラに、やはり存命のあいだに建てられた。アウグストゥムと呼ばれるアウグストゥス神殿はヘロデ王によってカエサレア・フィリピとサマリアのセバステに造られた。初代ローマ皇帝だったアウグストゥスは歴史上の支配者としてはもっとも多く描写されているかもしれない。たいていは人々に向かって右手を上げている。いろいろな姿が残されているが、それ以外のものは彼が担っていた新しい皇帝崇拝の中心的な役割にじかに焦点を当てたものだ。ロシア、サンクトペテルブルクのエルミタージュ美術館にあるアウグストゥスの坐像は彼をユッピテルとして表現したもので、右手に世界を示す球体を、左手にユッピテルの笏（しゃく）を持っている。

続くローマの皇帝たちも皇帝崇拝の対象にはなったが、アウグストゥスほどではなかった。ティベリウス（在位14～17）はスミルナに建てられたものを除いて、自分を崇めるための神殿の建造を拒んだ。神格化はきわめて政治的な問題で、死後に行われるため、次の皇帝の気分に左右された。第2代のティベリウスも第3代のカリグラも神格化されなかった。第4代のクラウディウス（在位41～54）は自分の名に名誉あるカエサルをつけ、アウグストゥスの妻リウィアが夫とともに崇拝されるよう、リウィアの死から数年後に彼女の神格化を指図した。フランスのヴィエンヌには1世紀に建てられたアウグストゥスとリウィアの神殿が今も残っている。

43年にクラウディウスがイングランドを征服したのに続いて、エセックスのコルチェスターにクラウディウス神殿が建築された。フィリップ・クラミーとピーター・フロストが詳細に述べているように、その神殿はローマ人がイギリスで最初に建てた建造物である。そこで行われた崇拝がどのようなものであったにせよ60年の反乱で打ち切られてしまったが、クラウディウスは後継者ネロによって神格化された。ネロ自身、そして彼に続くガルバ、オトー、ウィテリウスの3人はその栄誉にあずかることはなかった。その次の皇帝で、フラウィウス朝を築き、10年（69～79）にわたって統治したウェスパシアヌスは、文化の研究に打ち込んでいる人間にとってはありがたいことに、スエトニウスの『ローマ皇帝伝』に、きわめて有能な軍の指導者としてはっきりと記されている。ウェスパシアヌスは後継者のティトゥスによって神格化された。ティトゥスもまた神格化されている。神となった皇帝として、彼らはローマの公共広場（フォルム）に近いウェスパシアヌスとティトゥスの神殿で拝まれている。

明らかに、1世紀のローマ帝国では、創作された「力の物語」である神格化が広く行われていた。その栄誉にあずからなかった皇帝は何人もいたが、神格化された皇帝の家族は神聖視の名誉を与えられた。まさに支配階級の人々に影響力と尊敬が与えられたことの証である。フランスのニームにはアウグストゥスのふたりの孫（息子として養子にした）、ガイウス・カエサルとルキウス・カエサルに捧げる神殿メゾン・カレ（四角い家）があり、皇帝崇拝がユリウス＝クラウディウス朝のメンバー全体に広がっていたことがわかる。ディヴァ・アウグスタの名を与えられたアウグストゥスの妻リウィアにくわえて、ユリア・ドルシラも兄の皇帝カリグラによってパンテア

（すべての女神）の称号を与えられて神聖視された。その後、神聖視はネロの妻ポッパエアと娘のクラウディア、ウェスパシアヌスの妻ドミティラ、ドミティアヌスの息子たちであるフラウィウス・ウェスパシアヌスとカエサル、ティトゥスの娘ユリアにも広がった。

2世紀の皇帝トラヤヌス（在位97～117）は、アウグストゥスに次いで無条件に称賛される価値があると歴史学者に考えられている皇帝だ。彼の軍事作戦によって、ローマ帝国はかつてないほど勢力を伸ばした。ローマのトラヤヌス帝記念柱にある螺旋状のみごとなバスレリーフは、彼の軍事的な功績と皇帝の力にまつわる不朽の「物語」を目に見える形で表している。トラヤネウムと呼ばれるトラヤヌスに捧げられた荘厳な神殿の建築は、アクロポリスの丘のもっとも高い場所、ペルガモンで始まり、トラヤヌスの後継者ハドリアヌスの時代に完成した。ギリシアの古典建築様式のひとつであるコリント式の柱に囲まれたその神殿はのちに地震の犠牲になったが、ふたりの皇帝は皇帝崇拝の中心としてそこで崇められていた。トラヤヌスは死後すぐにハドリアヌスによって神格化され、ローマに神殿が建てられた。中世に壊れたあとに残った遺跡からは、それが巨大な建造物だったとわかる。『自省録』で有名なマルクス・アウレリウス（在位161～180）は、のちのキリスト教徒のあいだでも「哲人」として広く知られている。彼の軍事的な功績はマルクス・アウレリウスの記念柱で賛美されており、40メートルほどの高さがあるその建造物はトラヤヌスの記念柱がモデルになっている。その近くにあるマルクス・アウレリウスの神殿が彼の崇拝の拠点だ。息子の皇帝コンモドゥス（在位180～192）は、たくさんあったみずからの彫像をヘルクレスとして描かせ、自分が英雄であり、力を持ち、神ゼウスの息子であることを比喩的に示して、皇帝崇拝に新たな要素を持ち込んだ。この象徴の重ね合わせは皇帝の力を視覚的に示す「物語」となり、新たに「ローマのヘルクレス」崇拝を誕生させて、コンモドゥスはその指導者、中心的存在となった。さらに、それだけでは満足できなかったコンモドゥスは、はるか昔のロムルスの神話を利用するチャンスに巡り合う。数日間続いたローマの大火災のあと、彼は自分を新たなロムルスに見立てた。街を復興させながら、自分を新たなローマの創設者とする「物語」を作り上げたのである。

神格化された皇帝に敬意を表して建てられた神殿には、皇帝にまつわる作り話が目に見える形で保たれており、たいていは軍事的な功績がそこに含まれる。最初の2世紀にはそうした神殿がたくさん建てられ、敬われる皇帝が増えるたびに皇帝崇拝を取り巻く「物語」が膨らんでいったが、コンモドゥスに見られるような自分で自分を神格化する傾向は、神聖視と神格化を自分たちの特権だと考えていたローマの元老院議員たちの当初のねらいをはるかに超えたものだった。けれども、正統派と異端派を分ける判断をする文化の監察官はまだ生まれていなかった。複数の神々を受け入れる多神教の長い歴史が背景にあったために、崇拝の対象が次々に増える余地は残されていた。皇帝たちは次第に、自分が望むような形で崇拝される状況を作り出す力を持つようになった。

もっとも悪名高い例はセウェルス朝の動乱の時代に続いて起きた。シリア出身の少年、ウァリウス・アウィトゥス・バッシアヌス（ヘリオガバルス）が、前の皇帝の親戚のなかから新たな皇帝に選ばれた。当時14歳だった彼は、シリアの街エメサの神で古代カナン人の肥沃多産の神バアルの異なる形でもある、エラバガルの神殿に祭司として仕えていた。皇帝に任命された彼は、ローマへ赴き、みずから太陽の神ヘリオガバルスを名乗って、おそらく隕石だったと考えられる聖なる黒い石を白馬に引かせた荷車でローマへ運んだ。彼の治世はわずか4年（218～22）しか続かなかったが、その短い期間に、ギリシアのゼウス、ローマのユッピテルという最高位の神の代わりにエラバガルが崇拝された。ヘリオガバルスはもっとも暴力的な皇帝のひとりだったかもしれない。ウェスタの処女（女神ウェスタに仕える巫女）と結婚し、尋常ではない放蕩な性生活を送っていたといわれ、元老院と市民の両方から嫌われて、まもなく暗殺された。

シリアの少年がどうしてローマの皇帝になったのかと不思議に思う人もいるかもしれない。理由は、あいまいな家族関係、富、帝国の拡大にともなう権力の分散が複雑に絡み合っていたことで、「支配階級の血筋が広がった」という言葉に要約できる。見た目は平等主義だったが、元老院議員や皇帝が遠方の出身になったことで利害が一致しなくなり、共通のイデオロギーを持たない帝国拡大の脆弱性がさらけ出されることになった。

2世紀の最後の数年でローマの支配は衰えた。ラテン語のインペラトールに語源を持つ「皇帝（エンペラー）」という言葉は、大きな成功を収めた将軍に軍が授けるものだった。アウグストゥスや最初の2世紀の後継者たちに見られるように、ローマ帝国の初期には、元老院によって認められたインペラトールの功績が皇帝になる道へとつながり、神格化は依然として元老院の手で与えられる死後の力だった。しかしながら、2世紀末になると、コンモドゥスの自称ヘルクレスやロムルス崇拝に見られるように、元老院の力が弱まり皇帝の権威が強大になって、その手順が崩壊していった。235年にセウェルス朝が滅ぶと、ローマの支配は混乱に陥った。250〜305年のあいだに7人の皇帝が神格化されたが、その期間には少なくともそれ以外の30人が帝国周辺で作戦を展開していた軍の後押しで権力の座に就き、権力の所在があやふやになって、統一された帝国という概念そのものが危機にさらされるようになった。

全体としては、ローマの崩壊までに32人のローマ皇帝が神格化されたようである。神格化された最後の皇帝はコンスタンティウス・クロルス（在位293〜306）で、コンスタンティヌス1世（在位306〜37）の父だった。ローマ皇帝の神格化を終わらせた決定的なできごとは、312年のコンスタンティヌスのキリスト教への改宗である。これについては諸説ある。芝居がかったものとしては、コンスタンティヌスがキリスト教を取り入れたのは神が姿を現したからだという、キリスト教作家エウセビウスが唱えた説がある。新約聖書に出てくるパウロの改宗に怪しいほど似ているため、歴史学者のほとんどは疑わしいと考えている。ありきたりな説は、コンスタンティヌスの家で彼の息子を教育していたラクタンティウスが唱えたもので、コンスタンティヌスの軍隊がキリスト教の組み合わせ文字が彫られた盾を手に戦いに臨んだところ勝利したためだという。その組み合わせ文字（Xの中央に縦線が引かれている）には、自然崇拝にまつわるものを含めてキリスト教以前の長い歴史があるため、本当にコンスタンティヌスが自分の兵の盾にそれを用いたかどうかは定かではない。けれども、当時はその組み合わせ文字がおもにキリスト教と結びつけられており、コンスタンティヌスの勝利がキリスト教を採用するきっかけとなり、ローマ帝国の正式な宗教として採用されたように見える。

刊行から100年経ってもまだ参考にされている著書『コンスタンティヌス1世とキリスト教 *Constantine the Great and Christianity*』で、クリストファー・ブッシュ・コールマンは、コンスタンティヌスの改宗は「マクセンティウスとの戦い、あるいはそれより前から彼の最後の病までのあいだに徐々に進んだプロセス」だったと述べ、キリスト教の採用が四半世紀かけてためらいがちに進んだことを示唆している。この説には劇的な要素はないが、真実に近いと思われる。キリスト教の採用は、皇帝崇拝だけでなく、ギリシアとローマの多神教の諸神、またアナトリア、エジプト、メソポタミア、シリア、ヨーロッパ北部からローマに引き寄せられた神々を中心とする数々の崇拝を決定的に終わらせた。306年の皇帝の最後の神格化からわずか20年後、コンスタンティヌスが主催したキリスト教のニカイア公会議（325）で期待の新星が完全に神格化されたことで、すべてが変わった。リチャード・ルーベンスタインが語っているように、そこで「イエスが神になった」のである。神格化のプロセスはローマ皇帝からイエス・キリストに移り、神聖視の対象は逝去した皇帝からキリスト教の殉教者に変わった。この他に類を見ない置き換えの物語は4世紀初めに定着し、それまでのような政治や軍事ではなく、宗教として、架空の歴史と捏造された力にまったく新しい領域を作った。

現代人の目から見ると、ローマ皇帝はもとよりどのような人間の神格化でも理解しがたく、ときにまったくありえないものに感じられる。死後の儀式を通して行われるのだからなおさらだ。トマス・アクィナス（1225〜74）が説いた神学と著書『神学大全』では、すべての人間の概念の外に神を置く独特な哲学用語が使われている。むろん、完璧、永遠、不変の神の理解は難しいため、一般に普及している宗教では人間界をもとに神の擬人化を用いる傾向がある。「彼」（現在では「彼女」の場合もある）が「耳を傾け」、人間の祈りを「聞いて」、ときおりそれに「答える」のだ。これはローマ帝国の強大な「物語」のためのもっぱら政治的な賛美だった死んだ皇帝の崇拝とは大きく異なる。

そうはいっても、一般的な宗教における人間化あるいは擬人化された神は、J・B・フィリップスの著書『あなたの神は小さ過ぎる』に書かれているように、今も昔も、厳しい目にさらされることがある。それでも、どのような宗教でも、それを信じる人々は神を擬人化しないわけにはいかない。簡単にいえば、信者は人ではない神々とかかわることができないのである。ルドルフ・ブルトマンは、『ケリュグマと神話 *Kerygma and Myth*』（１９５３）に転載された有名な論文「新約聖書と神話 The New Testament and Mythology」で、主要な宗教のケリュグマ（教え）をミュトス（神話や伝説）と区別しようと試みた。区別自体は学者たちによって成し遂げられたが、一般にはほとんど評価されなかった。現代の分析がいかに洗練されていても、神話の「物語」はそれにまさる。成功している宗教はみな、もっとも重要な教えに神話と物語の言葉を用いている。そうすることで、「物語」の状況が人類にとって普遍の原理であることを伝えているのである。

5 インドのデーヴァ・ラージャと東南アジア

神聖な王の「物語（ナラティブ）」はメソポタミアとエジプトで発達したが、南アジアの「物語」を形作ったのはインダス川流域だった。紀元前4000年ごろまでに、北西のインド＝アーリア人が現在のパキスタンにあたるインダス川沿いに定住し、もともと住んでいたドラヴィダ人を追放して、文化の融合をもたらした。紀元前3千年紀までには、農耕集落が、モヘンジョダロやハラッパーをはじめとするみごとに計画された都市に発展した。ウルクなどのメソポタミアの都市のように、それらは無限に供給される真水にもとづく水力文明で、石造りの建物があり、幅広い貿易が行われていた。ところが1000年後、インダス川流域の文明は、土壌がやせて食べものがなくなってしまったためか、急激に衰退した。紀元前1900年以降、農耕の村文化は、川沿いに集落を作るにあたって最適な東方へ移動し、ヒマラヤ山脈からたくさんの川や沢が流れるインド北部に広がった。何世紀ものあいだ、この肌の白いインド＝アーリア人は先住のドラヴィダ人と混じりあったり、ときに彼らを追放したりしていた。ジェフリー・パリンダーがまとめているように、インド東部に今も残っているドラヴィダ人が東南アジアの言語に近いオーストロ＝アジア系の言葉を話す一方で、古代ドラヴィダ人の言葉はインド中部と南部に残っている。新たにやってきたアーリア人にとって、ヒマラヤの山麓に隣接する肥沃な土地は長い年月のあいだ安定した環境をもたらし、現在のインド文明の土台となる複雑な文化を築くまたとない場所だった。

インドに移住したアーリア人は、世界最大の語族に属し、現存する最古のインド＝ヨーロッパ語族であるサンスクリット語を持ち込んだ。そこからインド北部の数々の言語が派生した。インダス川の名前に見られるものと同じサンスクリット語の系統は、インドという国名、ヒンドゥー教、至高の神インドラにも流れている。インド＝アーリア人がインド北西部へ移動して先住の非アーリア人と混ざり合うようになると、K・M・ムンシがいうところの「アーリア人とドラヴィダ人の融合」が生じ、いまだ完全には解明されていない複合文化が生まれた。

紀元前1500〜1300年にヒンドゥー教の基礎を作ったたくさんの「物語」は、1000編ほどの賛歌集『リグ・ヴェーダ』に収められている。それらはおそらく何世紀もかけて口承によって発展してきたのだろう。文字より前に生まれたものだったか、あるいは「文字に表せないほど神聖だった」のではないかとニキラナンダは述べている。『リグ・ヴェーダ』にはプルシャ・スークタの犠牲による創造の物語がある。プルシャ・スークタは「宇宙の人」で、その体が太陽と月、世界各地、自然界、さまざまな社会階級を作る材料になったという。この話は、自然界のすべては人類を起源とする霊魂のかけらで満たされていると考える、先史時代のアニミズムと同じ天地創造のストーリーである。また、王たちの神聖化の根拠にもなった。バラモンと呼ばれるカースト制度の司祭階級はプルシャの頭から生まれたため、最高位にある。インドのカースト制度のほかの階級は、プルシャの腕、胴体、足から作られた。この「物語」の哲学的表現は、紀元前1千年紀ごろのさまざまな『ウパニシャッド』（奥義書、哲学書）に出てくる。『ムンダカ・ウパニシャッド』ではプルシャの存在がバラモン以外にも広げられて、「彼はまさに、すべての生命の内にある自我であり［中略］生物の多くはプルシャから生まれた」とある。『シュヴェーターシュバタラ・ウパニシャッド』は「宇宙全体がプルシャで満たされている」と断言している。そこでは、ばらばらになったプルシャの体が、全世界の霊魂の力に進化したと見ることができる。生命の原理、あるいは霊魂（ラテン語のスピリトゥス）はギリシア語ではアトモスと呼ばれ、「風」や「息」を指す。英語のアトモスフィア（大気）はその言葉と関連がある。サンスクリット語の同じ言葉はアートマン、すなわち自我だ。『カタ・ウパニシャッド』は、プルシャを遍在するアートマンと同一視している。「アートマン［霊魂としての自己］はどれほど小さいものよりも小さく、どれほど大きいものよりも大きく、生きとし生けるものすべての心のなかに秘められている」。そこには神々までもが含まれる。「さまざまなデーヴァ（神）が彼から生まれた」。発展の物語の根底にあるものは、宇宙の根本原理であり、変わることのない究極の原理であるブラフマンだ。ブラフマンという言葉は、「膨らむ、広がる、育つ、大きくなる」ことを意味するサンスクリット語のブリフがもとになっている。ヒンドゥー教徒の魂の道は、悟りへと向かう拡大と成長であり、『チャンドーギヤ・ウパニシャッド』はそれをデーヴァ・ヤーナ、すなわち神の道と呼ぶ。

複数のウパニシャッドで、ヒンドゥー教の神々――アグニ、ブラフマー、インドラ、シヴァ、ヴィシュヌ、そしてその他の数百――は、アートマンとブラフマンを形にしたものと明言されている。それらは『ブリハッド・アーラニヤカ・ウパニシャッド』にあるように、「ネティ、ネティ」、つまり「あれでもない、これでもない」という否定の言葉で表す以外に表現しようがない、心の奥底の精神の本質に名をつけたものだ。この本質の起源あるいは背後にある力がなんであれ、名前をつけられた存在はみなプロセスの最後の形、目に見えないけれども続いている転生の「物語」の最後のできごとを表している。

そうしたヴェーダの神々がアニミズムから生まれ、哲学的な二元論が発展すると、アートマンは活発に、化身（アヴァターラ）と呼ばれる特定の人間の体に乗り移ったり化けたりすると考えられるようになった。理論的には、ヒンドゥー教の神々は例外なくアートマンとブラフマンの化身だが、姿を変える力は一般に、維持神であるヴィシュヌに委ねられている。ヴィシュヌの化身の力を示す印象的な例は、古代の口承物語作家ヴァールミーキが作ったとされるインドの叙事詩『ラーマーヤナ』にある。人間の手でしか殺すことのできないラーヴァナ（羅刹）という悪い王が天と地を破壊していた。手を焼いた神々はヴィシュヌ神に頼んだ。「あなたは、そこで人間になって下さい。そして［中略］ラーヴァナと戦って［中略］やっつけて下さい」。のちに王になるラーマが生まれたとき、王子は「ヴィシュヌ神ご自身の半分の化身」（中村了昭訳）だった。やがて、ヒンドゥー教には、ラーマ王以外にも、『マハーバーラタ』叙事詩の英雄クリシュナや、インドで2番目に大きい宗教を築いたブッダ（釈迦）など、明らかにヴィシュヌとわかる化身がいくつも見られるようになった。『マツヤ・プラーナ』に記されているなかで一般にヴィシュヌの化身とみなされている人間は10人だが、『バーガヴァタ・プラーナ』では22人、またアラン・ダニエルは「ささいな」化身14人を合わせて24人だと述べている。神々が人の姿、とりわけインド文学上もっともすぐれた王であるラーマの姿をとるという考え方は、化身を介する神聖な王の「物語」の土台となった。クリシュナ・チャイタニヤによれば、古代の物語詩のいくつかには『ラーマーヤナ』の話が紀元前3世紀ごろに作られたと書かれているが、『パーリ仏典』として知られる仏教の経典にはラーマの伝説についての記述はひとつもない。したがって、神が人の姿をとるという考えはおもにヒンドゥー教の伝統から引き出されたものだと考えられる。

デーヴァ・ラージャ（神の王）という概念を作った社会状況は、アジアでもっとも文化の融合が進んでいたクシャン族に起源があるように見える。中央アジア東部にあった彼らの帝国には、アレクサンドロス大王のギリシアの領地の一部、中国南部、インド北部が含まれていた。アラル海地域からインドへと南下するにつれて、クシャン族はイラン、インド＝アーリア、ギリシアの神々や、昔のパルティア人から受け継いだ王朝の概念にまつわるたくさんの言葉を取り入れた。ラム・シャラン・シャルマによれば、インドのクシャン族は、おそらく下位の王（ラージャ）が使う褒め言葉として、偉大なる王を意味するマハーラージャという言葉を用い始めたようである。またクシャンの支配者についてはM・L・ニガムが、共通紀元の初めごろから、領土や資源の拡大にともなって「王の力と権威が驚くほど強大になり」「富と権力が大きく集中」したと述べている。クシャンの王の神聖化は王家の祖先たちに敬意を表すためにインド北西部で始まったもので、その目的のために特別に設けられた神殿(デーヴァクラ)に石像が祀られていた。神となった祖先の崇拝はインド南部にも広がり、6世紀に権力を握ってから約600年間栄えたパッラヴァ朝のタミル族にも見られる。

インド南部にあるパッラヴァ朝の寺院では、「物語」を順序どおりにならべた彫刻パネルに王の即位のようすが記録されている。ラジュ・ポウンデライの解釈によれば、カーンチープラムの寺院にはアビシェーカ(灌頂(かんじょう))として知られる、王を神の王に変える儀式のようすが描かれており、それにふさわしく、王には名誉として神の名が与えられるという。ティルチラーパッリにある7世紀の洞窟寺院では、マヘンドラ王が神であり王でもある存在として描かれている。そこにある碑文には「マヘンドラ王がみごとな石造の寺院に石像を掘ったとき[中略]この王は[中略]世界中が見守るなかで彼[シヴァ]とともに不動者(スターヌ)となる」とある。その文言が暗に示しているのは、像を彫るという行為によってそこで描写されているような神と王との一体化が起きたものとみなす遂行的行動だ。彫った人物とのちに像を眺めるすべての人が、その「物語」の参加者あるいは登場人物になるのである。続くチョーラ朝では、デーヴァという接頭詞がしばしば王の呼称につけくわえられて、正真正銘の神の王であることを証明するとともに、この上なく複雑で美しく荘厳なヒンドゥー教寺院を建てられるだけの権威を王に与えた。そうした模様と彫刻が施された外観は、その後、東南アジアにも広がった。

欧米ではほとんど知られていないが、インドの東側の地域、つまり「ガンジス川より向こう側のインド」――2世紀の地理学者プトレマイオスが地図上でそう名づけた場所――へのヒンドゥー教と仏教の拡大は歴史における重要な思想の移動のひとつで、デーヴァ・ラージャの概念もそれに追随した。その複雑な文化の移動は、H・G・クウォリッチ・ウェールズの正確な記録『インド文化圏の発展 *The Making of Greater India*』（1951）で追跡されている。アナンダ・クーマラスワミは、父なるインドにあると思われていた富の、想像上のごく初期の「物語」をさまざまな地名に見ることができると指摘している。おそらくスマトラであろうサヴァーナブフミ（黄金の土地）は、『ジャータカ物語』と仏教の『パーリ仏典』にも登場する。「ガンジス川より向こう側のインド」を示した地図に、プトレマイオスは「黄金の半島」を描いている。ヨーロッパからかくも離れた地域の地図は忠実に再現されているとはいいがたいが、黄金の半島はマレー半島のように見え、ポール・ウィートリーの著書『黄金の半島 *The Golden Khersonese*』（1961）で詳しく説明されている。3世紀以降、デーヴァ・ラージャという概念を通して理解されていた、統治をともなうヒンドゥー教と仏教の影響は、ミャンマー（旧ビルマ）、タイ、カンボジア、ヴェトナム、スマトラ島、ジャワ島、そしてバリ島に見られる。現在では、ミャンマーのバガンにある荘厳な遺跡からタイのスコタイ、カンボジアのアンコール、スマトラ島にあったシュリーヴィジャヤ王国の跡、ジャワ島のマジャパイト、バリ島の各村に必ずある伝統的な3つのヒンドゥー寺院など、アジアのその地域全体の合わせて数百にのぼる遺跡で、ヒンドゥー教と仏教の「物語」が根底に流れていることがわかる。

カンボジアの都市アンコールにある有名な寺院アンコール・ワットは、熱帯ジャングルにのまれてもなおその栄光を維持している。アンコールできわだっている特徴はふたつある。ひとつはいたるところにある君主の伝説「物語」で繰り返されている、王家の祖先を神聖化する慣行だ。もうひとつは、説得力のあるデーヴァ・ラージャの「物語」である。アンコールの神聖な王朝で「物語」の土台を作っているのはヴィシュヌの化身だ。神の王の石像があるクシャンのデーヴァクラをモデルに、王と神を一体化させるために墓所や寺院の彫刻を用いる方法が取られている。実際、彫刻や建築の利用は、聖なる男根（リンガム）に込められた肥沃多産と王との象徴的な関連づけとならんで、ヒンドゥー教のデーヴァ・ラージャを決定づける特徴のひとつである。リンガムは豊穣や多産を表す不動のシンボルだが、受胎、新しい命の創造、そして神の血筋を受け継ぐ力を思わせる。リンガムの用途については、クーマラスワミが明らかにしている。「王神は必ずリンガムを用いて表現されるが、特定の王と結びついているのではなく、すべての王に宿り、王国の繁栄にとって不可欠な神聖なる猛々（たけだけ）しい性質を具象的に再現するものである」。リンガムの肥沃多産な力は男根像に宿り、像は寺院から寺院へと動かせるため、アンコールの幾人もの王が移していた。もっとも、デーヴァ・ラージャの物語の視覚的な効果を高めるために、より大きく、より立派なリンガムを作る傾向もあった。

カンボジア北西部と国境を接するタイのサドック・コック・トム寺院の石柱を分析したジョージ・セデスによれば、碑文に示されている最古の王ジャヤーヴァルマン2世（在位802～50）がアンコールを築いた人物である。チャクラヴァルティン（転輪聖王（てんりんじょうおう））としての彼の地位は、彼をデーヴァ・ラージャと仰ぐバラモンの儀式によって強固なものとなった。アンコールの北、プノンクーレンに近い彼の住居でもあった信仰の拠点は、地理的にも比喩的にもマヘンドラ山と呼ばれていたが、その名はヒンドゥー教の神々の王シヴァのすみかであるインドのマヘンドラ山に由来している。サドック・コック・トムの石柱によれば、そこがデーヴァ・ラージャのリンガムが初めて置かれた場所であり、神と君主の「物語」がひとつになったことがよくわかる。

セデスによれば、48年にわたって国を治めたのちに死去したジャヤーヴァルマン2世は、パラメーシュヴァラ（至高の支配者）の名を与えられて神聖化され、彼を神シヴァ、王妃を女神デヴィと結びつける彫像が作られた。続く王たちも同じように、ヒンドゥー教の神々と結びつく新たな呼称で神聖化された。ジャヤーヴァルダナ（在位850〜77）はヴィシュヌロカ（ヴィシュヌの王国）、インドラヴァルマン（同877〜89）はイシュヴァラロカ（シヴァの王国）、ヤショーヴァルマン（同889〜900）はパラマシヴァロカ（シヴァの超越した王国）、ハルシャヴァルマン（同900〜22頃）はルドラロカ（破壊神の王国）である。それから数世紀のあいだ、アンコールの王たちは、王国と国内の神の活動に超自然的な力を与えるデーヴァ・ラージャの物語を自分たちのために役立てた。歴代の王たちがロリュオス、アンコール、コ・ケーといった聖域に建てた一連の王家の住居には、ピラミッド、自然な丘、あるいは、山を中心とするインドの神々のすみかを模した人工的な山などがあった。主要なシンボルはシヴァに捧げる、いにしえのリンガムだった。

一連の王家の建造物のなかでも古い、イシュヴァラ（シヴァ）を崇めるバコンのピラミッドを建てたのはインドラヴァルマン王（在位877〜89）だった。息子のヤショーヴァルマン（同889〜900）は新しい首都、新しい丘（プノンバケン）、そして聖なるリンガムのための新しい聖域を作った。デーヴァ・ラージャの寺院は建てた王の霊廟になったのちに放棄されるというパターンにしたがったものだと、セデスは述べている。ジャヤーヴァルマン4世（在位921〜41）の時代までに、コ・ケーにあった王家の五段ピラミッドは巨大になった。いちばん上には男根をかたどった長円形の石リンガがあり、リンガのてっぺんは高さが30メートルに達していた。そうした建築は10世紀を通して続き、ジャングルにのまれた廃墟や、今ではほとんど干上がってしまった巨大な堀は、現在も壮大な遺産として残り続けている。ウルクの壁、エジプトのピラミッド、中国の万里の長城といった建造物の大きさは、おもに自分の地位、権力、権威を強化する建築プロジェクトのために、人民と、場合によっては奴隷を結集させることができる神聖な王の力を示すものである。たとえばヤショーヴァルマンは、幅が1800メートル、長さが7キロもある人工の貯水湖を造り、その南側の土手に少なくとも4つの僧院を建てた。土を掘ったり動かしたりする機械の恩恵を受けずに大規模な人間の労働でそのような巨大建造物を建てるということは、何年も、あるいは何十年も、労働力を確保して人々を働かせることができる王やその忠実な側近たちの力の証である。普通の人間にはそれほどの力はない。堂々とした建造物は神聖なる権威と王の権力の証明だった。

アンコールのデーヴァ・ラージャたちが東南アジアの本土を支配していたころ、スマトラ島のシュリーヴィジャヤ王国は海を制し、スマトラ島やジャワ島西部で勢力を広げ、インドにも大きな影響をおよぼしていた。シュリーヴィジャヤは、671年に中国の僧、義浄がインドへ行く途中で立ち寄り、6か月滞在したときの記録『室利仏逝』が知られるようになって初めて歴史に登場した。しかしながら、中国の記録は何世紀ものあいだ埋もれていたため、ほとんど忘れ去られていたその王国の記録や資料をセデスが研究論文にまとめるまで、シュリーヴィジャヤの存在は注目されないままだった。巨大建造物がまったく残っていないことから、どうやら、シュリーヴィジャヤは全体が木造で、王国よりも僧院の力のほうが重んじられていたようだ。正確な位置についてはいろいろと議論されているが、地域で見つかったたくさんの彫像に関するM・C・スパトラディティット・ディスクンの資料と、主として古マレー語が書かれている石碑文をもとに、スマトラ島南部の東岸から内陸に入ったところにある現在のパレンバン付近とする説が有力である。

おもにフランスとオランダの植民地の学者によるその後の研究で、シュリーヴィジャヤは仏教王国とみなされるようになった。インドへ向かった中国の旅人たちは1000人もの仏教の僧が暮らしていたと報告している。政治よりも瞑想に重きを置く仏教にふさわしく、残っている彫像は政治的というよりむしろ精神的な支配を象徴している。しかしながら、デーヴァ・ラージャ信仰が再び現れた東方のジャワ島には、領土支配のようすが見て取れる。ジャワ島中部には、8世紀から始まったシャイレーンドラ朝時代に、近くにあるラリッサンやムンドゥット寺院とならんで9世紀に建てられた仏教の仏塔（ストゥーパ）、ボロブドゥールがある。近くのムラピ山の度重なる噴火によって大量の粉塵に覆われたボロブドゥールは、19世紀初めに発見されるまで何世紀にもわたって埋もれ、隠れたままだった。ボロブドゥールについての最初の記述は、発見者であるトーマス・スタンフォード・ラッフルズの2巻の大作『ジャワ史 *History of Java*』にあり、短い期間ながらジャワ島の副総督をつとめたあいだに執筆した彼は、ジャングルの茂みとほこりを取り除くために200人の労働者を雇ったという。ボロブドゥールが建築された当時の文字記録は残っていないが、100万個以上の石で造られたこの巨大な建造物は現在ユネスコの世界遺産に指定されており、シャイレーンドラの王たちが持っていた力をまざまざと見せつけている。この巨大な建築プロジェクトの背後には、神聖なる力と権威の「物語」があったのはもちろんだが、504体の石仏とさまざまな仏教の「物語」が描かれた、のべ3キロにわたる2672枚のレリーフパネルを作って露天の回廊を飾った、何百人という彫刻師たちがいたことは間違いない。

ジャワ島のいたるところに王を埋葬した寺院が数多くあり、それらはジャワ語でチャンディと呼ばれる。ジャワ島にある最古の寺院で仏教徒の王の霊廟でもあるチャンディ・カラサンの碑文は778年のものだ。仏教徒の「救世主の歌」を集めたマーティン・ウィルソンの『ターラー(多羅菩薩)をたたえて *In Praise of Tara*』では、その菩薩がカラサン山と関連づけられている。チャンディ・カラサンはかつて青銅の女神像があったことで知られており、チャンディが神聖化の一端を担っていたことがわかる。チャンディ・カラサンはプランバナン平原にあるジョグジャカルタの東およそ16キロに位置している。プランバナン平原は、王家の谷として知られる地域に244のヒンドゥー教寺院と聖殿がある広大なプランバナン寺院群からその名がついた。仏教とヒンドゥー教の要素が混ざり合っていることから、ヒンドゥー教の影響力が広がっていったことがわかる。10世紀以降、ジャワ島の文化はヒンドゥー教に支配されるようになった。

今なお揺れ、煙を吐き、ときおり火を噴くムラピ山の噴火が、ジャワ島中部における10世紀の人口減少と、ジャワ島東部にあるブランタス川流域への移住につながったと考えられている。神の化身である王の崇拝を含め、ヒンドゥー教と混ざり合った仏教も移動して存続した。人工遺物がところ狭しとならべられているモジョケルトの美術館で、昔、デーヴァ・ラージャの描写を見たことがある。それは、10～13世紀のクディリ朝の王エルランガを神鳥ガルーダに乗るヴィシュヌとして神聖化した有名な彫刻で、クーマラスワミの文献で説明されている（ちなみにガルーダはインドネシアの国営航空だ）。エルランガが支配していたジャワ島東部の王国は、ブランタス川沿いの内陸部を中心とする海上勢力で、デーヴァ・ラージャの「物語」だけでなく、ヒンドゥー教の神々の神殿、そして『ラーマーヤナ』叙事詩も取り入れていた。ジャワ島東部にあるさまざまな寺院のバスレリーフにそれが見て取れる。

現在のトロウラン村に位置していたマジャパイト朝は、クディリ朝のあと、13～16世紀にかけてマレー半島を支配していた王国で、1222～1451年のあいだに12人の支配者がいた。トーマス・ピジョーはこの王国の豊かな文化を解き明かし、マジャパイトの叙事詩『ヌガラ・ケルタガマ *Negara-Kertagama*』を英訳している。スラメトムルヤナは、王、大臣、顧問団からなる有能な政治組織と、マレー諸島全体にまたがる広範囲な影響力について記している。彼はまた著書『マジャパイト物語 *A Story of Majapahit*』で、王国の伝説、碑文、歴史、伝承についても詳しく説明している。広大な落葉高木チークの森にある雄大なマジャパイト王国は、中国の記録にも残っている。1520年ごろに迎えた終焉の直前にはポルトガル人も訪れた。

遺跡が発見されていない多くのインドの王国とは異なり、点在する遺跡はマジャパイト王国が存在していた証である。都市はレンガの壁で囲まれ、１９８０年代にわたしが遺跡を歩いたときには、トロウラン周辺の野原に壊れたレンガ造りがまだ散らばって残っており、荘厳な西のブラフマーの門はまだ立っていた。その独特な造りはあたり一帯のジャワの家々で門や玄関に使われており、多くは崩れたマジャパイトの壁から拾い集めたレンガでできていた。１９９０年ごろの航空写真からは、たくさんの運河が街やその周辺にあるとわかる。なおも残っている石造りとならんで、およそ１８０メートルの長さの巨大な王家のため池があり、王たちがおよぼしていた影響力の大きさを物語っている。この文化の中心はヴィシュヌを象徴する化身、ラーマ王だった。ラーマ王は古代ヒンドゥーの支配者といわれ、『ラーマーヤナ』以外にその存在を証明するものがない。それでも、この伝説の王は東南アジア各地の神聖な王たちの偉大なる祖先だった。驚くことに、インドネシアでは今でもリーダーシップや文化にラーマ王の影響が残っている。インドネシアの初代大統領だったスカルノの墓はプナタランの山奥の寺院にあるが、『ラーマーヤナ』叙事詩の場面を描写するバスレリーフがいくつも刻まれている。インドネシアのバタム、ジャカルタ、クタ、サヌールにある４つ星あるいは５つ星のラーマーヤナホテルも影響を受けているといえるかもしれない。

ダウィ・ダウィワルンが示しているように、ジャワ島の王の概念はヒンドゥーのバラモン教が基礎になっている。古代の『ヴェーダ』や『ウパニシャッド』では、宇宙と人間界の構造に細かい類似点があることが示され、王国は海に囲まれた大陸の中心にあった。ジャワ島ならイメージしやすい世界観だ。クンチャラニングラットは次のように説明している。

主たる大陸の中央には神々の山（マハメル）があり、神の国の王であるインドラがいた。王国に象徴される人間界と神の化身である王には、王国と宇宙の構造を象徴的に重ね合わせて、宇宙の秩序を保つ責務があった。

街を囲む壁、高さのある門、寺院、その他の壮大な建築物は複製の手段だったのだ。デーヴァ・ラージャとしての王の威光は、神に命じられた王国を建てるために必要な権威と権力を得るためのものだった。

ジャワ島東部全域に、おそらく神聖化された王をたたえるチャンディとおぼしき壮大な建築物の遺跡が残っている。ブッダの遺灰を新しい仏塔の下に埋める伝統にしたがって、王たちの遺灰は霊廟の下に埋められ、神聖化されたことを示すために神の姿で石に刻まれた。マジャパイト朝の直前に栄えたシンガサリ朝の王ヴィシュヌワルダナ（1248〜54）は、南方のブリタールに近いワレリでヒンドゥー教の神シヴァとして、そして東方のチャンディ・ジャゴでは仏教のボーディサットヴァ・アヴァローキテーシュヴァラ（観音菩薩）として、2度神聖化されている。同じくシンガサリ朝のクルタナガラ王は彫像という形で神聖化され、ジャワ島の東端の街スラバヤで見ることができる。そこでは王がブッダ・アクショーブヤ（阿閦如来）の姿をしていることから、ダウィワルンが東南アジア各地で記録しているように、ヒンドゥー教信仰と仏教が混ざり合っていたことがわかる。クルタナガラ王に捧げられた寺院、チャンディ・ジャウィにあるシヴァとブッダが混合された図像をもとに、オランダの研究者ニコラス・クロムとコルネリス・ストゥテルハイムはそれを、東南アジアにおける二大宗教の融合として「シヴァ＝ブッダの信仰」と名づけた。神の権力を持つ王のイメージを表す同様の神聖化は、マジャパイト周辺では一般的である。

各地にある『ラーマーヤナ』のレリーフ彫刻は、神聖化の図像の普及とならんで、ヴィシュヌの降臨とその化身である英雄、征服王ラーマをモデルにしたデーヴァ・ラージャの「物語」を不動のものにした。即位の儀式で表現される王の神聖化は神々を身に宿らせる行為だと考えられていた。王はたいていはヴィシュヌ、ときにシヴァのアヴァターラだった。儀式の参列者もその大いなる物語の登場人物となった。デーヴァ・ラージャの力を象徴する「物語」はマレー半島全体に広がった。香料諸島（モルッカ諸島）、中国、インド、ペルシアからもたらされた交易品が、マジャパイトの神の王への貢ぎものとして差し出され、のちにほかの商人たちに分配されたことで、物品が信仰や宗教儀式と交換された。

神聖な王という「物語」と結びついていた古代文明はみな、同じような社会の動きを示している。シュメール、エジプト、アンコール、マジャパイトは、それぞれジッグラト、ピラミッド、徐々に大きくなっていった寺院、そしてそびえ立つ門という巨大建造物が特徴的だ。マジャパイト王国の創設より前の時代においてさえ、世界最大の仏塔であるボロブドゥールは、切り出され、成形され、運搬され、周辺の平原より高く積み上げられ、外観全体が彫刻を施された石の芸術作品による巨大パネルで覆われていた。エジプトのピラミッドより若干小さかったとはいえ、何百メートルもつながっているバスレリーフと何千という彫刻には、何百人もの彫刻師と何十年もの作業が必要だったはずだ。中国とポルトガルの記録には、高さが9メートルほどもある壁がおよそ16キロにわたって、マジャパイトを取り囲んでいたことが示されている。もっとも数字については、たとえ文化的な第三者が記したものであっても、マルコ・ポーロが中国の文化を大げさに表現したように大きく誇張されている可能性はある。そうした建造物の建築についての記録は残っていないが、巨大な遺跡は神の王の物語の驚くべき力を伝えている。

神聖な王の力とデーヴァ・ラージャは、彼らに権威と地位を与え、彼らを地上における自然を超えた存在、近寄りがたく、不滅であることが運命づけられている存在とみなす「物語」の上に成り立っている。社会の中核をなすそうした「物語」の支配者があまりにも効果的に人々の心を操ったために、30年以上もかかるような建設プロジェクトが始められ、指揮され、完成されて、宇宙の「物語」が社会秩序のなかに埋め込まれた。そうした大建造物、とりわけ何百枚ものボロブドゥールのレリーフパネルが強制だけで達成できるとは考えにくい。聖なる王の物語が権威のオーラを作り、それによって、同意と従順な協力を得られるほどの支配に弾みがついたのである。

マジャパイトについてわかっていることのほとんどは、１８９４年にロンボク島を侵略したオランダ領東インドが奪い取った叙事詩『ヌガラ・ケルタガマ *Negara-Kertagama*』によるものである。その手書きの原稿はどこも欠けていないが、その1冊以外にひとつも、部分的にさえ発見されていない。原稿は80年にわたってライデン大学の図書館に置かれ、徹底的に研究されてきたが、1973年にインドネシアに返還された。この詩は、定期的に行われていた王家の行列に焦点を当てたものである。マジャパイトのデーヴァ・ラージャは大臣、従者、妻、側室などの人々をすべてしたがえて、数週間かけて村から村へと地方を旅して回った。このたいそうな王権の誇示は、後述する女王エリザベス1世の有名な巡幸より1世紀も前のことだった。

『ヌガラ・ケルタガマ』は、マジャパイトの絶頂期に王国を支配したデーヴァ・ラージャ、ハヤム・ウルクに捧げる歌である。これは98の歌からなるこの叙事詩で描写されている王家の行列に幾度も参列した詩人、プラパンカが書いたものだ。ヘンドリク・ケルンによってオランダ語、スラメトムルナヤによってマレー語、トーマス・ピジョーによって『14世紀のジャワ *Java in the 14th Centry*』というタイトルで詳しい分析とともに英語に訳されたこの作品は、類い稀(まれ)なアジアの神聖な王の物語だが、クリフォード・ギアーツを除いて欧米ではほとんど知られていなかった。叙事詩では、何百もの馬車をしたがえた君主の行列が、ジャワ島東部のジャングルに囲まれた道を進む。そこには、今ではほとんど忘れ去られたこの王国の村をひとつにまとめようとするデーヴァ・ラージャとその随行者の姿が、芝居がかった華やかさと儀式を交えて描かれている。行列の到着を心待ちにしていた村人たちは、家をきれいに飾って、ハヤム・ウルクに食べもの、贈りもの、文化的な芸を披露した。マジャパイトへ同行する人として選ばれるよう、王家の後宮にあたるカプトラン、ザナーナ、あるいはハレムに入れるよう、もっとも美しい娘たちを歌や芝居で売り込む村の家族たちについて、プラパンカは語っている。プラパンカの説明からは、カプトランに入ることは農民の娘の究極の夢であり、ジャワ島の家族に与えられるものとしては最高の名誉だったことがうかがわれる。

碑文を灰でこすって色を濃くするために使われたロンタール（貝葉）を紙の代わりにして記された『ヌガラ・ケルタガマ』は、文学としての「物語」をデーヴァ・ラージャの芝居がかった政治と結びつけて表現したすばらしい叙事詩である。

6 中国の天命

中東の肥沃な三日月地帯が遊牧生活から部族の長を中心とした定住生活へと移行しつつあったころ、同じような状況は東へ5600キロほど離れた長江の下流、揚子江流域でも起きていた。紀元前1万年ごろ、旧石器時代の文化は、陶磁器の発達と農業の開始に特徴づけられる新石器時代へと移った。紀元前8000年までには、アワやヒョウタンの栽培が中国北部の黄河流域に広がった。それから1000年のあいだに、シログワイ、キビ、クワ、米の耕作が北方に伝わった。

穀物の栽培は広範囲におよぶ村文化の土台となり、それに合わせて人口が増加して、やがて強大な都市ができあがった。見てすぐそれとわかる円形家屋は、西安(せいあん)の郊外にある半坡(はんぱ)の集落の特徴である。そこで、独特な黒陶文化が生まれ、紀元前2000年ごろをピークに栄えた。鄭州(ていしゅう)にあったおよそ1・6キロ四方の集落が、9メートルを超える高さの土塁で周囲を固められていたことから、紀元前2千年紀までには、かなりの労働力を組織できる集権体制だったことが示唆される。このころ、リーダーシップは集落の長から王による支配へと進化を遂げた。

中国の古い歴史について知られているものごとのほとんどは、周(しゅう)王朝(紀元前1045〜

２２７）の書物がもとになっている。ただし、周の書物は、当時より１０００年以上も前に生きていたとされる帝たちから始まっている。つまり、それを「歴史」と呼ぶのは誤りで、神話のようなできごと、あるいは文学的な作り話の世界へ足を踏み入れると考えるべきだろう。周の文人たちによれば、最古の帝は禹（紀元前２１５０〜06頃）である。彼にまつわる話は伝説や出典のわからないものばかりであるため、古代中国で禹が果たした役割の評価は難しく、現在残っている話の多くは何世紀にもわたって強化されてきたものだろう。禹は、何度か失敗した治水対策後に、洪水に対処するよう呼び出されたといわれている。川底を掘り下げる浚渫や排水の計画を立てるため、彼は10年以上にわたって国中を見て歩いたらしい。禹が黄色い龍と黒い亀に助けられたという出典のわからない話は、彼が神話の領域にあることを示している。そうした伝説はおよそ１０００年後に周王朝が中国の過去を書き直したときに作られたものと考えられ、口伝えで話が受け継がれるときにありがちな「物語」の誇張である。中国全土に被害をおよぼした洪水をみごとに治めた禹は帝になったといわれ、それによって、半分神のような地位と天下、すなわち「天の下にあるすべてのもの」の支配を手に入れた。この洪水と帝の治水は地理的にはありえないが、そこからは一般の人々が専制君主に頼っていたようすがわかり、創作物語と帝の力の捏造を示すかなり古い例でもある。やがて大禹として知られるようになった彼の伝説的な偉業は、のちの帝たちの基準になった。

　禹は夏王朝（紀元前２２００〜１５５０）を築き、最初の帝になった。夏王朝は続く殷王朝（紀元前１５５０〜１０４５）と合わせて、１０００年をゆうに超える年月のあいだ中国を支配した。考古学の発見からは、今も使われている独特な中国の漢字は殷王朝の末期までなかったことがわかっている。つまり、古代の夏や殷の王朝の話は、当時の記録として認められないということだ。文字による記録が始まったころにはすでに、祖先の崇拝は行われていた。したがって、中国文化にとって重要なこの伝承の正確な起源は推論のままである。しかしながら、祖先崇拝はおそらく、死者の魂が死後も存在し続けるという文明化前の信仰にルーツがあるということは述べておこう。

互いに競い合っていた数百もの都市を統一し、中国北西部のほとんどで内陸部にまで影響力を広げた周には、かなりの政治力があったと思われる。古代の帝である禹が9つの地域からなる中央政権を築いたという主張は、おそらくのちの周の時代に創作された歴史だろう。周王朝の力の一部は、王朝が築かれる何世紀も前の、農業システムを維持する共同組織から生まれたものかもしれない。黄河流域は春になると川の流れが激しくなることで知られていた。頻繁な洪水、ダム、堤防の考古学的資料からは、ひとたび大洪水になると回復までに何年もかかりかねない大切な農地を保護するために、大規模な治水プロジェクトが行われていたことがわかる。「水力文明」に必要な大規模組織では、カール・ウィットフォーゲルが『オリエンタル・デスポティズム 専制官僚国家の生成と崩壊』で述べているように、権威あるリーダーシップがまず先に誕生する。この考え方は中国の歴史にもとづくものだが、これまで見てきたように、ティグリス＝ユーフラテス川流域の古代王国にもあてはまる。仮説としては弱いかもしれないが、説明として排除されるわけではない。青銅の武器や鉄輪の戦車といった冶金（やきん）を支配階級が独占するという同じようなパターンは、物質にもとづく新たな権力基盤を中国の君主にもたらした。文化にとって必要なそうした規模の大きいものごとの数々は、帝に絶対的な権威を与えることになった。ショーネシーが記しているように、続く数世紀を通して、中国は周王朝を「政権と文化の黄金時代」とみなす傾向にあった。周王朝の長期にわたる中国の歴史と文化への貢献は、比類なき権力の象徴——王朝と帝の正当性を証明する「物語」——だった。これが、その後2000年以上も続く帝の権威と権力にまつわる作り話の歴史の始まりである。

古代王朝の「物語」は、帝を天と地のあいだに立つ者と定義しているが、天は実際の場所というよりは想像上の概念だった。現代思想には、天と地、また超自然と自然のあいだに認知的なバリアを設けてそれらを区別する二元論がある。しかしながら、「天」という漢字は人の形を単純化した象形文字で、天にかかわるものごとの起源が人間にあること、また中国文化に神の力が流れていることを示している。荘子、墨子、孔子といった哲学者はのちに、「天」という言葉を人間化した神という意味で用いるようになった。これは天という自然環境が神のような超自然的な行為者の力を宿した状況を表すわかりやすい例だ。中国思想にとってきわめて重要な「陰陽」において、天は、人間たちが道徳的に正しく支配され、すべてのニーズが満たされることを望む。よって、帝には天からの命令、すなわち「天命」が下される。古代中国の帝は、帝の責任を定義する天命を授かり、君主と聖職者の両方の役割を果たしていた。つまり、帝は宇宙の道徳的な枠組みを維持するために天から使命を与えられた人間だったのだ。ハッカーの言葉を借りれば、「支配者は、天そのものとはいわないまでも、天の意志の具現化だといえる」

当時の帝にとって、天はまさに運命を左右するものだった。紀元前1576年に起きた惑星の交差は、天が夏の帝、桀(けつ)に不満を抱き、帝が天命を失う前兆だと考えられた。もっとも、その解釈はおそらく予兆というより後知恵だろう。殷の最後の帝が国を治めていた紀元前1059年には、珍しいことに、目に見える5つの惑星がつながった。「物語」では王朝が終わりを迎える前兆と説明され、その数年後に王朝が滅びたが、この解釈もあとづけのように見える。そのように解釈されうる天体事象はまれだが、古代中国の人々はすぐれた天体観測者で、1006年、1054年、1572年に超新星の記録を残している。アメリカ先住民族も観測してロックアートとして記録している1054年の超新星は、今もオリオン座に見えており、現在はかに星雲として知られている。

宇宙、帝国、君主のあいだにある古くからの象徴的な結びつきに照らして、自然災害はみな支配王朝の帝の失敗とみなされる可能性があった。災害は天命が危機に瀕しているか、終わりを迎えたしるしと解釈され、新しい帝を擁立する合図となった。原因としては主要河川の洪水がもっとも多かったが、それ以外の自然災害、広範囲にわたる災難、都市国家間の紛争、反乱、あるいは戦争も、同じような合図とみなされた。むろん、天命は帝と支配王朝の権力を正当化するための古代のフィクションであり、創作された過去のできごとである。それでも、帝の権威と権力が帝本人ではなく、帝の行動と秩序正しい支配に結びつけられているため、その正当性はいつ崩れてもおかしくなかった。結果として、天命は損なわれやすく、反乱や転覆がすぐにそれに続いた。つまり、天命の「物語」は、帝が秩序を維持し、平和と繁栄を守り、文化が発展しやすい環境を整えるための強力な動機づけの役割を果たしていたのである。天命が人物ではなく行いと結びついているため、帝は先代の子孫である必要はなかったが、たいていはそうだった。この制度では政権の交代が容易であり、一般市民の出身でありながら権力の座について新王朝を作れる可能性もあった。

もうひとつ、太古の昔に根拠を作って中国皇帝の力を強化した「物語」がある。それは周の時代に発展した、いにしえの支配者、叡智にあふれた帝、たいそう尊敬されていた文化的英雄たちの伝説だ。その多くは『書経』に記されており、いくつかは孔子（紀元前５５１～４７９）がまとめたといわれている。一説によれば、最古のものが紀元前2世紀に孔子の家族の所有地の壁で見つかったためこの哲学者が編者だということだが、起源は今もわかっていない。多くの古い文学作品――『ギルガメシュ叙事詩』や聖書のモーセ五書――と同じく、後世の中国の学者によって「偽造」と考えられる追記が行われた形跡があるが、初期の伝説はどうやら信頼できると判断されたようである。ミンチュン・リャオが記しているように、１９９３年以降、それまで発見されていなかった竹簡（紙の発明以前に使われていた記録の媒体）が古い墓で発見され、過去２０００年には知られていなかった話や章が『書経』に追加された。

古代の伝説を集めたものが不朽の名作になることはあっても、歴史的に価値のある情報が含まれていることはほとんどない。古代にまつわる架空の歴史を語る『書経』には、それが書かれた時代、つまり周王朝の中国の君主や皇帝に対する畏敬の念が示されている。そこにあるのは、三皇（伏羲、神農、黄帝）と、五帝（顓頊、嚳、堯、舜、禹）（三皇五帝には諸説ある）の話で、記録に残されている時代より前の世界の成り立ちを表している。そこでは帝たちが地球の創造に立ち会っており、彼らがいかに重要だと考えられていたかがよくわかる。

この8人の支配者たちは、文明の架空の創始者として想像上の国を占拠しながら、当時と未来の帝のための架空の権力の土台を形作っていた。彼ら伝説上の君主たちは、文字、釣り、わな、農業、薬、暦、音楽――ギリシアの神プロメテウスが人間に教えたといわれるものとよく似た技能――を考え出したといわれている。彼らが伝説上の人物であることは、並はずれた長寿からわかる。彼らの年齢――伏羲は115年にわたって統治して197歳まで生き、黄帝は100歳、堯は119歳で死んだ――は、支配者の力を示す作り話によくある時間的な誇張の表れである。ほかにも伝説の指導者たちにまつわる話がある。五帝の最初の人物である顓頊は奇跡の生まれだ。機織りの女神である母親の皇娥(こうが)は、いかだに乗って天の川を漂っているときに金星と恋に落ちて、子をもうけたといわれる。ギリシアの神々と人間が結ばれる話にそっくりである。

周王朝時代におけるこうした神話の発達は、帝、王朝、そして周王朝が統一した領土に対して、新たに自画自賛の気持ちが芽生えたしるしである。架空の歴史を作る伝説の「物語」は民族と文化を強化する役目を果たすが、そのためには必ず事実とフィクションの境界をぼやけさせる必要がある。神話文化のなかの想像上の英雄のように、すべては「物語」の時間と空間のなかにしか存在しない。「物語」と実際の時間の混同は、伝説の帝たちと彼らが統治した年代を見ればわかる。黄帝は紀元前2697~2598年、顓頊は紀元前2514~2436年と、年代が正確に特定されている。独立した歴史の記録には、こうした年代を裏づけるどころか示唆するものさえない。伝説の英雄と架空のできごとに正確な年代があてがわれるのは世の常だ。

フリーダ・ブルームフィールドが主張しているように、古代中国人は、崇拝の象徴、前兆、占い、タブー、治療、いけにえ、しるしを幅広く信じ、近年までそれが続いていた。しかしながら、天命の「天」という言葉が1柱あるいは複数の神を意味しているのではないことに注意する必要がある。チェン・マンチャオが述べているように、中国では1柱でも複数でも、神というものは「人類が出現するまで存在せず、ヒトという種が増えるにつれて、次第に具体化した」ものである。神々は人類よりあとの創造物なのだ。実際、中国には「神々を創造してきた長い歴史」がある。「数え切れないほどの神、悪魔、不死の存在、霊魂」が「人々のあいだに広く知れ渡っている」。したがって、中国の神聖な王は、王が神に選ばれる、あるいは神と同一の存在であるほかの文明のものとは大きく異なっている。人間によって作られた中国の神々は、先に存在していた神々が人間を創ったという広く普及している考え方とは違う。この差異は、自然を超えた力を持つ神々を敬う宗教が毛沢東の時代に敵視されたことも含めて、中国の歴史すべてにあてはまる。

天命の物語はもっとも神話に近い帝たちの興亡を描くものとして先史時代に焦点を当てているが、最初に書かれたのは周王朝の後半で、それが何代にもわたるその後の中国皇帝の時代にも受け継がれた。すばらしい知恵と高潔さを持つ指導者が秩序正しい社会を導くという考え方は何世紀もかけて発展したに違いないが、25世紀ものあいだ中国社会に詳細な知識を授け、日本や東南アジアにも影響をおよぼしたのは、哲学者の孔子である。マイケル・ナイランとトーマス・ウィルソンが説明しているように、孔子という人物をひとことで表すことは不可能だ。なぜなら彼は、道徳哲学者、熱心な古物収集家、神通力を持つ不老不死の神仙、保守的な思想家など、さまざまな言葉で語られ、そのひとつひとつが中国の長い歴史のどこかでほめそやされているからである。

孔子の死後、文学的また哲学的な短い格言が集められて『論語』としてまとめられた。彼の弟子によって16冊に分けられ、以後、何ごとにおいても参照されるようになった『論語』は、保守的な道徳論、賢人の哲学、そして永続的な知恵が興味深い形で入り混じっている。『論語』の一部は、孔子より前の時代に書かれた可能性が高い。ギリシアのイソップが集めた寓話のなかに彼が生まれる前のものも死後のものも含まれているのと同じように、孔子の名のもとに何世紀分もの知恵が集まったのである。いくつかの初期の哲学書――プラトンの対話篇やヒンドゥー教のウパニシャッド――と同じように、『論語』は弟子の質問に孔子が答える形式をとっている。一部の例では、彼にもっとも近い弟子のひとりが答えている。孔子は自分のつとめを「先王の道」ととらえ、「仁」――善意、無私の心、礼儀、誠実、他者のニーズを敏感に読み取る力――を実践することが重要だと説いた。理想の皇帝像をならべるだけでは、孔子の理想である「仁」の神秘的で理想主義的な特徴を完全に明確にすることにはならない。

孔子の言葉にはそのような響きがあったとはいえ、訳者のD・C・ラウが述べているように、孔子はほとんどの宗教指導者と異なっていた。彼は「現世でも来世でも報酬を得るつもりはなく、死後も存続し続けることに対する孔子の態度はよくても懐疑的と表現されるものだった」。現在なら、彼を、物質界で暮らすための規範的な「物語」を語る人間主義者と呼ぶことができるかもしれない。孔子の教え（儒教）と主要な一神教――ユダヤ教、キリスト教、イスラム教――のこの違いによって、一神教の信者は儒教は実際には宗教ではないと考えるにいたっている。理由の一部は定義上の偏りにもある。フェアバンクとライシャワーは「儒教とは官僚と教養ある人々のためのきわめて具体的な哲学だ」と述べている。

紀元前5世紀に孔子が定めた規範は、強引な天命の行使を和らげる役目を果たした。すでに天命というお墨つきがある帝に対して、慎重に行動し、ラルフ・ウォルドー・エマソンやルイス・マンフォードがいうところの「処世術」に目を向けて権力を強化するよう促すものである。『論語』の冒頭がその方向性を決定づけている。「学び続け、つねに復習する。そうすれば知識が身につき、いつでも活用できる。実にうれしいことではないか。友人が遠くから自分を思い出して訪ねてきてくれる。実に楽しいことではないか。世の中の人が自分のことをわかってくれず評価してくれなくても、怒ったりうらんだりしない。それでこそ君子ではないか」（齋藤孝訳、以下同）。楽しみ、学習、喜び、友人、礼儀正しい行動、それらは孔子が彼の時代の支配王朝と結びつけた理想的な社会の柱である。「周は夏と殷の二代を参考にして、すばらしい礼楽制度を作りあげた。私は周の礼楽にしたがおうと思う」。けれども過去の例を無視してはいけない。親と「親族」は大切にしなければならない。なぜならそれらは和の源だからである。「〈礼〉の活用は、和と一緒になってうまくいく。かつての聖王のやり方も、礼と和が両輪となって立派だった」。孔子は、祖先と社会のリーダーに対する尊敬の念の大切さを理解していた。「〈孝〉と〈悌〉ができている人柄でありながら、目上の人に対して道理に外れたことをするのを好む者は、ほとんどいない。目上に逆らうことを好まない者で、乱を起こすのを好む者は、いない」

孔子は貴族ではなく平民の出身だったように見える。『論語』には家庭での知恵や良識があふれている。「はっきりわかっていることだけを『知っている』こととし、よく知らないことは『知らない』こととする」と孔子はいう。これは、プラトンの『ソクラテスの弁明』で、自分がどれほど無知かを知っているのは自分だけなので、自分はもっとも賢いアテナイ人だと述べたソクラテスの主張の変形である。みずからの知識に対してつつましかった孔子は、「人格のすぐれた君子が世に事をなすとき、先入見で『これはよい』『これはよくない』とは決めつけない。ただそれが筋が通ったこと、つまり〈義〉に合ったことかどうかで決める」と述べている。もし親が過ちを犯しても「おだやかに諫め」、それでも変わらない場合は「つつしみ深く逆らわず、苦労をしても怨みに思わないことだ」。君子の品格とは尊敬、敬愛、思いやり、寛大さ、公平である。弟子に「どうか先生のお志をお聞かせください」と尋ねられると、「老人には安心されるよう、友人には信頼されるよう、若い人には慕われるようでありたいね」と孔子は答えた。

一般の年表によれば、『道徳経』を記した老子は紀元前６０４年生まれで、孔子が誕生したときには53歳だったことになる。とある伝説によれば、ふたりが出会ったのは老子がたいそう年老いてからで、孔子が周の都で会った記録文書を管理する「老大家」が老子だったといわれている。老子は、孔子のように進言をする者が上に立つ者に対して欠点の指摘も含めてストレートな物言いをすると厄介なことになると、それとなく注意したといわれている。のちの道教の文献では、老子が繰り返し孔子を圧倒することがあったことがほのめかされているが、すばらしい哲学は実践的な道徳学にまさるという道教の偏見が示されているのかもしれない。孔子の伝記を書いた司馬遷によれば、孔子はそのようなアドバイスにはまったく耳を貸さなかったという。ふたりの接触についてのこの乏しい証拠は、平行線をたどる道教と儒教の観点の違いから生まれたものかもしれない。バンバー・ガスコインが指摘しているように、「道教がしつこく抱いていた夢のひとつは、思い上がった儒教の信奉者に謙虚であることの喜びを思い知らせてやることだった」

『論語』には表立った老子への言及は見当たらないが、孔子は老子の「道」の概念を取り入れているようだ。孔子はいう。「朝に正しく生きる道が聞けたら、その日の晩に死んでもかまわない」。行政官の自惚(うぬぼ)れた行動については「〈道〉をめざし、学問をする身でありながら、着るものや食べるものが貧しいことを恥じる者とは、ともに語り合うことはできない」。孔子はまた、衛の国の寧(ねい)武子(ぶし)という名の大夫を批評して「国が治まっているときは知者として的確に政治を行なった。しかし、乱れたときは、まるで愚人のように自分の利益を考えないで行動した」と述べている。

孔子は人々のために働くことを推奨したが、彼も弟子もそれがどれほど難しいかは理解していた。「主君に仕えなければ、君臣の義はありません。［中略］君子が仕えるのは、義を実現するためです。それが現実にむずかしいのは、もちろんわかっていますが、それでもやるのです」。きわめて難しいのは明確に定義できないためだ。老子が『道徳経』の冒頭節に記しているように、「道の道とすべきは常の道にあらず」なのである。老子が説いているのは「無為」つまり自然な生き方、ありのままの生き方だ。けれども孔子にとって「道」は人生でもっとも大切なものだった。孔子は「正しい〈道〉に向かって進み、身につけた〈徳〉を拠(よ)りどころとし、私欲のない〈仁〉の心に沿い、礼・楽・射・御・書・数のような教養を楽しみ幅を広げる」と述べている。一方、もっとも熱心だった弟子のひとりは不満を述べた。「先生の学問知識は誰でも聞くことができた。しかし、人の本質と天の道の関係についての先生の考えは深遠なため、先生は話すべき相手を選んだ。だから、めったなことでは聞くことができなかった」

道を老子の「道」あるいは「天道」として理解していたかどうかは別として、孔子は一般の人々、役人、帝自身のための道――人々がそれに沿って生きていけば成功する「物語」で、帝にとってはすぐれた統治とみずからの力のためになくてはならないもの――を説いた。孔子は「天」の先にある「天命」に言及している。彼は天命は容易に理解できるとはひと言も述べていない。自分の人生についてかいつまんで話すなかで「私は十五歳で学問に志し、三十にして独り立ちした。四十になって迷わなくなり、五十にして天命を知った」と述べている。天命を理解するためには長い人生経験が必要であり、そのため天命は畏れを持って受け止められる。「君子には畏れ敬うことが3つある。天命を畏れ、人格のすぐれた先輩を敬愛し、聖人の言を畏れ敬う」。天命を知らない者はそれを畏れず、じつにそれを愚弄する。

「天」という言葉は、ヨーロッパの宗教の伝統から見れば天国の意味を帯びているにもかかわらず、天命は神とは無関係の天の命令である。ラウが説明しているように、「天命は道徳的な義務であり、そのため、定めをもたらす天国の作用とはなんの関係もない」。『論語』の後半にある弟子の子夏の言葉に、その違いが示されている。「私はこう学んだ。『死ぬも生きるも運命、富貴も天命による』と」。「天命」の「命」は運命を意味する。運命は宗教とは関係のない概念で、限界であり、生まれてから死ぬまでのあいだに起こるできごとを縛るものである。人はその限界の範囲内で、道徳的な取り組みを通してものごとを達成し、そうすることで天命の力を知る。つまり、運命に屈するのではなく、道徳の義務という「物語」にしたがえということだ。そこにあるのは個人の力である。

孔子が示した道徳基準はのちの王朝の帝たちに長期にわたって幅広い影響を与えた。『論語』から400年後の漢の時代、儒教の学者董仲舒（とうちゅうじょ）は、君主の3つの義務について語る「天人三策」と呼ばれる短い書物を書いた。これは、孔子の教えの原則から政治的な結論を導き出したものと考えられる。3つの義務とは、日ごろからの献身と高い道徳基準で天命を尊ぶこと、象徴的な農業の儀式で大地を尊ぶこと、学校などの教育手段の設置と啓発により人を尊ぶことである。董仲舒はまた『春秋繁露（しゅんじゅうはんろ）』と呼ばれる書物も著した。そこには、天命が次の帝あるいは新しい王朝に移されるべきときには、その兆しとして天の不快感が示されるという、架空の「物語」が描かれている。そうすれば、世襲によらない支配の継続、権力、権威は守られる。天体の状態と政治や社会の問題とのこの結びつきは、道徳的な秩序から国教に似た政治構造へと、儒教の教えの幅を広げた。

中国の神話にはあまたの神々と少しの女神が登場するため、神格をともなわない天命の展開は辻褄が合わないように見える。これを理解するためには、「神」と「女神」という分類を、ディオニュシオス・ホ・アレオパギテスの神学や森で暮らしていたヒンドゥー教の『ウパニシャッド』の作者たちが作り上げた「不滅」や「永遠」という抽象的な概念から、少しずらしてとらえる必要がある。トマス・アクィナスの神の「偏在」あるいはパウル・ティリッヒがいうところの

「存在自体」という考えに近い抽象的な神々は、中国の神話には登場しない。ジョナサン・チェンバレンが指摘しているように、「人の行動すべてを見通すようなどこにでも存在する神という概念はなく［中略］至高の神は存在という状況からきわめて遠い位置にある」。中国の神々のほとんどは、たとえばエイミー・タンの小説『キッチン・ゴッズ・ワイフ』で一躍有名になった「台所の神」として知られている「かまどの神」のように、大衆文化の一部として姿を表した。ほかのほぼすべての宗教的伝統とは対照的に、中国人は、空、大地、火、風、山、海からなる世界にたくさんの神や女神を住まわせ、その多くは模範となる実際の人間がもとになっていた――世界の人間化ともいえるプロセスである。

よくわかる例は救世主の神であるアヴァローキテーシュヴァラ（観音菩薩）で、そのサンスクリット語の名前から起源がインドの仏教にあるとわかるが、中国では紀元前の時代にはたいした影響力を持っていなかった。インドでは、彼は最高位のボーディサットヴァ（菩薩）で、悟りを開いたもののあえてニルヴァーナ（涅槃）に入らなかったため、輪廻転生の力を得たといわれている。仏教が中国に渡ると、彼の名は「観音」に変わり、人々を救う力――悩み、牢屋、悪魔、死などありとあらゆるものからの救出――にまつわる数多くの「物語」が生まれた。数世紀後、ある変化が生じた。9～10世紀の唐の時代に、シルクロード沿いの北西部の辺境地域を中心に、女性の観音が出現し、その信仰が中国全土、そして日本にまで広がったのである。インドの神々によくある描写を拝借して、観音はひとつひとつの手に目がある千手観音として描かれることもある。現在はおもに「観世音」、つまり慈悲の女神のほか、南の海の女神としても知られ、中国の外、とりわけ東南アジアで崇拝されている。観世音にまつわる伝説はたくさんあり、たいていは仏坐像に似たイメージが用いられている。中国の詩のなかでも目を引くものに、『観世音の１００の予言 *100 Prophecies of Kuan Yin*』と呼ばれる15世紀か16世紀ごろに書かれた四行詩があり、占いや予言をする女性たちがよく参考にしている。その意味では、それらの詩はもっと古い『易経』に代表される古代中国の占いの伝統の一部だといえる。人間から神へのこの変化と強化の流れからは、東アジアのいくつもの文化にまたがって進化した「物語」を通して、架空の生い立ちやスピリチュアルな力が発展していったようすがわかる。

富の神の起源が人間であることはさまざまな伝説に示されている。ある伝説では、それは秦王朝（紀元前２２１～06）に起源を持つ道教の神だといわれている。彼はもともと山奥で道教の修行をしていた武人だった。修行が終わると、彼は天界の最高神である玉皇太帝に取り立てられて天界の副元帥の地位に昇進した。さて、ここで神話と歴史のように見えるものとの矛盾にぶつかる。玉皇太帝は紀元前3世紀にはまだ存在していなかった。彼が姿を現すのは、中国の主要な宗教が道教だった唐王朝（６１８～９０７）にほかのすべての神が登場してからである。創造性に富む「物語」というものは、歴史の年表と一致するとはかぎらない。玉皇太帝の人生は、年老いた帝のもとに生まれた奇跡の息子だったところから始まる。まだ若いころ、彼は家を出て山中で道教を学んだ。そこからストーリーは、永久と思われるほど時を超えたヒンドゥー教と仏教の神話の領域に入る。３２００劫（カルパ、『ヴィシュヌ・プラーナ』によれば1劫は40億年）ののちに彼は釈迦になり、さらに1億劫の時を経て天界の玉皇太帝になった。もっとも、彼の生まれにちなんで皇子と呼ばれていたという。彼の誕生日は春の初日である太陰暦の最初の月の9日と定められた。

火の神ももとは人間だった。当初、彼は「赤帝」と呼ばれる謎に包まれた古代の帝だった。火をおこす能力に長けていた彼は、火の神祝融（しゅくゆう）になった。不滅といわれた医神の薬王は、死んだ妊婦を蘇生させるなど、何度も奇跡の治療を成し遂げた腕の立つ医家で、自身も102歳という長生きだった孫思邈（そんしばく）にもとをたどることができる。彼は薬草による治療法を確立し、中国の多くの都市や寺院で崇拝されている――その数は北京だけでも17か所にのぼる。二郎神は、2千年紀前に四川省の河川と水路を整備し、橋をかけ、農業の発展に寄与した河川技術者として名声を博した李冰（りひょう）とその息子の李二郎（じろう）が起源である。古代中国の神には、神々に称号を与える神もいた。そのもとになったのも人間で、周王朝時代の軍師、呂尚（りょしょう）である。彼についてはたくさんの伝説があり、彼に捧げられた寺院も多い。

中国の神や女神は、宇宙、世界、命、人間、文化のもとになったといわれる、すでに見てきた諸神のなかには含まれない。むしろ彼らは人間で、祖先を崇拝する古代の信仰の一部として敬われるようになったものである。人間が神になるということに対して、ジョナサン・チェンバレンは「自然崇拝がもとになっていながら、中国の信仰に自然を司る主要な神が少ないのは不思議に思われる」と述べている。また「実際にはそうした神はたくさんいるのだが、地位が高くない」と続けている。この意見の前に、彼は雷の神（雷公）を取り上げているが、そこに黄河の神（河伯（かはく））、山の神（山神）、月の女神（嫦娥（じょうが））、花の女神（花神）、そして桃花仙女として知られる民間伝承の「妖精」も追加することができるかもしれない。これらは、宇宙や自然のほぼすべての存在と結びついているたくさんの下位の神々のほんの一部を示しているにすぎない。中国では、すべてのもの――人間、動物、無生物――に、「神（シェン）」というひと言に要約されるさまざまな力が相互に作用しながら通り抜けている。シェンは霊魂、精神、精霊、神などさまざまに解釈できる。この概念は「アニミズム」として知られる先史時代の信仰の一歩進んだ形であり、１００年以上前にヤン・デ・グロートが記しているように「神や精霊が存在しない場所などない」のである。結果として、ほぼすべての生物や風景に神や女神がいた。その数があまりに多かったために、数千年前の中国の学者がすでにリストを作っている。複数の文化のものをまとめると、中国の民間信仰における神々の総数は数百にのぼるかもしれない。それらが指導者、エリート、官僚、あるいは帝に利用され、シェンは天命に進化した。

ゆえに、真の創造の力は、どう考えても伝説上の人物でしかない古代の帝たちに見ることができる。文化の誕生は人間の帝の功績、文化の重要な発展はそれを達成した支配者たちの功績とみなされ、人間が神や女神の地位に高められた。中国の人々は帝の地位を強化し続けることで、途切れることのない５０００年の歴史のあいだずっと祖先の力を保ってきた。その結果生まれたのが、神話のような歴史、いわば帝と文化の「物語」である。それが中国の各家庭に伝えられて、歴史上のほかのいかなる文化とも大きく異なる、親近感をともなう忠誠心ができあがった。中国では、関帝（かんてい）となった関羽（かんう）のように、もとは武人、武将、行商人だった人間がとらえられ、処刑されたのち、16世紀に神格化されて戦争の神、そして中国の守護者になったという驚くような例もある。よく知られる一般市民や民間伝承の英雄が神や女神になるというこの慣行により、帝と文化の大きな物語に登場する神々は1000を超えるようになった。

中国の神々は歴史上の人物に起源を持つため、聖書のヤハウェや、アウグスティヌス、トマス・アクィナス、ジャン・カルヴァン、パウル・ティリッヒらの神学書にある欧米の神のさまざまな描写と比べて格が落ちるように感じられるかもしれない。しかし、欧米の神は基本的に目に見えない存在で、芸術的に描写されることがめったになく、神につきしたがう大天使や天使も同様に目に見えない。中国では、神々の起源が現実の物質界にあるために、芸術表現の可能性が大きく広がった。陶製の8000体の兵、130台の木製戦車、そして500頭の馬の彫刻が、おそらく皇帝の死後に仕えるようにと、始皇帝とともに埋葬されている兵馬俑には、だれもが注目せずにはいられない。その後の彫刻や絵画などの芸術は、支配者を神々と関連づける2000年分の記録となった。帝を描くということは、いうまでもなく、神々を描くことである。神話のような起源にまでさかのぼる中国皇帝の彫像はたくさんある。周の幽王、州の平王、斉の桓公、秦の穆公、晋の文公、秦の昭襄王などが描かれた多くのレリーフ彫刻では、彼らは普通の人間よりも肩幅が広く、床に達するような幾重もの衣を身にまとい、場合によっては装束が身長と同じくらい広がった姿で描かれている。そのため、羽織りものは、胴回りの寸法が人間とは思えないほど大きく豪華になっている。近年の彫像や絵画でも、飾り立てた衣装で超人的な力を表すかのように、この視覚的な幻想が続いている。

『書経』を見ればわかるように、周王朝時代の作家は、帝の地位を高めて名誉を裏づける話を創作するために、古代の帝に関する架空の歴史を書いていたようである。「物語」の中心は帝の神格化だが、壮大な建築プロジェクトも多くともなわれていた。そこには、またたく間にできあがった万里の長城はもちろん、神話の「物語」に登場する神のような帝たちの存在を目に見える形で証明する、数世紀のあいだに建てられたすばらしい宮殿も含まれている。のちに述べるが、ホメロスの叙事詩にはパイエケスとイタケという宮殿のような建物が登場するが、実際には見つかっていない。聖書に出てくるソロモンの神殿は、パレスティナ最大の寺院の基礎部分と比べて４倍の面積がある。また、コーサラ国、クル王国の首都ハスティナープラ、ランカー島など描かれている南アジアの叙事詩にも、なんの痕跡も残されていない宮殿が登場する。それとは対照的に、中国文学にはそのような架空の建造物は含まれていない。誇張ではなく本当に巨大だったことを示す実際の廃墟が見つかっている。

咸陽市の近くにある咸陽宮は秦王朝時代に建てられたもので、中国を統一した始皇帝が住んでいたが、短かった秦王朝のあと、項羽によって焼き払われてしまった。近くの丘に建てられていた阿房宮も同様に焼き払われたという説もある。それでも、西安近郊の丘の上にある阿房宮からは、秦王朝時代の中国の帝が膨大な労働力を指揮できるほど力をつけていたことがわかる。阿房宮は東西が６９３メートル、南北が１１６メートルあり、それより広い東西１３２０メートル、南北４２０メートル、高さ８メートルの突き固められた土の上に建てられていた。こうした古い建造物はおもに木造だったため、かぎられた基礎部分しか残されていない。

阿房宮は目をみはるほど大きいが、中国、いや世界でも最大の宮殿である未央宮に比べるとかなり小さい。未央宮の遺跡の目に見える部分はユネスコの世界遺産に登録されて保護されている。「果てしない宮殿」を意味する名前にもその大きさがほのめかされているが、面積はおよそ４８５万平方メートルである。宮殿は西漢とも呼ばれる前漢（紀元前２０６～後8）から９０４年まで10の王朝で帝の住居として使われた。緩衝地帯が設けられ、入念に保護されている遺跡からは、平らな構造部分、張り出し、数々の広間などが特定されている。当時の議論からは、帝と王朝の力を強めるにあたって巨大な宮殿が重要だったことがわかる。伝えられるところによると、国がまだ完全に支配下に置かれていないことを案じていた帝は、長安を築いてから時を置かずに巨大な宮殿を建てるという考えに難色を示した。宰相の返事は帝の異議に直接答えるものだった。「まさにまだ天下泰平ではないからこそ、これを機に宮廷を建てるべきなのです」。宮殿を帝の象徴とする見方もあった。「天子は四海をわがものとする。自分が偉大であることを見せつけないかぎり、権威を強める手段はなく、のちの世代がそれを拡大することもできない」。この論理は、歴史を通じて世界各地の帝国に建てられた壮大な建造物にもあてはまる。目に見える象徴は帝の権力にとって不可欠であり、帝が主張する架空の天命の支えとなるのだ。アルフレッド・シンツが記しているように、この理論づけが功を奏し、未央宮の建設は紀元前２００年ごろに始まった。前漢の帝、劉邦の指示のもと、軍隊のたくさんの兵が数千人の労働力としてその地域に強制移住させられた。何度か中断されたとはいえ、長安にあった未央宮は９０４年まで国の中心地だった。長安の人口は8世紀までにはすでに２００万人に近づいており、アジアとヨーロッパの最大都市と肩をならべるほど成長していた。

もうひとつの帝の象徴は、古くは漢王朝（紀元前２０６～後２２０）から帝の家族構成に取り入れられていたハレム、つまり後宮である。ガスコインが述べているように、「当時は男性が可能なかぎり多くの女性を手元に置く社会だった」。側室を表に出さなかったイスラム教徒のハレムとは異なり、中国の帝は正室か第一の側室をともなって公の行事を開くことがあったと、漢王朝の偉大な歴史家、司馬遷は述べている。そうなると、帝の名声や偉大さを強化するためには、多数の側室を持たなければならない。資金力にもとづいて選ばれた側室の存在は、帝は特権を持つ「天子」であるという考え方を助長した。側室を持つことで、帝にはたくさんの子が生まれ、他国の王に贈りものとして娘を差し出す性的な外交にも拍車がかかった。イタリアの冒険家マルコ・ポーロが中国南部からインド洋を通ってヨーロッパに戻るとき、皇帝の娘コケジンをイランの王のもとへ運ぶよう託された話が思い起こされる。

古代世界の王室のハレムの話だけで何冊も本が書けるだろう。中国のなかで特に興味深いものに、7世紀の武照の出世話がある。13歳の少女だった武照は帝、太宗の後宮へ送られ、寵愛を受けた。それから数十年、彼女は宮廷内の争いや陰謀を乗り越え、帝の死後、中国史上唯一の女帝、武則天となった。天命を授かった唯一の女性ということで、彼女について語る伝記や小説は数多く、武則天は歴史のなかでもっとも多く記されている女性のひとりである。その意味では、6世紀の踊り子兼ショーガールで、皇帝ユスティニアヌスの心を射止め、皇妃となってコンスタンティノープルを支配したテオドラにまさる。

中国皇帝のなかでも特に有名な人物といえば、チンギス・ハーンの孫で、元王朝（１２７１～

1368)で権力を握っていたフビライ・ハーンである。チャールズ・ハッカーは、彼は「歴史上もっとも敬われた人物にランクづけされるべき」だと躊躇なく断言している。フビライ・ハーンは長安から320キロほど離れた、万里の長城の北に立派な夏の都を作ろうとした。まさにその場所で中国へやってきたマルコ・ポーロと出会ったことがきっかけで、フビライ・ハーンは欧米の歴史に登場することになった。1260〜94年にかけて元を支配していたこの大ハーン(モンゴルの皇帝)の宮廷で、マルコ・ポーロは17年を過ごした。ポーロは中国で目にするものすべてに感動していたが、特に、太平洋から黒海まで広がる大ハーンの帝国に感銘を受けた。「初期の大ハーンの時代には」とハッカーは記している。「ヨーロッパと地中海沿岸地方から中国へ、史上初めて、途中で妨げられることなく旅することができるようになった」

『東方見聞録』は13世紀の中国をかなり夢想物語的に誇張してとらえているが、フビライ・ハーンの宮殿と敷地は見応えのある大きさで、何千人もの建設労働者、職人、農民、そして忠実な臣民に対する中国皇帝の権力と権威を物語るものだった。法的な定義や軍事力によるパワーとは対照的に、天命という架空の歴史は、創作とはいえ大きな力を皇帝に与えていた。

神々に対して異なる概念を持っていた中世のヨーロッパ人であるマルコ・ポーロは、天命とそれを受ける天子の意味、また皇帝が地上の支配者であると同時に神格を与えられた人物であることを理解していなかったかもしれない。だが、天子としての皇帝の力は知らなくても、ポーロはその力がもたらすもの、すなわちフビライ・ハーンを取り巻くみごとな光景を目にした。『東方見聞録』にある豪華な中国の描写はのちに、東方でポーロが語ったすばらしいカタイ(中国)とジパング（日本）を探そうとクリストファー・コロンブスが西へ向かうきっかけになった。フビライ・ハーンの夏の都があった上都（シャンドゥー）をポーロはシアンドゥと呼んでいる。その描写に感銘を受けたイギリスの詩人サミュエル・テイラー・コールリッジは、有名な詩「クーブラ・カーン」を書き、シアンドゥをザナドゥと綴った。ザナドゥは現在「桃源郷」と訳される。

もっとも有名な宮廷は明王朝の時代に建設された北京の紫禁城のなかにある。１４２０年から皇帝による支配が終わった１９１２年まで、明の皇帝14人と清の皇帝10人がその宮廷を使用した。建設には14年の歳月と１００万人を超える労働力を要した。ジョウイン・ヤンが記しているように、およそ73万平方メートルの広大な敷地に９８０の建造物と８８８６の部屋があり、全体が石壁と幅およそ54メートルの堀で囲まれている。壁の内側には12の異なる宮殿があって、長春（永遠の春）、咸福（万人の幸福）、承乾（天の恵み）などの理想に捧げられており、皇帝の側室の住居として使われていた。この宮廷は城郭都市の中心にあり、現在も中国の首都、北京の象徴である。この宮廷は入り口に向かって広大な展望を持ち、力を見せつけるような建築だが、漢王朝の未央宮の４８５万平方メートルにはおよばない。ふたつの宮廷はいずれもユネスコの世界遺産に登録されている。ふたつの宮廷を隔てる２０００年のあいだに、たくさんの宮廷に、５００人を超える皇帝の歴史とその数々の天子に影響を与える天命の「物語」が刻まれた。驚くことに、超自然の領域を持たない中国の宇宙論は、今も昔も、西アジアの王や南アジアのデーヴァ・ラージャの宇宙論とは大きくかけ離れているにもかかわらず、中国の歴史には神の王という概念が含まれている。

日本の天皇崇拝

天皇を中心とする日本の歴史を支配しているのは、ほかのいかなる王朝よりも長く続いてきたヤマト王権の一族である。彼らの権威と地位を後押しする先史時代の神話がことさらその支配力を強めている。しかしながら、それは間違いなく架空の歴史、創造された力の典型だ。2019年5月に126代目の天皇として即位した今上天皇徳仁（なるひと）は、少なくとも紀元前7世紀にさかのぼるといわれる朝廷の継承者である。おもに作り話である古い歴史によれば、現在まで続いている日本の天皇の神聖な地位は、文字が生まれるより前の時代に起源がある。したがって、天皇家は信頼できる記録がまったくない遠い過去に誕生したということになる。裏を返せば、歴史の記録がないからこそ、天皇の一族は太古の昔に起源があると断言し、現在も存続している最古の血統であると主張できるのである。

その先史時代の作り話が史実に上乗せされた結果、天皇は神であるという考え方は、日本の敗戦によって、数十年にわたる帝国の構築と地域一帯での残虐行為に終止符が打たれた第二次世界大戦の終わりまで続いた。1926年に即位した裕仁（ひろひと）（昭和）天皇は東アジアと東南アジアの征服の原動力だったが、戦後はすべての権力を剝奪され、自分は神ではないことを認めさせられた。けれども、象徴的意味というものは容易に消えるものではない。100人を超える過去の天皇の崇拝は各地の神社で続いている。ゆえに、神という地位と政治の権力を失ったにもかかわらず、裕仁の孫である徳仁は依然として、ほかの俗世のさまざまな考え方より長く続いている天皇崇拝の象徴である。天皇自身も自分を神聖な存在ととらえ、周囲からもそう思われている。なぜなら、日本の文化に埋め込まれた巧妙な「物語」が歴史を上書きして、史実を忘れさせてしまうからだ。しかしながら、起源を調べていくと、君主の歴史はそれほど長くないことがわかる。何世紀にもわたる架空の天皇が、いわれているよりもずっとあとに権力の座についたヤマト王権の一族の力を強めてきたのである。

日本人の起源には何千年にもわたる先史時代の移民の複雑な流れが組み込まれている。日本の洞窟で見つかった人類の骨は、紀元前3万2000〜2万7000年ごろにホモ・サピエンス、つまり、ルーツとなる狩猟採集民の先住民がいたことを示している。日本語は東アジアや東南アジアと関連があることから、最古の居住者は、地球上に人類が広がった時代に、おもに沿岸ルートを通ってたどり着いたことが示唆される。いくつかの証拠から、のちに北方のシベリアからコーカソイドが日本列島に入ったことがわかっており、現在の北海道にいるアイヌ民族の祖先となった。狩猟採集の暮らしは共通紀元以降も列島の僻地で続いていたが、農耕生活の発展に適した中部や南部では定住生活が発達した。

紀元前8000年以降の新石器時代には、文化のバリエーションに、海沿いの集落、海の資源への依存、細石刃の道具、いっそう洗練された竪穴住居、そして模様のついた土器作りが含まれるようになった。多産を願う丸みを帯びた石偶は、ユーラシア大陸で発見された手で運べる大きさのたくさんの彫刻に似ている。紀元前５００年ごろ、野生の穀物に依存する生活が米の栽培に移ると同時に、大陸から鉄器がもたらされた。紀元前１千年紀の終わりに向かって集落が激増したのは、集約的な農業とダム、堤防、水路が発展して、内陸の高地にまで耕作できる土地が広がったためである。共通紀元のころまでには、人口は１００万人に達していたと推測される。こうして、社会の階層化と特権階級や王の支配が誕生する土台ができあがった。

　中国の歴史書『三国志』の「魏志倭人伝」には２８０～97年のできごとが記されており、日本の女性支配者についてやや逸話的な記述がある。卑弥呼は権力を維持するために魔術や呪術を使っていた。倭人伝によれば、彼女は宮廷に住み、たくさんの護衛に囲まれていた。この話は興味深くもあり、おそらく典型的でもある。古代のシャーマンはたいてい女性だったからだ。神を憑依させて彼らの言葉を聞くプロセスは「宣る」と呼ばれた。結果として伝えられる言葉は「宣り」と呼ばれ、神の命だと考えられていた――古代中国の天命に似た精神的また政治的な構造である。信仰と法の機能を兼ね備えた女性の巫女が、時の支配者をつとめることも多かった。倭の卑弥呼の王国の位置は大和川流域だと考えられているが、６００年にわたって続いていた九州の神官の血を引いているとも考えられる。倭の場所については論争が続いているが、コンラッド・タットマンは「紀元前２５０年ごろまでには、彼女のような有力者が［中略］日本各地に見られるようになっていたことを思えば［中略］たいした問題ではない」と述べている。それでも、その説明からは、当時、畿内の大和盆地の支配者が影響と力を伸ばし、政治的な統合が行われていたことがわかる。ウィリアム・ファリスはその時期を「ゆるやかで困難をともなう国家形成プロセス」の時代と呼んでいる。考古学資料だけを見るなら、4～5世紀の正確な支配の中心地と影響力の範囲はあいまいなままだ。5世紀には組織立った国、宮廷、巨大な古墳、後継争い、後継者とは別の場所への新しい宮廷の建築などの痕跡が残されている。6世紀と7世紀前半には、大和地方で勢力を伸ばし、洗練された宮廷を作って、仕事やサービスを任せる階層型の制度を作り、領土を広げた豪族たちがいた。こうして、先史時代にさかのぼる起源と権力を捏造する巧妙な架空の歴史に強化されて、ヤマト王権となるものの土台ができあがった。

天皇の起源にまつわるこれらの話は、8世紀初めにいずれも天武天皇の命を受けて711～12年に編纂された『古事記』と720年に完成した大作『日本書紀』に記されている。どちらもかなりあとになってから編纂された内容であることを考えると、「記録」や「年代記」は希望にもとづく誤った呼称であるといってよいだろう。そこに示されている天皇の起源は、生き延びるためのおもな方法が狩猟、魚獲り、採集だった新石器時代にまでさかのぼっている。126人の代々の天皇のうち、最初の29人はほとんど神話の存在でしかない。彼らの存在を裏づける資料はなく、実際、最近の学者によって、最初の十数人は立派なフィクションと呼ぶに値する伝説の人物とみなされている。スコット・モートンとケネス・オレニクは、「この時代の年代特定は推測に大きく頼っており、400年を過ぎるまではほどほどに信頼できるレベルにさえ達していない」と指摘している。つまり『古事記』と『日本書紀』の内容で歴史として信用できる範囲は、編纂から300年くらい前までである。初期の天皇の肖像はよく知られているが、写実的な描画方法が生まれるよりずっと前だったため、現代のグラフィックノベル（芸術性や物語性の高いコミック）に出てくる登場人物のようだ――都合がよいことに、当時のレリーフ、彫像、絵画は残っていない。

初期の天皇は日本の神々、日本の超自然的な誕生、そして神に起源を持つとされるさまざまな人物からなる夢のようなストーリー展開の神話に包まれている。『古事記』の最初の部分である「神代」は英訳書で112ページにもなる。説明は、最初の神々の話から、イザナギとイザナミの愛、ふたりから生まれた日本列島の14の島々、そして、それぞれ山、平野、風、川、海といった地球の自然と結びつけられた35の神々へと移っていく。物語の登場人物が増えるにつれて、紛争の話、龍退治、殺人と人間離れした復活、歌で示される求愛、それからさらなる系譜、地上に降りた神々の手に負えない争いの物語、海の神々の一族の争いなど、たくさんの話が繰り広げられる。全体としては、ヘシオドスの『神統記』やホメロスの『イリアス』に出てくるオリュンポスの神々の陰謀のような、複雑で冒険に満ちた神々の物語といった印象だ。

「物語」はそこから帝たちに移る。まずは太陽の女神である天照大神（あまてらすおおみかみ）の曾孫、神武の誕生から始まり、紀元前660年ごろといわれる伝説の神武天皇の擁立、そして天皇を中心とする朝廷の起源へと続く。この流れから、神武天皇とそれ以降のすべての天皇は天照大神の子孫であり、ゆえに神性があるといわれる。神武天皇の「物語」は彼が日本の南部から移り住んだと告げている。これは、倭の国があったと考えられている九州から大和盆地へ移ったという伝説にもとづいているのかもしれない。初期の十数人の天皇の名前には、系譜を明らかにする以外の目的はないように見える。系譜はつねに明確で、御殿のような住居は必ず大和地方にあった。経歴はもとより、神話的な出自や子どものころの話がほぼまったくないにもかかわらず、それらの伝説の天皇は今も彼らを祀る神社で崇められていることから、天皇が神や半神とみなされ、崇拝の対象になっていることがわかる。『古事記』や『日本書紀』が誕生した8世紀の初めまでに、天皇は「天子様」と呼ばれ、天の支配者として正式に「天皇」という称号が与えられるようになった。天皇が完全な神の地位に達したことは、死後に与えられる彼らの名前からわかる。実際、そうした名前にある中国やときに仏教の要素から考えて、日本に仏教が到来した6世紀以降に始まったしきたりかもしれない。より広い視点に立てば、そうした言葉の手がかりは「インドと中国の新しい宗教が古い日本の信仰の伝統と融合した」証だといえる。これらの詳細からは、のちの編纂者が、ヤマト王権の権威と絶対的権力を高めるために、神話や伝説のような、背景となるできごとを語る巧妙な架空の「力の物語（ナラティブ・オブ・パワー）」を作り上げたことがわかる。結果として、スターリング・シーグレーヴとペギー・シーグレーヴが明らかにしているように、21世紀に入ってもまだ途切れることなく続いている朝廷の「物語」ができあがった。

　こうして天皇崇拝は紀元前7世紀にさかのぼって天皇の力を示すみごとな「物語」として描かれたが、どう見ても時間の長さが誇張されている。日本列島の先住民族であるアイヌ民族と彼らの石器文化は、北方のシベリアや朝鮮半島、そして南方の太平洋の島々からの侵略者によって完全に征服されてしまったと考古学者は認識している。日本の主要な民族で、天皇家が誕生したヤマト民族は、南方からの移住者に起源をたどることができる。けれども、『古事記』と『日本書紀』の内容をそれより古い中国の文献と比較している歴史学者らが証明しているように、ヤマト王権の出現は『古事記』などで示されている時期よりも6世紀もあとの紀元前1世紀ごろで、実在が確認できる天皇が現れたころだ。「伝説上の」人物と長く考えられていた14人の初期の天皇は、支配者の起源の古さを示すためのまったくの架空の人物である。伝説上の最初の天皇である神武天皇も明らかにそうで、彼が統治した年代があまりにも正確すぎて（紀元前660年2月11日から585年4月9日）信用できない。くわえて、127年という生涯は、先史時代まで系譜を伸ばすときによく使われる時間的な誇張である。同じような誇張は5〜13代天皇が達した信じがたい年齢にも見て取れる。孝昭113歳、孝安136歳、孝靈127歳、孝元115歳、開化110歳、崇神119歳、垂仁138歳、景行142歳、成務107歳だ。古代中国に見られる帝の年齢の誇張からいくらかの影響を受けていた可能性はある。というよりむしろその可能性が高い。東アジアにおける時間的な誇張はシュメール人やヘブライ人の同様の架空の誇大化とは無関係に発展したとはいえ、神話、伝説、「物語」の誇張は歴史とはまったく関連がない。また、たいていの場合、先史時代の王朝を描くときには、現在まで続き、現在を説明できるような過去が創作される。そのため、ジェフリー・マスが記しているように、現在が過去に投影され、結果として現在と過去が時間的に混ざり合ってしまうのである。

『古事記』のおもな目的は明らかに、天皇の明確な系譜を作ることだった。どのような王族でも自分たちの地位、権威、権力の根拠を系譜に求める傾向があるが、ジョーン・ピゴットが述べているように「証明するものが『古事記』や『日本書紀』に限定されているかぎり、歴史ではないと述べるしかない」。なぜなら天皇の身分が「先史時代の古びた過去」にしかたどれないからだ。さらに、ドナルド・フィリップが指摘しているように、8世紀に「深刻な規模」に達した「系譜の記録の改ざん」が、事実の証明を阻んでいる。時代が現代に近づくほど残された記録は多いが、「古代の祖先は最近の祖先よりも尊敬に値する」うえ、「近い年代よりも、記憶にないほど昔に祖先を作り上げるほうが容易」だ。事実と創作を見分ける方法がなかった時代、『古事記』の作り話は、スーパーヒーロー小説の厚紙に描かれた姿のような天皇家の絶対的な力を定めるにあたって十分だった。

天皇の国、日本の歴史を異なる観点から解き明かしているジョーン・ピゴットは、事実をフィクションから抜き出すにあたって断固として考古学にこだわっている。彼女の「王権の考古学」は歴史の再構築にとって不可欠だが、考古学ならではの限界もある。それは、古代の神話や伝説からしか把握することのできない、すべての天皇が持っているとされる神の力を、定義も評価もできないことである。純粋に観察に頼り、論理を用い、聖なるものを認めない現代の歴史学者の考え方は、世界各地の霊魂、神、超自然な存在が現在にも、過去にも、未来にも存在しないと仮定している、もしくはそうした考え方を取り入れている。けれども古代文明の世界全体、そして現代文明の多くも、神々がまだ死に絶えていない複雑な世界だ。純粋に観察に頼り、論理を用い、聖なるものを認めないとすると、説明も解釈もほとんどできない。すべての天皇が持つという神の力はまさにそうした複雑な世界で生まれたものである。事実、人工遺物、あるいは考古学の遺跡だけで答えを導き出すことはできない。神の力は架空の「物語」のなかにあり、物語を語ることそのものが権力を作り上げるからである。

伝説と考古学の比較からは多くのことがわかる。初期の数十人の天皇と関係がある場所として大阪の名があがることもあるが、宮城(きゅうじょう)の形跡は少なく、強い印象は受けない。初期の天皇が先代とは異なる場所に住居を構えたこともその一因だろう。７０７年に崩御した文武(もんむ)天皇が恒久的な宮城を築く決断をしてからは、天皇の象徴化が起こり、それにともなって天皇の「力の物語」が強化された。続く元明(げんめい)天皇（７０７～21）の時代、現在の奈良に城壁で囲まれた平城京が完成し、それとならんで、平城宮と『古事記』や『日本書紀』が作成された。７１０～94年に神聖な支配の中心地となった平城京はまさに天皇の「力の物語」を支える象徴だ。都のデザインには、同じころに始まった天皇の死後に名前を与える習慣と同じく、中国の影響が見られる。平城京は唐王朝時代の中国皇帝の紫禁城ともいえる長安の都をモデルにした城郭都市だった。東西４・３キロ、南北４・８キロの規模をもつ都の中心には平城宮があった。平城宮は巨大な宮城でおよそ１キロ四方におよび、神である天皇とその家族の公邸だっただけでなく、元明天皇の後継者らにおいては、たくさんの配偶者もそこに住まわせていた。都は７８４年に長岡へ、７９４年には京都、そして１８６９年に東京へ移った。どの宮城も大きさは最初のものと同等だった。

何世紀にもわたって外部からの圧力があったことを考えると、たとえ力が弱まったにしても、15世紀ものあいだ朝廷が存続していることは驚きである。ほとんどの支配者と同じように、天皇は派閥や政治の圧力にさらされる。さまざまな時代に、朝廷以外の一族が天皇を操った。蘇我(そが)氏と藤原(ふじわら)氏は娘を帝に嫁がせることで、何世紀にもわたって舞台裏の摂政として子孫を通して政治を支配した。5～8世紀に権力を握っていた蘇我氏は、やがてライバルである藤原氏に滅ぼされた。源氏、足利家、徳川家は武士でありながら権力の座にのぼりつめ、独裁者として朝廷を通して支配した。1192～1867年、日本を実効支配していたのは「将軍」だった。当時の状況はジェームズ・クラベルの小説『将軍』でおもしろく、またドラマティックに描かれている。シーグレーヴが述べているように、この5つの一族はみな「天皇家をうわべだけの飾りとして維持」しながら権力を握り、朝廷には優雅な暮らしをさせ、天皇の神性と血統を守りながら、それをうまく利用して国を支配した。1860年代に、ヨーロッパの影響を抑えられなかった幕府に代わって朝廷が蘇ったことは、天皇制の根強さを物語っている。

歴史のほとんどにおいて、日本は列島内に閉じこもっていたが、19世紀に明治天皇（1852～1912）のもとで皇室の力が復活すると、状況が著しく変化した。長年にわたるヨーロッパのアジアへの干渉が日本の近代化のモデルになったものの、やがてそれも必要なくなった。日本の再起を目の当たりにしたH・G・ウェルズは驚き、次のように述べている。「人類史上で当時の日本ほど急激な進歩を遂げた国はない。1866年、日本は中世だった。［中略］1899年、日本の人々は完璧に欧米化して、ヨーロッパでもっとも発達していた大国と同レベルになり、ロシアを大きく追い越した。［中略］ヨーロッパの進歩がことごとく遅く見えるほどだった」。この驚くべき「明治維新」における急速な産業の発展と領土拡張論者の野望からは「大日本帝国」の思想が生まれた。それが最初に具体化したのは、朝鮮半島の支配をめぐって中国と戦った日清戦争（1894～95）で、中国が大敗し、台湾が日本初の海外領土となった。このときはフランス、ドイツ、ロシアがかかわる複雑な合意により、太平洋側の海軍の拠点だった中国本土の遼東半島だけが日本に割譲された。10年後、朝鮮半島への日本の野心をめぐる対立から日露戦争（1904〜05）が起こり、日本が勝利して、1910年に韓国を併合した。ウェルズはそれをアジアの地における「ヨーロッパの傲慢な時代の終焉と、アジア史の新しい時代の始まり」と述べている。

第一次世界大戦のあいだも日本の野望はくすぶり続け、侵略の新たな兆候が見え始めたのは1931年の満州侵攻と、傀儡国家である満州国ならびに1939年の内モンゴルにおける蒙古連合自治政府の設立だった。中国本土での成功で自信をつけ、運命を感じ、天皇の神性を信じた日本は1937年、中国への攻撃を開始した。この日中戦争時の一大事件は、30万人もの中国人が死亡したともいわれている、いわゆる南京大虐殺での日本の圧倒的な勝利だった。すでにヨーロッパで始まっていた第二次世界大戦は、日本が太平洋地域へ急拡大するきっかけとなった。アメリカ人にとっては、真珠湾攻撃というと日本を貪欲な軍国主義者とみなす方向へ偏りがちだが、『日本の粘土の足 迫りくる戦争と破局への道』で第二次世界大戦直前の状態について語っているフリーダ・アトリーによれば、日本は「ほとんど資源がない状態で、世界政治と軍事侵略の駆け引きに打って出た」のであり、「東方のイギリスになる」という日本の主張ははったりで「工業生産の状態は多くの面でまだ中世のレベル」だったという。アトリーが描いているのは、原材料となる資源が乏しく、海外との貿易に完全に依存していて、農業分野が苦境に陥り、国の経済が病んでいた国家像だ。日本が抱えていた複雑な問題は、ウィンストン・チャーチルが書いた戦争の歴史でもみごとに描写されている。

日本が真珠湾でアメリカの艦隊を沈めた（現地時間で1941年12月7日）のは、東アジアと東南アジアの防御手段を壊滅させ、米、材木、ゴム、鉱物、オイル、いいなりになる労働力を求めて熱帯地方へ新たな領土を拡大するためだった。南シナ海に航空機と戦艦を待機させた日本は、真珠湾攻撃に続いて、12月8日にはイギリス領マラヤに上陸した。それは、その後3か月のあいだに香港、フィリピン、マレー半島、シンガポール、仏領インドシナ（カンボジア、ラオス、ヴェトナム）、ビルマ、インドネシアを旭日旗のもとに支配するまでの、いくつもの侵攻の始まりだった。1942年までに、日本は歴史上有数の海上帝国を築き上げた。

日本の神聖な天皇の神話は、イギリス、フランス、ロシアの王権神授説が滅びたあとも残り、中国本土と東南アジア全域で20世紀の日本の覇権の拡大を進める原動力となった。日本の軍事侵攻は経済的な必要性が原因で、それが起源をさかのぼって描かれた15世紀にわたる天皇の力の物語に後押しされた格好である。その結果が大日本帝国であり、「物語」がもたらす運命感だった。けれども、野望に燃えたこの「物語」は短命だった。南太平洋を手始めに、体制を立て直し、軍事力を増強したアメリカ海軍が容赦なく進軍し、日本が占領した環太平洋地域を取り戻して日本本土を爆撃できる海域に到達した。アメリカが沖縄に猛攻撃をかけているあいだ、象徴的な名をつけられた戦艦〈大和〉が撃沈され、乗組員のほとんどが命を落とした。アメリカ軍のB−17やB−52爆撃機が夜ごとに、東京の大部分を無差別攻撃していた1945年の春夏を通して、日本の天皇の国民に対する影響力が浮き彫りになった。1945年8月、広島と長崎に原爆が投下されるまで、昭和天皇は降伏を拒み、日本国民も降伏しなかった。無条件降伏後は、天皇の信仰への影響力と政府による政治の場が強制的に切り離された。つまり、朝廷はそのまま残り、アメリカ風の政教分離が導入されたのである。あとから考えれば、藤谷が述べているように、アメリカのリーダーは——フランスやロシアの革命では王や皇帝は暴力的な最後を迎えるという異なるやり方がとられた——ハーヴァード大学教授で日本史の専門家だったエドウィン・O・ライシャワーによる1942年9月の文書にしたがったようである。ライシャワーは、昭和天皇を戦後の「傀儡政権」の長として残しておくことが、東アジアにおけるアメリカの利益にかなうだろうと助言した。日本文化にある天皇の「物語」の力を認識したアメリカは、天皇崇拝には手をつけない形で第二次世界大戦の和平合意を考えたのである。

天皇は象徴としての権限しか持たないが、今も、神を祖先とする長年の「物語」から引き出される強大な心理的影響力を振るっている。日本の義務教育の「歴史」では、日本の侵攻についての内容が減らされ、占領地での残虐行為が省略され、決定的な敗北の屈辱が覆い隠されている。そのため、天皇の神話と古代から続くその象徴は今も消えていない。

いずれも400年ほどしか続かなかったヘブライ人の神聖な王やローマ皇帝の神格化と比べると、日本の朝廷はまったく異なっている。これほどまでに長く続いている理由のひとつは、継承の基準が柔軟だったために、権力争いがおおむね回避されたことだ。後継者をめぐる暗殺はローマでは数世代にわたり、ヨーロッパの君主国でも頻繁だったが、日本は何度も天皇を変える方法をとり、たいていは同じ祖先を持つ異なる家系の男性のあいだで交代していた。多くの天皇は若いうちに退き、長く快適な隠居生活を楽しむことができた。

皇室全体を含む天皇の神性の「物語」が長く続いているのは、国の宗教である神道と深く結びついて保たれてきたからである。日本にはおよそ10万社の神社があり、うち数百には過去の天皇が祀られていて、天皇崇拝に匹敵する巨大ネットワークを形成している。神道は世界の主要宗教とまではいかないが、世界最古の宗教のひとつである。「神」と「道」という言葉から、神道の信仰では天皇が重要であることが示唆される。天皇はいずれも神が支配する人間と自然界の調和を保つ中心的存在とみなされている。これはすべての生きもの、場所、現象に力があると考えるたいへん珍しい概念だ。欧米の宗教における「霊魂」の概念、アンリ・ベルクソンの「生の躍動（エラン・ヴィタール）」、あるいは神霊の神秘的なイメージがそれに匹敵するかもしれない。歴史的に見ると、世界各地の部族が信仰していた先史時代のアニミズムに起源がある。その身に神を宿す天皇は、日本という国と神の主権の象徴である。ここでの主権の定義は政治的概念の枠に縛られない。神の化身である天皇は神道の儀式の主役である。新たに即位した天皇は、大嘗祭（だいじょうさい）と呼ばれる、天皇の力を示す神道の儀式をくぐり抜ける。これは太陽の女神である天照大神にまつわるいにしえの物語をたどるものだ。崩御した天皇は日本にたくさんある神社のひとつあるいは複数に祀られる――神社を参拝する人も「物語」に参加するのである。しかしながら、神として崇められた人間は天皇だけではない。W・J・ブートによれば、天皇の一族以外でも死後に神格化されて崇拝された例はいくつかあり、なかでもよく知られているのが17世紀の将軍、徳川家康だ。これはローマの神格化によく似ている。

天皇の霊化とならんで、神道は、日本列島が神聖な場所であるという考え方も維持している。かつてイギリスの外交官だったジョージ・サンソムは著書『日本文化史』で、いかに古代の神話に列島の神聖さが埋め込まれているかについて語っている。「国に与えられている名前そのもの――豊葦原の千五百秋の瑞穂の国、そして木花知流比売や萬幡豊秋津師比売命といった神々――が、日本の環境の美しさと豊かさが強く感じとられていた証拠である」。かくも美しく人間味のある名前が、神々の末裔としての天皇に象徴される日本列島と自然界の物語へ、儀式を崇拝する人々を引きずり込む。

神道の儀式は、サン・ピエトロ聖堂でローマ教皇が述べるクリスマスメッセージや、イギリスの君主の戴冠式のような大々的な公式行事ではない。儀式に参加するのはおもに天皇と皇族だが、「神」の効果は国と人々に向かって広がっていくため、みなが参加したことになる。したがって、ごく最近まで、天皇はめったに姿を見せなかった。実際、隠れているほうがあたりまえで、それが天皇の「力の物語」に欠かせない威厳と神秘さのオーラを増すことにつながった。戦前、昭和天皇が出かけるときには、道沿いの家では窓のすだれを降ろさなければならなかった。天皇の姿の保護は日本国外にも求められた。天皇を取り上げた『フォーチュン』誌は、公式な抗議を受け、日本での出版を禁じられた。抗議は、１９３５年８月号でノーベル平和賞の巻物を人力車で持ち帰る天皇の風刺画を掲載した『ヴァニティ・フェア』誌の編集長にも出された。神聖な「力の物語」を維持するためのものとはいえ、こうした天皇の肖像の保護はときに無意味に見えることもあった。『タイム』誌の１９３６年２月24日号が昭和天皇の写真を表紙に載せたとき（清の皇帝溥儀、ヨシフ・スターリン、蔣介石とならべて）、編集長はその雑誌を伏せて置いたり、上にものを載せたりしないよう読者に告げるよう求められた。天皇を取り巻く神秘性があまりに強力なため、ライターのジョン・ガンサーは「わたしたちは日本人の感情を逆撫でする危険を冒している。彼らにとって天皇はあれこれ説明してよい対象ではない」と警告している。スターリング・シーグレーヴとペギー・シーグレーヴによれば、日本が屈辱的な敗北を喫した第二次世界大戦後の40年にわたる昭和の時代、天皇は「国家の神のような象徴」というイメージを保ち続けた。政権への批判は「暗に神聖を汚すことであり、ゆえにきわめて危険だった［中略］1989年に裕仁が崩御してようやく神の仮面がはがれ、腐敗しきって欲に溺れた政権の姿があらわになったのだ」

日本の文化では実質的に抑えることが不可能な天皇の力の継続は、当時皇太子だった明仁上皇が現上皇后の正田美智子に目を向けたときのようすに表れている。彼女はカトリック信徒として育てられた。明仁と出会う前から、「戦後のエリート国際人のための花嫁養成学校」だった東京の聖心会から妃候補として名があがっていた。日本の実業家の娘である正田美智子自身も国際人で、英文学の学位を持ち、聖心女子大学を首席で卒業していた。伝統から大きく離れ、古代の藤原家の血を引く貴族でもなく、新しい明治時代の貴族でもない平民という身分を無視して、明仁本人がみずからの妃として美智子の名をあげた。家柄の問題だけでなく、キリスト教徒だったことで、さまざまな方面から反対の声があがったが、ある協力的な国会議員はこう述べた。「家族がキリスト教徒で、カトリックの学校に通われたことは事実だが、美智子さん本人は洗礼を受けていない。神道に改宗できると思う」

疑念が抱かれたのは、皇居と国会内だけではなかった。けれども、美智子の一般人という立場は、現代ジャーナリズムの自由な解説と、新しい皇室の概念をもたらした。過去半世紀あまりのあいだに、皇室は、昭和の時代の隔離状態から徐々に開かれていった。

１９５９年3月23日、正田美智子を表紙に載せた『タイム』誌には、彼女は、皇太子妃そしてのちの皇后の束縛され隔離された人生のために、自由を謳歌できる外の生活をあきらめることはないだろうと書かれている。ところが、彼女はあきらめた。翌月、明仁と結婚し、皇室の花嫁の選択に新たな先例を作った。驚くまでもなく、伝統から離れて現代らしさをとるこの行動は繰り返された。１９８０年代の終わりごろ、美智子の息子で当時皇太子だった徳仁は、マサチューセッツ州ベルモントの高校からハーヴァード大学をきわめて優秀な成績で卒業して、日本の外務省に入り、さらにオックスフォード大学にも2年間留学していた小和田雅子（おわだまさこ）に目を向けた。１９９３年1月10日のニューヨーク・タイムズ紙にはこう記されている。「この6年間、小和田は、ワシントンとのあいだを忙しく往復しながら、失礼にならない程度に熱心な皇太子を避けていた。［中略］彼女はまさに現代日本のスーパーウーマンのモデルである。高い教育を受け、国際人で、年上の男性外交官のほとんどよりも有能だった」。ところが、１９９２年12月、雅子は婚約に同意した。いくつかの方面から反対意見が出た。いろいろな説明がなされた。「交渉」のうわさが浮上した。けれども、ひとつの解釈だけは議題にならなかった。それは、汚れのない神々しい後光が差す、地球上でもっとも長い支配王朝に入るということの魅力とオーラの存在である。

予想どおり、雅子は皇室の厳格な慣習に適応障害を起こした。皇位を継ぐ男子ではなく娘を産んだことによって、それが悪化したことは疑いようもない。その後、敬宮愛子(としのみやあいこ)が皇位を継げるよう日本の伝統を変えるどうかが議論の的になり、女性天皇を認めるべく継承のルールを修正する案が出された。２００６年には、秋篠宮(あきしののみや)家に皇位を継承する悠仁(ひさひと)が誕生したことで、提案そのものが棚上げになった。それでも、雅子は負い目を感じていたのかもしれない。よく知られているように、遺伝学の観点に立てば、子どもの性別は男性側の遺伝子によって決まる、つまり男の子が生まれなかった理由は彼女ではなく徳仁側にあるにもかかわらずだ。21世紀の最初の10年、雅子は公の場所にほとんど姿を見せず、彼女の精神的な問題は日本社会と世界のジャーナリズムの公然の秘密となった。

２０１９年4月に明仁が退位して、徳仁と雅子は天皇と皇后になった。過去１００年のあいだで2度（１９２８と１９９０）しか行われていなかった複雑な一連の儀式がそれに続いた。儀式の遂行をめぐる論争は、明仁の儀式が行われた１９９０年に表面化した。論点は、天皇の神格化は国の政治的な行事と宗教を分離する、第二次世界大戦後に制定された日本国憲法に違反するのではないかという問題だった。神道という宗教と密接につながりのある即位の儀式が、国に対抗する権威を作り上げるものではなく文化的な慣習と社会を団結させる社会的な儀式とみなされるようになるにつれて、論争は下火になった。

２０１９年5月1日、即位の礼の最初の儀式である剣璽等承継(けんじとうしょうけい)の儀が始まり、日本の三種の神器のうちのふたつ、剣(つるぎ)と勾玉(まがたま)が納められた箱が徳仁に捧げられた。これらは天照大神が、地上に降りて朝廷を築いた孫に授けたとされるものだ。つまりこの儀式は、記録に残る歴史が始まる何百年も前の、神話のような天皇たちにまでさかのぼる何千年にもわたる力の物語を復活させ、それを肯定するものである。ふたつ目の儀式、即位礼正殿の儀は、徳仁の即位から6か月後、２０１９年10月22日に行われた。初期のヤマト王権に起源があるこの儀式には数百人にのぼる各国の代表が出席し、一般に公開されてテレビカメラも入ったが、もっとも神聖な部分である宮中三殿での儀式は公にされなかった。宮中三殿での儀式の中心は、徳仁が過去のすべての天皇に対して、自分が新たな天皇であることを宣言することである。この儀式は原始的なアニミズム信仰にまでさかのぼる、もっとも基本的な宗教の形を受け継いでいる。つまり、死者の霊が死後も魂の世界で生き続け、現世で生じるものごとにも参加しているのである。この儀式では、徳仁と雅子が、賢所と呼ばれる天照大神を祀る殿舎を含む、宮中三殿で拝礼した。

一連の儀式の3番目は大嘗祭として知られ、２０１９年11月14日に行われた。これは天皇の在位中に一度しか行われない行事である。即位の礼の起源は5世紀にあるようだが、大嘗祭が初めて言及されているのは7世紀の初めだ。大嘗祭のあとには、即位の礼と大嘗祭を終えたことを報告するために、神社や天皇陵へ参拝する儀式が行われた。参拝の大まかなルートは、１９１５年に即位したばかりの大正天皇が通った道とほぼ同じだった。このときもまた、伊勢神宮で天照大神、それから衣食住と産業の守護神である豊受大神が拝まれた。11月下旬、天皇と皇后は、奈良にある伝説の神武天皇山陵、19世紀の光格、仁孝、孝明の各天皇が祀られている京都御所を訪問した。さらに、徳仁はそこへ自分に近い祖先である曾祖父の大正天皇と祖父の昭和天皇を追加した。即位したばかりの天皇が日本全国にある10万もの神社で祖先に手を合わせることは不可能だが、参拝の対象は日本史全体を広く網羅するものである。こうして、新たな天皇一家も、太陽の女神による創造から始まった大きな「物語」の一員となった。

シュメールの伝説の帝国

メソポタミアのシュメールは、初めて文字による表記法を考え出して後世に残る記録を作った文明で、紀元前3000年ごろの粘土板にそれが残されている。数千の粘土板がルーブル美術館、大英博物館、オックスフォードのアシュモリアン博物館にあるが、ニップールで出土した最大規模のものはペンシルヴェニア大学の考古学人類学博物館に収蔵されている。シュメールの書物はあまりに細かいため図書目録がある。紀元前2千年紀の写しには賛歌、神話、叙事詩、哀歌などが含まれているが、それらは後世のメソポタミア文明で書き写されたもので、原典はもはや存在しない。

ウルクが栄えたのは紀元前3500〜3000年ごろとかなり昔で、マルク・ヴァン・デ・ミエループはそこを都市国家の誕生の地と呼んでいる。しかしながら、神聖な王に象徴される制度がウルクで発展したのはそれより何世紀もあとであるため、ウルクの起源の「物語（ナラティブ）」は絶対的権力を示すためにあとから作られたものだと考えられよう。ウルクが歴史的に重要だったことを示す証拠はほかにある。ミエループがいうところの「ウルク現象」には、古代の最初の大都市、最初の効率的な都市行政、最初の表記法の開発、そして書くという行為の上に積み上げられた最初の公的教育制度の制定が含まれている。

村から始まったウルクの起源は紀元前7千年紀にさかのぼる。ウルクの発展は、農業と家畜の飼育に適した下メソポタミアの肥沃な沖積層（ちゅうせきそう）のおかげだった。けれども、数千年のあいだに人口が増え、社会が発達すると、メソポタミア南部の農業だけでは賄いきれないようになった。結果として「ウルク・エクスパンション」、つまりウルク文化の拡大が起きた。ギレルモ・アルガゼが最初に用いたこの言葉は、資源が減少したメソポタミア南部の沖積層の平野にあるウルクと、資源が豊富な東や北の地域とのあいだに発展した協力的な経済体制を指している。南の平地にあった中心地域とそれを取り囲む高地のあいだで、徐々に経済の取引が拡大していった結果、巨大な帝国ができあがった。

アルガゼは、たくさんの考古学の発掘調査と粘土板に残された物々取引の記録から、この非公式な帝国の史実をまとめている。文化的な人工遺物やウルクから影響を受けた貿易品は、ティグリス川の東側にあるイラン、フーゼスタン州の古代スシアナ平原や北西側のシリア・メソポタミア平原で見つかっている。集落の分類によれば、そうした品々は、川辺の重要拠点にあった飛び地、またウルクの中心から外側へと広がる交易路の途中にあった基地、居留地などで発見されている。そうした場所のいくつかは低地の平原から遠く離れたアナトリア（現トルコ）のトロス山脈や、現在のイラクとイランの国境線であるザグロス山脈にまでおよんでいた。陶器のデザインや粘土板に記録されたくさび形文字の取引記録は周辺部の飛び地や居留地におけるウルク文化の直接の証拠だが、ウルク地域で発見された銅、銀、金、鉛を使った人工遺物は、ティグリス＝ユーフラテス低地から遠く離れた鉱床に近い山地の居留地との関連を示している。山地の木材が木のない南部のウルクへと流された直接の証拠は十分ではないが、G・H・ウィルコックスによる遺跡の炭化物の調査から、ウルクの時代にアナトリア東部で森林の伐採が進んでいたことがわかっている。

ウルクの拡大について詳細に記しているアルガゼは、イマニュエル・ウォーラーステインが数冊にわたって展開している「近代世界システム」を参考にしている。アルガゼの「ウルク世界システム」は、紀元前4千年紀のシュメールにあてはめるには無理があるように思われるが、それをいくぶん修正して「非公式な帝国」と考えれば違和感がなく、その中心となっている不均衡な文化間の経済的相互依存という見解にも納得がいく。ウルクは高度に発達していたが資源がなく、スシアナや上メソポタミアにあった周辺部の集落はそれほど発達していなかったけれども資源に恵まれていた。この資源の不均衡から共益関係が生まれた。要するにそれは、地域内での資源の交換である。

この非公式な帝国の存在はほぼ確実で、特に考古学の資料に細かく記されている。もっとも、派手な王や圧倒的な征服が出てこないため、実際に何が起きたのかはわかりにくい。ウルクの拡大、とりわけくさび形文字による記録は、メソポタミア全体に文化を広げ、続く帝国の構築の土台となった。次の初期王朝時代と紀元前3千年紀のアッカドの繁栄で、支配者たちは神聖な王へと続く道をたどり、先に述べたように、ナラム＝シンの時代から神聖化が盛んになった。それが、シュメール人の過去が早々に神話の様相を帯びてしまった原因だろう。紀元前２１００年ごろ、当時よりはるか昔の伝説のウルク王ギルガメシュをたたえる一連の物語詩が誕生した。そのなかの6つが現存している。4世紀経った紀元前１７００年ごろの初期の古バビロニア時代に、物語詩が長編の『ギルガメシュ叙事詩』としてまとめられた。叙事詩は粘土板にくさび形文字で刻まれているが、初期のものはごく一部しか発見されていない。ニネヴェのアッシュルバニパルの図書館で発掘された12枚の粘土板のアッカド版（紀元前１２００頃）はそれより完全な形を保っていたため、現在はそれが定本となっているが、ほかにも数世紀にわたって作られた写しのかけらがいくつも出土している。

ギルガメシュをたたえる短い物語詩で過去が物語化されたことが、帝国の「物語」の最初の兆しだった。ウルクという街を築く話が中心となっているのちの『ギルガメシュ叙事詩』の舞台となった時代は、必然的に紀元前３５００年以前である。それは、この最古の叙事詩から１８００年以上も前の時代で、現代と帝国ローマほど離れている。のちに述べるように、帝国の起源の「物語」は、帝国が最盛期に達したか、勢力がピークを過ぎたころに生まれる傾向がある。したがって、そこに描かれている時代と物語が作られた時代には数百年あるいは数千年の開きがあることがほとんどだ。どのような歴史的事実が作品に含まれていても、たいていの場合、時の流れと避けることのできない文飾によってあいまいになってしまう。そのうえ、起源の「物語」の枠組みには、物語で語られている時代というよりむしろ物語が作られた時代の歴史が反映される。アッカド王国とバビロン王朝時代、メソポタミアの帝国は、昔のウルクのような互恵関係の貿易ではなく征服によって築かれた国で、帝国の中心部に流れ込んでくる富は貢ぎもの、税、強制されたものだった。シュメール人による地域間の貿易で構成されていた非公式な帝国は、半分神のような街の創設者である戦士王の偉業に塗り替えられた。

これまで見てきたように、伝説的な帝国の創設者は英雄あるいは神がかった性質を帯びる。日本の朝廷では特にそうだった。物語の強化の原理によって、ありえない大きさの戦士に膨らまされるのである。そして彼らが象徴的に重要な偉業を成し遂げる。物語自体には、詩の形や、口承を示唆するリズミカルな文章構成など、すぐそれとわかる言葉の特徴があることが多い。ギルガメシュの物語の背景となったできごとが起きたのは、文字の発達から数世紀前だった。当然、物語は詩人から詩人、あるいはアルバート・ロードがいうところの「物語の歌い手」へと口づてに伝えられた。１００年にわたって詩を伝えるためには、少なくとも5人の歌い手、１０００年ならその10倍が必要だろう。ミルマン・パリーが発見し、アルバート・ロードが１９３０年代のユーゴスラヴィアの語り手で証明したように、文字が生まれる前の物語は、文字にされたときにそれが口承であることを示す明らかな痕跡を残す。それは言い回しの特徴だけでなく、ときに、そこで語られているできごとのなかにある。典型的な例では、作られた当時の文化で重要だったものごとが、それより前の時代に投影されているため、過去の物語に現在の事実を描くという年代錯誤が起きる。ゆえに、帝国の「物語」では、物語が書かれた時点の価値観、宗教儀式、そして文化的な関心をもとに、古くまでさかのぼる系図が作られる。『ギルガメシュ叙事詩』では、紀元前

2215年より前にはなかったと考えられる神聖な王政があたかも紀元前3500年にあったかのように描かれており、歴史より物語性のほうが強く示されていることがはっきりわかる。

考古学の発掘から、ウルクを囲む城壁は全長が9・5キロメートルあったことがわかっている。建設当時、城壁の内側の面積はおよそ1・5平方マイル、つまり400ヘクタールで、人口は2万人だったと推定される。ところが『ギルガメシュ叙事詩』にはこうある。

1平方マイルの街、1平方マイルの庭園、
1平方マイルの粘土採石場、半平方マイルの女神イシュタルの住居
3・5平方マイルがウルクの大きさだ！

叙事詩のこの計算は発掘されたウルクの遺跡の2倍以上にもなる。けれども、古バビロニア時代の初期にこの叙事詩が作られたときには、占領地は3・3平方マイル（850ヘクタール）に膨らんでいた。そのほとんどがもとの城壁の外側だったとはいえ、詩で表現されている大きさにかなり近い。こうした不一致は帝国の「物語」の随所に見られる。大きさの誇張によって物語中の広さが地理的な広さを大きく上回っている。

歴史的に見て、かくも長い城壁を作るために必要な膨大な労働力としては、おそらく徴集された労働者や周辺地域からの奴隷が使われたと考えるのが普通だが、叙事詩には、ギルガメシュその人が「ウルクにめぐらされた壁を建てた／神聖なるエアンナの輝かしい宝物庫も！／［中略］後

世の王でも、いかなる人間でも彼にはおよばないだろう」とある。伝説の帝国の偉業はほぼ必ず伝説の英雄や王が成し遂げたことになっている。ウルクの城壁はこの上なくすばらしいと描写されている。城壁上部の仕上げは「銅色に輝いて」いた。この話は帝国の物語にとってあまりに重要だったため、ギルガメシュが遠征を終えて戻ってくる最後の粘土板でも、同じように壮大さをたたえる言葉が繰り返されている。

壮大な城壁の建設は、この帝国の首都構築のごく一部でしかない。壁の内側にあったもっとも重要な建築物は神々の女王イシュタルの神殿である。神殿の屋根には重い木材が必要だった。初期王朝時代から何世紀にもわたって神殿の建築には多大なエネルギーが費やされていた。『ギルガメシュ叙事詩』では、木材を手に入れる巨大プロジェクトは本来なら「ひと月と15日」の道のりであるところを、レバノン山脈の大きな杉の森まで「3日」で行ったとある。これは、レバノンの杉の森が、実際に拡張されたウルクの勢力圏内にあったという経済の史実とみごとに一致する。歴史的に見ると、レバノン、シリア、トルコ南部の杉の森は多くの王国に木材を供給していた。何世紀もあとのイスラエルもそうで、ソロモンの神殿と宮殿、そしてエズラ記にあるふたつ目の神殿の建築にも杉が用いられたといわれている。数千人の労働者が必要だったウルクの城壁と同じように、杉の森の伐採や、メソポタミア南部までユーフラテス川で流す材木の運搬にも、何百という労働者をとりまとめる強力な支配者が必要だっただろう。はるかレバノンから杉の材木を手に入れていたということは、アルガゼがいうように実際にシュメール人の力が拡大していたしるしだが、「メソポタミアの多くの支配者は［中略］レバノンから価値ある杉を集めるために遠征隊を送っていた」という彼の記述には、フンババを倒し、杉を切り倒すという『ギルガメシュ叙事詩』のドラマティックな話は出てこない。そこからは、「物語」として支配者の力を描く文学の重要性がいかに容易に見落とされてしまうかがわかる。叙事詩では、帝国の偉業はギルガメシュとエンキドゥがふたりで成し遂げたことになっている。ふたりは巨大な道具でそれに臨んだ。重さがおよそ80キロもある斧、刃がおよそ54キロ、鍔がおよそ13キロの剣、そして、「およそ13キロの黄金を身につけた」ギルガメシュとエンキドゥはそれぞれ約270キロもの荷物を持っていたのだ。英雄に対するこうした力と大きさの誇張は帝国の「物語」にはよくある。

帝国の構築に関連する3つ目の側面は、急拡大する人口に必要な食料だ。農業による食料調達は、広く干拓しなければならないウルク周辺では容易ではなかった。そこでは湿地帯から排水して肥沃な沖積層の土壌をあらわにする作業が必要な一方で、すぐ北側の地域は灌漑しないかぎり農地としては使えなかった。叙事詩のなかにもそれがほのめかされている。大きな杉の森までの5日間の旅で、ギルガメシュとエンキドゥは毎日飲み水のための井戸を掘らなければならなかったことから、周囲の地域が乾いていたとわかる。ウルクやニップールなどの周囲に張りめぐらされていた運河でさえ、北方にあるユーフラテス川の源流でいつ降るかわからないような雨から農民を守ることはできなかった。マグワイヤ・ギブソンが示しているように、冬のあいだに長い夏の干ばつと雨不足に備えようと施された初歩的な土木工学のアプローチが、かえって悲惨な春の洪水をまねき、作物をすべて失ってしまうこともあった。聖書の大洪水の「物語」のもとになっていると考えられる『ギルガメシュ叙事詩』後半のバビロニア大洪水の伝説は、おそらく下メソポタミアの不安定な川の状態に由来しているのだろう。多くの場合、歩いて危険を回避できる遊牧民なら、洪水の影響はたいして受けない。だが定住し、農業に依存している人々にとって、大規模な洪水は甚大な被害をもたらす大災害だ。自然そのものが人間の手に負えない脅威となって、復旧には超人的な取り組みが求められる。神話の世界では、これは、大地を守る荒れ野の怪物と戦う英雄の「物語」として繰り返し描かれている。怪物はたいてい爬虫類で、水を飲み干し、人々が使う水をすべてため込んでいる。『ギルガメシュ叙事詩』の話の核は杉の森を守る怪物フンババとの勇ましい戦いだ。そしてその戦いは、紀元前2500年ごろの古いバビロニア創造の物語『エヌマ・エリシュ』で巨大な怪物ティアマトを倒して世界を創った神マルドゥクと、ギルガメシュを結びつけるものである。その結びつきによって、シュメール帝国の誕生の物語がふくらまされ、世界の創造と象徴的に関連づけられて、神の目的が帝国の「物語」と密接に関係していることが強調される。

巨大化の描写は帝国の「物語」の主要な特徴である。ギルガメシュについては「彼の足は3キュービット、脚は6かける12、／彼の歩幅は6かける12キュービット」（1キュービットは52・5センチ）といわれている。ギルガメシュが不老不死を求めて最後の探索に出たときには、その準備として「彼は森へ行き、太さが5、長さが12キュービットの材木を60の2倍切り倒した」とある。聖書のノアと重なり合うシュメールの先人ウトナピシュティムとの出会いでは、ギルガメシュの目の前にいた人物は聖書と同じように、船の隙間を埋めるための「3600の3倍の量のタール」を準備しながら「3600の3倍の油」を神に捧げなければならない儀式を続けるというけた外れな仕事を含め、太陽の神シャマシュによって課された制限時間内に巨大な方舟(はこぶね)を作った英雄だった。

　このような数字の誇張は帝国の「物語」の一部として受け入れられた。事実についての細かい話よりも、帝国の儀式として繰り返し語ることのほうが重要だった。「物語」はみな、そこだけの存在や登場人物、できごとや行動、そして時間的にも空間的にも想像上の舞台である、その物語にしかない現実を作り上げる。この作り上げられた世界は、ちょうど額のなかの絵画が外界の物体そのものではなく描かれた世界であるように、外の現実とはいっさい切り離されている。合理性、論理性、事実性といった物語らしからぬ原則が無効化されるため、事実に照らして検証することはできなくなるが、帝国の儀式としては不動のものとなる。

　そうはいっても、例外はある。シュメールとバビロニアの帝国の「物語」には、数少ない風刺のひとつとして「ギルガメシュの手紙」として知られる紀元前1千年紀のパロディがあり、ギルガメシュ本人が書いたことになっている。その手紙には従属都市に課された貢ぎものの明細が記されており、アッカドあるいはバビロニア時代後半のものと思われるような品々が示されている一方で、ユーモラスな誇張で貢ぎものの制度そのものが茶化されている。手紙の受取人はわからないが、ギルガメシュは7万頭の「白い縞のある黒い馬」、10万頭の「森の木の根のような模様がある」雌馬、4万頭の「ずっと跳ね回っている小さな子牛」、5万組の「まだらなロバ」、そしてほかにも数えきれないほど多くのありえないもの、たとえば3万壺のギー（液状のバター）、8万瓶(かめ)のワイン、9万枚の「黒味を帯びた紫檀(したん)の天板」、4万個の白い錫(すず)の鋳塊、9万タラント（重さの単位）の鉄、12万タラントの銅、そして「目新しい収納箱、めったにないもの、わたしがこれまでに見たことがないような貴重で珍しいもの」を要求している。ここにある錫、鉄、銅は、高地からメソポタミアへ運ばれていたきわめて重要な原材料と一致する。ギー、ワイン、黒味を帯びた紫檀の天板、目新しい木製の収納箱からは、運び入れられていた品物の一部に、帝国の中心地にいた特権階級への貢ぎものとして飛び地で作られた異国風の品々が含まれていたのかもしれないとわかる。最後の「わたしがこれまでに見たことがないような貴重で珍しいもの」は、川の上流にある属国の王に対して「任せた!」と述べているユーモアあふれるリクエストだ。

手紙はさらに、ユーフラテス川を下って、バビロンの港に品々を届けるよう求めている。その記述からは、川を利用する貿易ルートで定期的に物品が運ばれていたことがわかる。手紙によると、貢ぎものが届かない場合には、ギルガメシュがシュメールの無名の神々すべてに誓って必ず「汝(なんじ)らの都市を破壊し、宮殿を荒らし、果樹を根こそぎ引き抜き、運河の河口に門をつけて」、侵攻して占領するという。最後通告として、彼は「どうなろうと、わたしのせいではない」と書いている。これは世界初の政治的なユーモアかもしれない。一見すると、帝国の物語に疑いが生じたように感じられるかもしれないが、「ギルガメシュの手紙」は新たな物語ととらえるべきだろう。内容というより語調を指す文学のカテゴリーであるユーモアとパロディは、時間の経過とともに距離を置いて考えることができるようになった証であり、必ずしも疑念や不信感を示すものではない。現代の人々が、天国への門で聖ペトロ(ペテロ)に会ったという死者の会話を作ってユーモラスに語ったとしても、その人がキリスト教徒の死後の世界を疑っているとはかぎらないのと同じである。

シュメール、アッカド、バビロニアの帝国の「物語」の影響は、紀元前14世紀以降の新王国としてよく知られるヒッタイト文明の遺跡で発見された、『ギルガメシュ叙事詩』のたくさんの破片に見て取れる。シュメール人の時代とは数百年離れているヒッタイト文明は、おもに、シュメールの中心地から北へ数百キロ離れたアナトリアを中心に栄えた。文字のかけらがたくさん見つかっているのは首都ハットゥシャである。ヒッタイトの影響力は上メソポタミアのフルリ人にまでおよんでいたようだ。フルリ人の文化は現在のイラク、シリア、トルコの一部にまたがっており、ギルガメシュの「物語」に用いられていたシュメールのくさび形文字が取り入れられていた。フルリとヒッタイトのかけらには、シリアとレバノンを舞台にした有名なフワワ（フンババ）の話がある。その背景の設定が原因で、この話は「原典のバビロニアの叙事詩よりもよく知られるようになったのかもしれない」とO・R・ガーニーは述べている。彼の推測は、ナラム＝シンを含むアッカドの王たちがのちにヒッタイト帝国の一部となる古い歴史を持つ領土へ遠征したことなど、バビロニアへの侵攻やアナトリアへ伝わった伝説の資料が大きな影響をおよぼしたという事実と一致する。

ヒッタイトの壁画やバスレリーフに数多くの王の肖像があることはよく知られている。それらは政治と宗教の中間のようなもので、プロパガンダの役目を果たしている。ドミニク・ボナツによれば、レリーフは「王や女王が神々の主たるしもべであり［中略］超自然な力の領域と深く結びついている」ことを示している。いくつものレリーフが、ヒッタイトの支配者を武神や聖戦士の姿で描くことで政治的なメッセージを伝えている。「神あるいは神に似た肖像は、必ずしも支配者が神のような存在であることを示すものではない。［中略］むしろ、生きているとき、あるいは死後に、その人物に宿ると信じられていた人知を超えた力を示している。［中略］つまり力にまつわる作り話である」

力にまつわる作り話には、メソポタミアにおける神と人間の関係の本質がとらえられている。初期のメソポタミアの帝国「物語」では、そのパワーは、ギルガメシュの詩と同じころ、つまりシュメールの支配力が衰えて、権力の座がアッカド人に移った時期に生まれた、シュメール王名表の驚くべき誇張から引き出されていた。王名表はウェルド＝ブランデルの１９２２年の発掘調査で発見された。高さが22センチ、面の幅が9センチの四角柱に古アッカド語のくさび形文字で刻まれているその表は、現在イギリス、オックスフォードのアシュモリアン博物館にある。一般に、帝国の「力の物語」は、記憶が神話に道を譲り、月並みが重要だと感じられる、帝国の晩年に誕生することが多いように思われる。王名表には初代王朝以前の8人の王、キシュ第1王朝の23人、ウルク第1王朝から12人、そしてウル、アワン、アダブ、マリ、アクシャクにあった王朝の90人が含まれ、キシュやウルクの後世の王朝の支配者と混ざり合っている。考古学的に存在が証明されている最古の王はリストの30番目だ。それより前の王たちが伝説であることは、彼らの在位の長さから察することができる。存在が証明されていない王のなかでもっとも短いものでも在位１４０年だ。初代王朝より前に5つの異なる都市を支配していた8人の王には、驚くほどの時間の誇張が見られる。彼らの在位は、シュメール人の単位であるサル（３６００年）とネル（６００年）で表されているが、クレイマーがそれを現代の単位に変換している。以下に名前と在位を簡単に示す。

アルリム	2万8800年
アラルガル	3万6000年
エンメンルアンナ	4万3200年
エンメンガルアンナ	2万8800年
ドゥムジ（牧神）	3万6000年
エンシブジアンナ	2万8800年
エンメンドゥルアンナ	2万1000年
ウバルトゥトゥ	1万8600年

この時点で、合わせて「5つの都市で、8人の王が24万1000年間にわたって統治した」ことになる。聖書における洪水前の8人のアダムの子孫がかくも長生きだったのは、このシュメール王名表の影響をじかに受けたからかもしれない。

こうした帝国の初期の物語では、王の長い在位期間が帝国そのものの架空の先史時代である。あまりに長い時間であるため、神々が王として降臨したのが紀元前20万年ごろのホモ・サピエンスの出現よりもずっと前になってしまう。時間の引き伸ばしはそれだけではない。それに続く23人の王たちは、現実には全員足しても300～400年にしかならないはずの統治期間が

2万4510年にのぼっている。そこから先は、王の在位は次第に短くなっていくが、それでも数百年にわたる。さらに数十人ののち、サルゴンやナラム＝シンの時代になってようやく、おおよそ40年以内という現実的な数字に落ち着いた。

発掘調査では、後世のシュメール王名表の破片も出土しており、バビロニア、スーサ、そして紀元前7世紀ニネヴェの王立図書館からはさまざまに書き直されたものが見つかっている。王名表にそれが本物だと思わせる力があったことは、1000年以上あとのメソポタミアの「物語」にも再び登場していることからわかる。王名表が作られてから1400年もあとの紀元前4世紀でも、バビロニアの神官ベロッソスが、バビロニアの歴史の「物語」を書くために王名表を用いている。

先に述べたように、王名表は冒頭のプロローグで王が「天より降臨した」と述べ、帝国支配の起源が神聖であることを宣言している。シュメール王名表の年代を特定したM・B・ロートンが指摘しているように、25万年以上にわたる神聖な王のリストと、紀元前1820年ごろに作成されたリストの600年ほど前に始まった実際の神聖な王朝政治との相違からは、実際の時間と物語の時間の乖離（かいり）が感じられる。「物語」の時間はつねに独自の枠のなかの架空の話で、歴史とは無関係な目的にしたがっている。その目的が、古代の起源と架空の力を示す、必要不可欠かつ説得力のある粉飾であることは明白だ。そこへ、半分神の創始者であり王でもあるギルガメシュがくわえられたことで、歴史や考古学の記録から示されるやや物静かな「非公式の帝国」をはるかに超えた、別次元の偉大さが積み重ねられている。

9 古典期以前のギリシアにおける伝説の帝国

農業と家畜の飼育は、紀元前7500年ごろまでには、エーゲ海沿岸とギリシア本土に伝わっていたようである。西アジアで始まった農業はその後、紀元前6000年ごろにはクレタ島、紀元前4000年ごろにはヨーロッパ全土に達するスピードで広がっていった。クレタ島へ移住した農民はさまざまな栽培植物や動物を持ち込んだ。彼らはアナトリア（現在のトルコの一部）からやってきたインド＝ヨーロッパ語族を話す人々だったと考えられている。アナトリアでは、おもに数千のヒッタイトの粘土板から、その言語族の最古の歴史記録が見つかっている。コリン・レンフルーによると、アナトリアがインド＝ヨーロッパ語族の故郷のようだが、マリヤ・ギンブタスの「クルガン仮説」によれば、起源は黒海の北西にあるロシアの大草原地帯であるらしい。その場合、アナトリアは中継地点で、クレタ島への移住によって初めてインド＝ヨーロッパ語族がヨーロッパに入ったことになる。

それからおよそ3000年のあいだに、クレタ島の人口は増え、オリーヴやぶどうも栽培されるようになった。紀元前3000年ごろまでには、クノッソスに王を中心とする複雑な社会が誕生した。ギリシアの最高神ゼウスはクレタ島で生まれ育ったといわれている。ゼウスが大陸全体の名前にもなったエウロペをさらった話は、クレタ島がヨーロッパ最古の歴史的価値ある文化であることを示している。これまでに知られている古代クレタ島のものごとはすべて神話のなかにある。ゼウスとエウロペからはミノス王とミノア文明が誕生し、太陽神ヘリオスの娘パシパエと結婚したミノス王は、クノッソスにあった城塞から100もの都市を統一したといわれている。こうした話には「物語（ナラティブ）」が引き起こす時代の混乱が見られる。ミノスはクノッソスを築いた人物であると同時に、数百年ののちにギリシア本土で帝国の王として知られるようになった人物でもあるのだ。ミノスが脚色された実在の人物であるにせよ、まったく架空の人物であるにせよ、ゼウスの直系であるという神話のおかげで、彼はヨーロッパの最初の神聖な王となった。ミノスが築いた立派な城塞とエーゲ海一帯の支配からは、別のギリシア神話、すなわち、ミノア文明の宮殿にあった迷宮の奥深くに住む神話上のミノタウロスを倒して、毎年行われていたいけにえの儀式を断ち切ったテセウスの話も生まれている。

ミノス王の帝国には100の都市があったことになっている。数字が誇張されていることは間違いないが、クレタ文明の存在自体は考古学遺跡により証明されている。なかでも有名なのは、それより3000年前に新石器時代の農民たちが住み着いたケファラ丘陵に建てられた宮殿だ。紀元前5世紀、ミノス王が実在した人物だと間違いなく信じていた歴史学者トゥキュディデス

歴史」の本性は物語（ナラティブ）である

捏造と欺瞞の世界史 上・下

創作された「歴史」をめぐる30の物語

バリー・ウッド／大槻敦子訳

偉人の誕生や国家隆盛を支える「歴史」は、どのように解釈され「創作」され拡大していったのか。「物語」を求める人々の性（さが）が生み出した「歴史」の本性を、さまざまな角度から照らし直した話題作。

四六判・各 2200 円（税別）（上）ISBN978-4-562-07262-0
（下）ISBN978-4-562-07263-7

蓼(たで)食う虫も好き好き」では済まない驚きの料理！

世界の奇食の歴史

人はなぜそれを食べずにはいられなかったのか

セレン・チャリントン＝ホリンズ／阿部将大訳

脳味噌の酢漬け、カタツムリ水、妖精の腿肉――。王から貧民まで、人はなぜそれを食べずにはいられなかったのか。歴史の中の禁断の味や、食されてきた文化的・社会的背景を解説。人間の飽くなき食欲をたどる。図版 50 点収録。

四六判・2500 円（税別）ISBN978-4-562-07260-6

実を明らかにする驚きと感動のメッセージ

世界を変えた100の手紙 上・下

上　聖パウロからガリレオ、ゴッホまで
下　ライト兄弟からタイタニック号の乗客、スノーデンまで

コリン・ソルター／伊藤はるみ訳

古代ローマの石板、ダ・ヴィンチ、アインシュタインなど、古代から現代まで、戦禍や災害を逃れて人類に残されたさまざまな手紙、書状、メッセージ、郵便物、遺書、通信、電報などを 100 件選び、手紙の内容と背景を解説する。

A5判・各 2400 円（税別）（上）ISBN978-4-562-07251-4
（下）ISBN978-4-562-07252-1

日新聞国際発信部による英訳も掲載！

文対照 天声人語 2022 冬 [Vol.211]

朝日新聞論説委員室編／国際発信部訳

2022 年 10 月～ 12 月分収載。「聞く力」もいいけれど／五感に響く『ぐりとぐら』／１本の吸い殻／ジェンダーと流行語大賞／停電の街に迫る冬／茶色い戦争ありました／江沢民氏死去／W杯の快挙／あこがれの百貨店／ベルト手錠と革手錠　ほか

A５判・1800 円（税別）ISBN978-4-562-07178-4

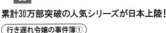

星座と4エレメントが加わったルネサンスの叡智のデッキ

ミンキアーテ・タロット

ルネサンス時代に生まれたもう一つのタロット全97枚

ブライアン・ウィリアムズ／鏡リュウジ監訳、美修かおり訳

タロットファン必携の、ルネサンス期にフィレンツェで刊行されたタロットのリニューアル版カードと解説書のセット。伝統的なデッキに占星術のモチーフが用いられたカードが加わった97枚は、イメージをより豊かに表現する。

四六判・4800円（税別）ISBN978-4-562-07259-0

コスコープ作成ツールの変化に対応、より便利に

リュウジの占星術の教科書I 第2版

自分を知る編

鏡リュウジ

鏡リュウジ流の西洋占星術のメソッドを基礎から徹底解説。代表的な占星術ポータルサイトを使用したホロスコープを作成する方法を改めて詳解。ネイタルチャート（出生図）に表れる、性格、心理、人生の目的を読み解けます。2018年12月刊のリニューアル版。

A5判・2200円（税別）ISBN978-4-562-07256-9

然の驚異を凝縮した石の魅力と文化

説 宝石と鉱物の文化誌

伝説・迷信・象徴

ジョージ・フレデリック・クンツ／鏡リュウジ監訳

「パワーストーン」の思想のルーツとなった伝説的名著。20世紀初頭、ティファニーの副社長をつとめた鉱物学・宝石学の権威が、宝石にまつわる伝説や迷信、象徴や宗教的意味などを世界中から収集。2011年1月刊の新装版。

A5判・3800円（税別）ISBN978-4-562-07257-6

新の研究成果を踏まえた決定版！

近現代軍事戦略家事典

マキャヴェリからクラウゼヴィッツ、リデル・ハートまで

今村伸哉監修／小堤盾、三浦一郎編

16世紀のマキャベリに始まる「軍事戦略思想」の推移・進歩を、その歴史に影響を与えた70名あまりの戦略家の生涯・業績・評価として事典形式で詳述。分かりやすい記述と同時に最新の研究成果を踏まえた決定版。

A5判・3800円（税別）ISBN978-4-562-07253-8

は、ミノスは海軍の艦隊を持っていた最初の王で、そのため、クレタ島とギリシア本土のあいだに広がる、数多くの島からなる群島を支配下に収めることができたと記している。トゥキュディデスはまた、エーゲ海の海賊を滅ぼし、息子たちを支配者として島々にさまざまな王国を築いたのもミノスだと述べている。たくさんの広間、中庭、柱廊、神殿があるクノッソスの宮殿はそれだけで壮観だが、神話とその後の歴史の扱いによって、ヨーロッパ最古の伝説の帝国として実際より大きな象徴的存在となった。宮殿は紀元前1450年ごろに衝撃的な終わりを迎えた。近くにあるテラ島の地震で生じた津波によって、クレタ島の北側の沿岸にあったほぼすべての集落が破壊されたのである。

欧米の哲学思想の源であるギリシア本土は、紀元前2千年紀の初めにアジアの大草原地帯からギリシアに入った、のちのヨーロッパ人の祖先に起源をたどることができるが、人工遺物の年代特定では紀元前1600年ごろだと考えられている。そうした移民は先住民族と同化したが、語彙の一部はギリシア語のなかに化石語として残っている。ホメロスの『イリアス』に出てくる「ドーリア」や「アカイア」といった部族名はそのような移住者がもとになっている。文字による記録はアルファベットが作られた8世紀半ばまで存在しないため、先史時代の彼らの歴史については考古学の情報しかない。初期の移住、定住、王政から、それらとは異なるギリシアの「都市国家（ポリス）」が出現するまでのあいだは謎に包まれた「暗黒時代」である。ポリスは、初期の王国に取って代わった革新的できわめて文化的な都市国家で、現代の民主主義のさきがけだと考えられている。ロバート・リットマンが「ギリシアの実験」と呼ぶ、紀元前800〜400年の期間は、広範囲にわたる文字記録を通して容易に情報を得ることができる。たとえば、最古のオリンピックの記録から、紀元前776年の選手と勝者がわかるほどだ。この時代を通して、ポリスは、ギリシア文学の開花、演劇のコンテスト、哲学的推論が生まれる土壌を作り、それらすべてが地中海沿岸地域へのギリシアの拡大と植民地化における祖国の象徴となった。

ポリスという文化の聖域のなかでは、暗黒時代に積み上げられた口承「物語」が書物になった。なかでも広い範囲を網羅していたものが「叙事詩環」で、現存していない少なくとも5つの「物語」と、今も残っている『イリアス』と『オデュッセイア』が含まれていた。このふたつの作品を書いたのは、数世紀にわたって口承詩を語り継いできた、たくさんの詩人のなかのおそらく最後のひとり、ホメロスだといわれている。ホメロスについてはほとんどわかっていない。オリヴァー・タプリンがまとめているように、「彼の生涯にまつわるたくさんの古い話は、全部とはいわないまでもほとんどが明らかに架空の話で、事実ではなく、彼にふさわしい生涯が描かれている。〔中略〕ホメロスの話をじかに聞いた、あるいは彼が語るようすを見たという外的証拠はない」。これを「物語」の法則にあてはめると、歴史的な情報が欠けていると神話による強化の余地が生まれ、叙事詩の力が増し、そこへホメロスの名がつながっているということになる。

『イリアス』の前景は、ギリシアとトロイアの戦争の最後の10年だ。背景では、はるか昔に存在したたくさんの王国の力が結集するようすが描かれている。率いていたのは、共通の目的のためにたくさんの異なる王国をまとめられるほど強大な力を持っていたといわれる、ミュケナイの最高位の王アガメムノンである。目的は、エーゲ海の北西の隅にあったトロイアに対する大規模な包囲攻撃だった。しかしながら、トゥキュディデスによれば、トロイアに対抗するために海軍が力を合わせるまでは、王国同士のあいだにほとんど親交はなく、「トロイアへ遠征隊を出すにあたっては、忠誠というより恐怖のほうが大きな位置を占めていた」。トゥキュディデスの見解からは、ホメロスが描くギリシアの王の力は事実というより伝説で、ミュケナイにあった先史時代のギリシアの王国を強化する架空の歴史の一例だったことが感じられる。敵であるトロイアの勢力は同じくらい強大だったと描写されているが、黒海へ続くルートの重要拠点だったヘレスポントス海峡にあり、周辺の王国と同盟を結んでいたために、その力が誇張され、いくぶん伝説的な王国として描かれている。ミュケナイとトロイアは影響力の大きな都市だったようだが、どちらも帝国の中心になるほどではなかった。けれども王国の「物語」が中心となっている「叙事詩環」ではこうした王国の力が大げさに示され、あたかも帝国の中心であるかのように見せている。考古学者で小説家のジャケッタ・ホークスは、叙事詩の描写に影響されて、古典期以前の時代を「帝国時代」と呼んだ。ロバート・リットマンが詳細に記しているのちの本物の帝国主義よりも前にそのような時代があったと考えたのである。『オデュッセイア』にはさらにふたつの王国、パイエケスとイタケが登場するが、どちらもたいそう壮大に描かれているため、あたかも帝国のように見える。イタケでは特に、オデュッセウスの息子テレマコスがスパルタやピュロスといった強大な王国を訪問したり、隣国の求婚者がオデュッセウスの死や彼の妻ペネロペイアとの結婚を望むところなどにそれが顕著に表れている。

ミュケナイの遺跡を探索していると、そのごつごつした要塞を、『イリアス』(紀元前750頃)

に出てくるアガメムノン率いるアカイアの支配力や、アイスキュロスの三部作『オレステイア』（紀元前458）のアトレウス家の宮廷のような雰囲気と結びつけることは難しい。ギリシアの地理学者エラトステネス（紀元前276～194）によれば紀元前1184年に滅びたという、小アジアのトロイアの廃墟を見るときにも、同様の隔たりを感じる。叙事詩の「物語」の影響を受けて作られた映画『トロイのヘレン』（1956）、『アキレウスの怒り *Fury of Achilles*』（1962）、『トロイ』（2004）の豪華な設定でも、芸術と現実のあいだに明らかに同じ隔たりがある。現実的な描写は、歴史学者トゥキュディデスの言葉に見ることができる。「ミュケナイは間違いなく小さな街で、その時代の街の多くは現代［紀元前5世紀］のわたしたちの目にはこれといって壮大には見えない」。ハインリヒ・シュリーマンやアーサー・エヴァンズらによる考古学調査の記録からは、それらの遺跡が文学の描写よりもずっと小さく、原始的であるとわかる。ミュケナイはおよそ3万2000平方メートル、トロイアは1万6000平方メートルだ。トロイアの考古学的な地図と航空写真には、ほんの数分歩けば横切ることのできる遺跡が映し出されている。

ミュケナイとトロイアの時代とそれがホメロスによって描かれたポリスの時代のあいだの4世紀にわたる暗黒時代だけでも、文学的な作り話が歴史を覆い隠してしまうには十分だが、伝説の帝国を取り巻く物語のそうした大量の積み重ねは、歴史における地位を証明し、のちのすばらしい功績の土台を作った証として、ギリシア人に正統性を与えた。ギリシアが実際に体験したポリスの時代は確かにたくさんの都市国家が存在した時期だが、伝説の過去はそれにまさる強大な帝国の時代だった。ポリスで達成された偉業はギリシアの誇りだが、それより前の帝国の勢力のあいだに起きた勇ましい戦争の時代のほうが想像に訴える力は強かった。

　架空の歴史の創作は帝国の「力の物語（ナラティブ・オブ・パワー）」に欠かせない。トロイア戦争、オデュッセウスの神話のような冒険、アトレウス家を苦しめた悲劇の背後にあったいざこざは、文学的な想像のたまものである。『イリアス』や『オレステイア』の登場人物が存在したという証拠は考古学にも碑文にもかけらもない。ただし、ひとつだけ説明のつかない問題が残っている。それはホメロスの作品の主人公たちだ。英雄アキレウスとオデュッセウスの名前は、ギリシアより前の言語学的ルーツに由来しているように見える。『オレステイア』の登場人物（アガメムノン、クリュタイムネストラ、エレクトラ、ヘレネ、イフィゲネイア、メネラオス、オレステス、テュエステス、その他大勢）は架空の人物だが、もしかすると、交霊や悪魔祓いを用いて根絶やしにされた先史時代の悪霊の子孫だったかもしれない。仮に、もとになった人間がいたとしても、とうの昔に忘れ去られてしまった。

　入り口に巨大な獅子門があるミュケナイの城塞は防備を固めた丘の上の要塞で、従属していた農業の村に囲まれ、地域を支配していた。クノッソスにあるミノア文明の城塞のさきがけとなった同様の城塞は、ペロポネソス半島のアルゴス、コリントス、ナフプリオ、ピュロス、ティリンス、そして北のテーバイに築かれ、「宮殿文化」と呼ばれている。それらが権力の中心だったことは、建造物の大きさを見ればすぐわかる。まぎれもない権威として畏れられていた支配者や、それを支持した権力者たちにしか、おそらく奴隷だったであろう労働者たちにかくも長い年月を経ても残るような建造物を作れと命じることは不可能だっただろう。ペルセウスが築いたことになっているミュケナイが支配権を握ったのは、南西に伸びている小さな半島のアルゴリスへ向かう交易路にあったためである。要塞化された高い場所から、ミュケナイは本土の両側への海上輸送を指揮していた。アルゴリコス湾の防御を固めた港は西へ、サルコニコス湾はギリシア本土の東側への入り口だった。発掘調査からは、ミュケナイの最盛期が紀元前1600〜1100年であることが判明しているが、青銅、銀、金が入っている特権階級の人々の墓を見ると、早くも紀元前1700年には一帯を支配して栄えていたとわかる。ミュケナイの文化的な資料は巨大建造物、特権階級の墓、そして金属細工しかなく、レリーフアートや彫刻はほとんどない。記録も乏しい。紀元前1450年ごろに発達した線文字Bの碑文は音節文字で、宮殿と交易の記録にしか使われておらず、ある意味、先史時代と同等である。トロイア戦争の言い伝えを文字にするために適した言語が発達したのは、ミュケナイの没落やトロイア陥落から何世紀もあとだった。オリヴァー・タプリンはいう。叙事詩のなかのイオニア系ギリシア人に、「いわゆる『アルカディア＝キプロス方言』が随所に見られることは注目すべきだろう。線文字Bの粘土板は、それがホメロスの時代から500年あまり前のミュケナイのギリシア語であったことを裏づけている」

ミュケナイの組織、権力者たちの性質、アルゴリスより遠方の勢力範囲はわかっていない。『イリアス』やアイスキュロスの『オレステイア』に見られるように、ミュケナイは紀元前2千年紀というより紀元前8〜4世紀初めごろの古典期ギリシアを思わせる理想が描かれた英雄文化になった。華やかに描写されたミュケナイの支配のようすは、ポリスの時代からヘレニズム時代におよぶ、帝国の「力の物語」の土台となった。失われた三部作『アキレウス物語』も書いたアイスキュロスは、自分の戯曲は「すばらしいホメロスのごちそうのひと切れにすぎない」と述べている。ソフォクレスは『エレクトラ』のほかにも、ホメロスの登場人物をもとに十数の戯曲を書いたが（部分的にしか残っていない）、みずからをホメロスの「一番弟子」だと考えていた。哲学者で詩人のクセノファネスは「すべての人間の思考は最初からホメロスに形作られてきた」と述べている。哲学、政治、道徳の考え方を説明するために、26の対話のうちの16でホメロスの『イリアス』と『オデュッセイア』に登場する人物やできごとについて論じているプラトンを見ればホメロスの影響力はおのずとわかる。アリストテレスは『詩学』で論じている文学理論の土台にホメロスの叙事詩を用いた。アリストテレスが、のちにアレクサンドロス大王となったマケドニアの王子の家庭教師を頼まれたとき、プラトンの『国家』をモデルにした彼の教育内容にはホメロスの叙事詩の学習が含まれていた。マイケル・ウッドによると、アレクサンドロスは「大好きな詩人ホメロスが描く、神々や英雄の世界に夢中になった」ようだ。アレクサンドロスはホメロスをプラトンの哲学の師とみなし、伝説によれば、アジアへ遠征するときにも『イリアス』を携え、枕の下に置いて寝たという。

昔の考古学者は「叙事詩環」が架空の作り話であると確信できなかった。19世紀に初めてミュケナイを発掘調査したハインリヒ・シュリーマンは歴史的事実と物語を見分けられなかったため、彼が発掘したいくつかのものには時代に合わない誤った名前がつけられている。彼が「アガメムノンの仮面」と命名した、竪穴式墳墓Vで出土した有名な青銅は紀元前1550年ごろのものので、アガメムノンがトロイアに戦争をしかけた時代より3世紀以上も前のものだ。同様に、『イリアス』を参考に「ネストルの杯」と名づけられたゴブレットは、『イリアス』の舞台である紀元前12世紀よりも古いものである。ホメロスが描いた帝国の中心としてのミュケナイが架空の宮廷に支えられた作り話だったことは、考古学によって明らかにされている。トロイアを攻撃するためにエーゲ海地域の数十人の王をひとつにまとめた話も、現実にはありそうもないフィクションである。とはいえ、『イリアス』の描写によって、ミュケナイは伝説の帝国、すでに失われたすばらしい文明という地位を与えられ、のちのギリシア人は自分たちがその子孫であると考えた。

現実はまったく異なっていたかもしれない。ミュケナイはトロイアを征服したのではなく、トロイアを襲ったのと同じ略奪者の犠牲になったのかもしれない。なぜならどちらも紀元前12世紀ごろに困難な状況に陥ったからだ。ロバート・ドリューとエリック・クラインが示しているように、紀元前12世紀には、歩兵戦の発達と急速な普及、地中海東岸地域を放浪していた反逆者集団、さまざまな社会変動が、北アフリカ、西南アジア、エーゲ海周辺地域に大混乱を引き起こした。それは、ミュケナイとトロイアだけでなく、エーゲ海沿岸から上メソポタミア地域まで、レヴァントとヒッタイトの王国を含む50ほどの街が破壊された時代だった。

「叙事詩環」全体は明らかに作り話だが、豊かさがおもに金属で評価されていた当時、戦争で必ず略奪が起きていたことを示す考古学的な証拠がいくつかある。『イリアス』でギリシアとトロイアの戦士がいずれも青銅の鎧を身につけていたと記されていたり、倒れた敵兵から鎧をはぎ取るというみずからを辱めるような常習行為が描かれているのは、それで説明できるかもしれない。おそらく戦争の根底にあった経済的な動機の表れだろう。トロイア戦争自体は、初期のミュケナイの勢力と、紀元前12世紀を特徴づけるのちの略奪を組み合わせたものかもしれない。そのため、社会の再編とポリスの出現に先立つ時代が暗黒時代になってしまった。その一方で、いにしえの起源、戦士の英雄的資質、神や運命に支配される歴史が求められたために、伝説の帝国によくある「物語」の誇張によって古い時代の一部が生かされ続けた。ホメロスが『イリアス』で述べているようにトロイアへ向けて１１６４隻のギリシアの船が長い列を作って出帆したかどうかは、オウィディウスの『変身物語』にある、それより若干少ない１０００隻の艦隊と同じくらい疑わしい。それらは帝国の力の物語に典型的な数字の誇張の例である。どちらの作品でも、作り話に大きな説得力があることは間違いない。

トロイアに向かった船が何隻であっても、実際の彼らの目的は物質的な富を探すことであり、おそらく気まぐれな、あるいは逃げ出したスパルタの王妃をさらうことではなかっただろう。劇作家で詩人のクリストファー・マーロウが「１０００隻の船を戦いに赴かせた顔」と表現したトロイアのヘレネはロマンティックなフィクションだ。マーロウはもちろん、『イリアス』で「女神方に怖ろしいほどよく似ている」と歌ったホメロスにしたがっただけである。実際、ヘレネが架空の人物なら、『イリアス』のなかで短くほのめかされている「パリスの審判」や「黄金のりんご」をめぐる美しさの競い合いの話もそうだ。よく知られているその話では、女神アフロディテの賄賂を受け取ったパリスが、３人の女神のうちもっとも美しい人にアフロディテを選び、その報酬として、すでにメネラオスの妻となっていたヘレネを与えられる。そこでは、愛の女神であるアフロディテ（この場合は不義だが）が戦争の真の原因とみなされ、略奪から不貞と復讐へとテーマがすり替えられている。この歴史上の侵攻からロマンス文学への変化は、嫉妬と報復を主題とするすばらしいストーリーを生んだ。メネラオスに対する破廉恥（はれんち）な犯罪はまた、アイスキュロスの『オレステイア』における世代を越えた悲劇の連鎖の方向性も決定づけた。もっとも、紀元前750年ごろの『イリアス』と、『オレステイア』が上演された紀元前458年のあいだの300年に、その連鎖が口承によって著しく誇張されるようになったのだろう。

『イリアス』の舞台はイーリウム（トロイアのラテン語名）と周辺の平原である。祖国ミュケナイは背景としてしか登場しないが、その帝国の力は、もうひとつの強大な帝国として描かれているトロイアとの戦争を企てるときに集められた船や戦士によって示されている。ホメロスは『イリアス』で帝国としてのミュケナイの姿を少しだけのぞかせている。アキレウスに対する無礼を悔やみ、再び目をかけてもらおうと考えたアガメムノンは、捕らえた女性ブリセイス（自分のためにさらった）を返し、ギリシアに戻ってからは自分の3人の娘のうち、アキレウスが選んだひとりを結納なしで、「いまだかつてなんぴとも娘の嫁入りに持たせたことのないほどの」持参金を持たせ、「砂浜の国のピュロスのはずれ、海沿いにある［中略］栄える町を七つ」（松平千秋訳、以下同）与えて嫁がせようと申し出た。実際のミュケナイがペレポネソスにある7つの城塞を支配していたのかどうか、南西におよそ160キロも離れたピュロスまで勢力を伸ばしていたかどうかはわからないが、『イリアス』に描かれている伝説の遠征では、アガメムノンはパーティーの賞品として配れるほどたくさんの城塞を支配していた。実際、彼の力はそれまでの世界には見られなかったほど強大だった。アガメムノンの軍隊は、ホメロスの叙事詩で20行のあいだに3度も取り上げられている。ホメロスは、彼らの輝く青銅の鎧が「目も眩むばかりの光を放ち、空の高みを貫いて上天に達した」と述べ、アカイア人の重装歩兵は「空飛ぶ鳥の大群が［中略］羽ばたきつつ、ここかしこへと飛び交って」いるようで、「飛び交う蝿の、隙間もなく黒々と犇めき合う群」のようすにもなぞらえている。その数があまりに多すぎて、ホメロス自身も手を焼いたようである。彼は学問の女神ムーサたちに力を貸してくれるよう頼んで、ギリシアとエーゲ海の王国すべての兵と船の目録を作った。なぜなら「われらはただ伝え聞くのみで、なにごとも弁えぬ」からである。歴史的に見ると、無数にあった小さな王国は絶えず互いをねらっていたが、ホメロスは共通の目的のために力を合わせる広範囲なアカイア人の帝国の一部として彼らを描いた。イーリウムもまた大軍を指揮していたが、それほどではなかった。『イリアス』では、トロイア人はイオニアとトラキアにあった王国のほとんどを支配していたことになっている。国の勢力は大きさ、広さ、数で示されているが、それらはみな数字の誇張である。

互いに競い合っていたギリシアとトロイアの軍隊はまったく異質なものではなく、兵力は均衡していた。どちらが勝つかは、アキレウスが戦場に赴いているか、機嫌を損ねて天幕にこもっているかに左右された。『イリアス』は巧妙にどちらが善でどちらが悪かがわからないようになっている。アキレウスとヘクトルが最後の決戦で顔を合わせたとき、どちらも滅ぼされて当然のような非難されるべき罪は犯していなかった。両者とも神々が決めた運命（モイラ）の犠牲者だった。それは、より高い次元の力によって両方の王国がひとつにつながっていることを象徴しているかのようだ。それぞれが対立する神の軍勢を抱えて敵対しているほかの多くの戦争とは異なり、ギリシアとトロイアは同じ神々の世界を共有していた。両国の仲違いをたどると、その発端はアトレウス家とプリアムス家ではなくゼウス家にあり、黄金のりんごをめぐる美女コンテストの勝者だったアフロディテがトロイアの肩を持ち、負け組のヘラとアテナがギリシアを後押ししただけである。そうして分裂したとはいえ、ゼウス家は紀元前5世紀のギリシアのポリスのように組織としてまとまっており、神殿では会議や協議が開かれ、少なくとも一部の意思決定は全員一致のうえで行われていた。

最高神にふさわしく、ゼウスは中立の立場を好んだが、娘テティスの涙には逆らえず、彼女の息子アキレウスの名誉を守るために一時的に戦争を操ることにした。何年にもわたって続いていた戦争の膠着状態は、こうして天界レベルの話になり、この対立とその延長線上にある後世のギリシア文明を強化することになった。トロイアはミュケナイと同じくらいすばらしい場所として描かれた。そこにはじつに、巨大な壁、堀、そびえ立つ門、プリアムスの息子たちがそれぞれ「正妻と起臥(きが)を共にする」「磨いた石の部屋が五十、並んで設けてある」白く輝く宮殿があった。アテナイ、ローマ、ビザンティウムにさきがけて、トロイアは欧米の想像力をかき立てた最初の都市だった。発掘調査された本当のトロイアはそれよりずっと小さく、プリアムスの50の部屋はどこにも見当たらない。都市の繁栄から4世紀あとにホメロスが語った口承の物語では、ミュケナイもトロイアも、当時の目から見た完璧な姿で描かれていた。両者は、同じ伝説的な太古の昔に存在したふたつの帝国で、それぞれが紀元前1千年紀の初めごろにまだ廃墟があったであろう場所に築かれたものだった。もっとも、現実は「物語」のなかで再現された姿よりもはるかに見劣りする。トゥキュディデスは正しかった。

ホメロスは『オデュッセイア』で、伝説の過去についてさらにふたつの見解を示している。ストーリーは、オデュッセウス王がトロイアでの戦いに赴くために離れ、何年にもわたって戻ることができなかった強大な王国イタケで始まりイタケで終わる。テオドール・アドルノとウィリアム・アンダーソンが述べているように、『オデュッセイア』には多くの側面がある。たとえば、根底にある原始から文明(キュクロプスやセイレンからパイエケス)への発展の物語としての一面、あるいは、理性、志、イタケの社会的調和への回帰とそれとは対照的な欲望、衝動、無気力、死の力への抵抗(カリュプソの島とエリュシオン)の一面だ。しかしながら、本書では、ホメロスによる理想化された王国の創造という側面に注目したい。最初の4話と最後の5話は、のちのギリシア文明の理想となったこの上なくすぐれた王国、イタケが舞台になっている。英雄オデュッセウスが正体を偽ってイタケに帰還し、再びみずからの王国を目にする17話では、「王の豪邸」は「容易にそれと知られる。〔中略〕中庭は壁と笠石で見事に仕上げてあるし、門扉は二重で、しっかりと閉じてある」(松平千秋訳、以下同)。大勢で宴会を催せる部屋があり、竪琴の音は、そこが英雄の物語が歌われる場所であることを暗に示している。のちに彼がそこを去るとき、広間には「酒宴の客」がひしめいて、みな「歌と踊りに興じていた」。宴会の広間には「高い戸口」と「磨かれた敷居」があるのがちらりと見える。求婚者に話をしようとしているペネロペイアは「堅固な天井を支える大柱の傍らに」立っている。19話で、テレマコスが父親とともに宮殿を歩くとき、そこは彼の目に「驚いた光景」として映る。「屋敷の壁も美しい羽目板も、天井の樅(もみ)の梁も高い柱もみな、まるで火が燃えているように輝いて見えます」。ペネロペイアの安楽椅子は「象牙と銀で螺旋形の象眼（ぞうがん）を施したもの」で、彼女が偽りの姿をしたオデュッセウスと話をするとき、彼は「羊の毛皮」が敷かれた「磨かれた椅子」を与えられる。21話には復讐の道具が出てくるが、オデュッセウスの弓が保管されていた部屋の樫材の「敷居はかつて工匠が巧みに削り、墨縄を当てて真直ぐにし、それに戸柱を据えみごとな扉を立てたもの」である。オデュッセウスの王国イタケについては、謁見や宴会の広間、豪華な装飾などが詳細にわたって、英雄の時代にふさわしいものとして、はるか昔のすばらしい文明の中心として描かれている。トロイアよりギリシアを引き立てるべく、それまでのトロイアの描写すべてを上回る作り話だ。

オデュッセウスの妻ペネロペイアにしつように求婚するのは、どこでも王を取り巻いている特権階級の権力者たちで、おそらくイタケの勢力範囲にあった臣下の王国からやってきたのだろう。遠く離れたギリシアの王国の権力者たちならば、おそらくトロイアの栄光と名声を求めたはずだ。なぜなら、青銅の鎧や盾を身につけるだけの富や資源があったのはトロイアだったからである。イタケには軍需品を支給する中央の兵器庫は存在しなかった。ペネロペイアの地元の求婚者たちは等しく貪欲だったが、戦場で名をあげるよりは彼女と結ばれて、結婚によりイタケを支配下に置きたかったのだろう。オデュッセウスの成人した息子テレマコスだけが、父親の志を受け継いでいた。たいそう恵まれたこの架空の城塞は、魔法の力が信じられていた古い時代を反映している。20年にわたり100人もの求婚者によって蓄えが略奪されたにもかかわらず、豊かさが失われることはけっしてなかった。

イタケは紀元前12世紀にあったとされる、理想化された虚構の王国である。それが想像の産物であることは、ヘレニズムの時代から21世紀まで、何十もの人がそれぞれ推測を立てたにもかかわらず位置を特定できなかったことからわかる。『オデュッセイア』のイタケを、ギリシアの西海岸沖にある現在のイターキ島と仮定するのは簡単だが、それには問題があり、ほぼ間違いなく誤りである。ホメロスは『イリアス』でイタケのおもな特徴としてネリトン山をあげているが、イターキ島にはそのような山はない。ホメロスは『オデュッセイア』でイタケを「海上」と呼んでいるが、検証できる描写はそこまでだ。ホメロスによれば、その島は「西の方へ向っては最も遠く」、ほかのイオニア諸島の島々は「暁の陽の昇る方角」にあるが、イターキ島はギリシアの本土から見える位置にあり、その他のイオニア諸島は北、西、南にあって、日が昇る東側にはない。

オデュッセウスの故郷であるイタケの地理的な位置の特定（と、ホメロスが描くさまざまな場所の実際の位置の特定）は、エラトステネスによってはるか昔に不可能だと宣言されている。この問題を最初に論じたエラトステネスは、逆に、ホメロスのイタケが実際の島の名の由来になったのではないかと述べている。それでも、ホメロスのイタケをギリシアの西海岸沖にある島——イターキあるいはケファロニア——とする考えは根強い。ロバート・ビトルストーンらは、地理的な変化が証拠をわかりにくくしてしまったとする科学的な仮説を立てている。そうした推測は興味深いが、証拠が存在しない理由が考慮されていない。ホメロスの『オデュッセイア』で描写されているほど手の込んだ宮殿のような建築物は、なんの痕跡も残さずに消滅することはない。世界各地で発見されている何千もの廃墟や貝塚がその証拠だ。イオニア海の島々からはそうした重要な考古学的遺物がまったく見つかっていない。石も、人工遺物も、基礎も、墓もだ。さまざまな古代王国を描く数十の文学作品にある幅広い証拠が、オデュッセウスのイタケは想像の産物であり、失敗に終わった求婚者による攻城は巧みな作り話であり、貞淑な王妃と英雄の帰還はヘレネとパリスの不道徳な関係の引き立て役であると告げている。『オデュッセイア』は、たんなる歴史のつまらない場所やできごとを超越しているからこそ、文学としてすばらしい叙事詩なのである。

ミュケナイ、トロイア、イタケはそれぞれ異なる性質を持つ3つの伝説の帝国を表している。ミュケナイは略奪という強欲さを示し、トロイアは非難されるべき密通のかばい立てと、その結果としてもたらされる完全な破滅につながる運命の象徴であり、イタケは誘惑と裏切りに負けない貞節の勝利の表れだ。この3つすべてが伝説の過去の「物語」として、倫理基準を作り、のちのアテナイの文明に力を与えた。しかしながら、船と兵を失ったオデュッセウスの目の前には4つ目の王国が浮かび上がる。アルキノオス王が治め、美しく理想的な王女、ナウシカアのいるパイエケスである。パイエケスのエピソードは『オデュッセイア』の6〜12話の7つの話に登場し、テーマという点ではイタケにならぶ。パイエケスは完璧な王国と考えられるものの最後の象徴としての役目を果たしており、もしかすると、オデュッセウスが帰還して支配を取り戻したあとのイタケの姿かもしれない。パイエケスはホメロスが思い描く非の打ちどころがない王国で、ホメロスの叙事詩のなかでは、彼自身のような物語の歌い手が登場する時間と心の余裕がある唯一の場所である。叙事詩を歌うデモドコスは盲目だ。ホメロスもそうだったといわれているが、この架空の歌い手がホメロスの盲目説の起源になった可能性もある。デモドコスはトロイアに対するギリシアの勝利の物語を歌い、そこにはその象徴となった木馬を用いた戦略の初期の形が含まれている。デモドコスが語るさまざまな英雄の偉業に続いて、オデュッセウスも自分の冒険を物語る歌い手になる。イタケと同じように、パイエケスも考古学的には発見されていない。『オデュッセイア』には、パイエケスを含め、ホメロスが歌った伝説の航海を地中海の地図に示しているさまざまなバージョンがあるが、それらは「物語」の空間を実際の地理に取り違えている典型例である。

一見すると普通とは逆に思われるが、４つの王国のうちの滅ぼされた王国がその後数世紀にわたって文学の想像世界を支配した。ホメロスが『イリアス』にあえて含めなかったトロイアの陥落は、７００年後にローマの詩人ウェルギリウスによって、その悲劇の詳細が語られることになった。『アエネーイス』の第2巻で、詩人であり物語の語り手でもあるアエネーアスを通して、すべてが語られている。そこでは、ホメロスが描いた運命（モイラ）という漠然とした背景が、殺されたプリアムス王と、炎と漂う煙の悪臭のなかに閉じ込められた家族という視覚に訴える悲劇になっている。ウェルギリウスの叙事詩によって、１０００年も前の伝説のトロイア帝国は、その後何世紀にもわたって物語の世界に影響を与え続ける象徴へと大きな進化を遂げた。広大な敷地とそびえ立つ宮殿が描かれるその壮大さは、陥落したときのホメロスの描写をはるかに上回っていた。

オウィディウス（紀元前43～後17）は『変身物語』で、『イリアス』にも『オデュッセイア』にもなく、ほのめかされてもいないような新たな架空の物語をつけくわえている。それはプリアムス王の父ラオメドンがトロイアの城壁を作る話だが、神に助けられているのである。

アポロンはラオメドンを見た
彼が新しい街、トロイアの城壁を築くところを
骨の折れる仕事で、ゆっくりとしか進まないところを
少なからぬ資源が必要だろう
アポロンと、ネプトゥヌス、
三叉の鉾を持つ大海原の神は
人の姿になって城壁を建てた

ギルガメシュによるウルクの城壁の建設との類似は明らかで、都市を築くことを神が認めているが、オウィディウスのストーリーを立証することは考古学的に不可能である。ハインリヒ・シュリーマンらの発掘調査から、トロイアの場所に初めて人間が住み着いたのは紀元前3600年ごろとかなり昔で、プリアムス王がトロイアを治めていた紀元前12世紀より2000年以上も前である。シュリーマンは初期の支配を6つの段階に分けている。トロイアⅦと呼ばれるプリアムス王の都市は、1870年に行われた最初の発掘調査以来、考古学的な関心の的になっている。1932〜38年、カール・ブレーゲンがそれまでもっとも高度な発掘調査を実施した。歩道に埋まった保存用の壺や狭い居住空間は、長期にわたる立てこもりと火事による破壊の証拠だと考

えられた。それをもとに、ブレーゲンは「ギリシアの伝統は基本的に歴史に忠実」であり、「その信憑性は〔中略〕もはや否定できない」と主張した。彼は、証拠が「ギリシアで伝統的にトロイア戦争が起きたと考えられているおおまかな時期」を示していると結論づけた。ブレーゲンの『トロイアとその人々 *Troy and the Trojans*』（1995）は彼のたくさんの発見を要約したものである。けれども、ストーリーのおおよその時期と「ギリシアで伝統的に考えられている大まかな時期」が考古学的に一致したからといって「基本的に歴史に忠実」であることにはならない。ゆえに、ブレーゲンの証拠には異議が唱えられた。実際それは、聖書の創世記に匹敵するほど不正確である。フィンリーが実証し、マイケル・ウッドが述べているように、「ヒサルルクにはもう掘るべき主要な場所はないことから、これ以上の情報を得ることはないだろうと思われる」と考えるのが理にかなっている。

遺跡が移動する砂丘に埋もれていたために、古代の作家はこうした歴史の長い背景やトロイアの正確な場所さえ知らなかった。古典期の終わりごろまでには、ごく普通の村がその場所にできた。その一方で、トロイア戦争と『オデュッセイア』はのちの文学に影響をおよぼし続けた。ジェフリー・チョーサーの『トロイルスとクリセイデ』は、トロイアの王子とギリシアの乙女の優雅なラブロマンスで、たいそう感銘を受けたシェイクスピアはそれに手をくわえて『トロイラスとクレシダ』を書き上げた。アルフレッド・テニスンは彼の詩「ユリシーズ」（1842）で、帰還を果たしたものの、イタケの落ち着いた暮らしを離れたくなる英雄の気持ちを表現した。ジェイムズ・ジョイスは彼の小説『ユリシーズ』で、その冒険のテーマを風刺の形で用いた。ウィリアム・バトラー・イェイツは、神ゼウスがレダを口説くところを詩「レダと白鳥」（１９２４）として再現した。さらに、のちに述べるように、トロイアの伝説とプリアムス王家は、神話のようなローマの創設、フランク族の出現、そして伝説上のイギリスの歴史にも多大な影響をおよぼしたのである。

太祖、エジプト脱出、イスラエルの史詩

ユダヤ教のトーラー（律法）、別名モーセ五書は、イスラエルの史詩を中心とする文学的な「物語（ナラティブ）」が根底に流れている。それは歴史を表すものではなく、神話、伝説、預言、物語の積み重ねで、紀元前1千年紀の半ばごろに現在の形になり、「後期ユダヤ文学の伝統」になった。そこでは、世界の誕生から始まる神話のような古代、力強い神とヘブライ人の契約、そしてヘブライ人とイスラエルの起源といわれているものが、叙事詩のような物語形式で取り上げられている。くわえて、何千年も過去にさかのぼる系図、ヘブライ人やイスラエルという名の起源となった祖先とその敵、祖先のものとされる年齢の大幅な誇張、軍隊、戦争、捕虜の数、征服した場所の大きさの著しい拡大が見られる。それらを見分けるためには、文章から神話を取り除き、古代イスラエルの法と儀式に関する箇所を切り取り、背景や習慣が目に見える通りに存在するという考え方にメスを入れて、根底にある架空の物語の構造をあらわにしなければならない。最後に残るものは、完成を目前にしながら紀元前586年に滅亡した、イスラエル人の願いだった帝国を取り

巻く「力の物語」である。

モーセ五書を表す英語の「ペンタテューク」という言葉はギリシア語が語源で、5つの書、すなわち聖書の最初の5書を意味する。そのうち「物語」の主要な部分を占めているのは創世記と出エジプト記で、続くレビ記と民数記で、古代イスラエルの法典を示す章をはさんで、話の続きが語られている。そこにあるのは、イスラエル史のさまざまな時期からの法、儀式、しきたりだ。モーセが2度目にシナイ山に登ったとき、ヤハウェは彼に「前と同じ石の板を二枚切りなさい」と指示し、「わたしは、あなたが砕いた、前の板に書かれていた言葉を、その板に記そう」と告げた。前の板とは以前授けた十戒だ。ところがヤハウェの2度目の十戒は最初のものとは異なっている。ふたつ目は遊牧民だったころの初期のヘブライ人の歴史がもとになっているのである。数世紀にわたって蓄積されたほとんどの「物語」と同じように、モーセ五書は古い内容を残しながら書き直されている。古い律法が排除あるいは廃止されることなく啓示のなかに保たれているため、原典と改作の両方の十戒がカナン征服前のイスラエル人に授けられているのだ。数世紀あとになってから出エジプト記にイスラエルの律法についての章がさらにたくさん年代錯誤的に挿入されたため、申命記ではもはや「物語」が頓挫してしまっている。実際、申命記のなかの歴史はのちの歴史書で詳述されている内容だと考えられており、初期の「物語」にとってはあまり重要ではない。

モーセ五書の重要性は、「指示」や「教え」を意味する「トーラー」というヘブライ語の名称に表れている。ところが紀元前3世紀のギリシア語訳である「七十人訳聖書」では、トーラーがノモス（律法）と表現された。4世紀のラテン語訳「ウルガタ聖書」もそれにならってレクスとされた。そのため、ヘブライ語本来のトーラーの意味は広く「律法」に置き換えられてしまっている。モーセ五書の律法は古代ユダヤ教の核だったが、現在ではユダヤ教徒にとってさえたいして重要ではない。五書があるがために、それを取り巻く「物語」がばらばらになって、逸話的で悪漢小説のような性質さえ帯びている。ゆえに、もっとも熱心な読者以外には物語の枠組みがわかりにくい。リチャード・エリオット・フリードマンは彼がいうところの「聖書の隠された書」を明らかにしようと、法典の部分を排除して問題点を明確にした。旧約聖書をまとめあげた聖職者たちが、ほかのジャンルのように法典を歴史、知識、預言と別々に分類していたなら、ものごとはもう少しわかりやすくなっていたかもしれない。けれども彼らは、何世紀にもわたる律法、規範、儀式的慣行を物語のなかにちりばめて、旧約聖書を文学的な叙事詩のジャンルに埋もれさせてしまった。

ギリシア語のペンタテュークは公式な呼称である。19世紀には聖書学者がヨシュア記を含む6つの書を意味する「ヘクサテューク」という言葉をつけくわえた。これは、申命記とヨシュア記に太祖からカナン征服までのすべてをひとつの「物語」として語る部分があり、「物語」がヨシュア記の終わりで完結しているとする論理にもとづいている。たとえば、ヨシュア記にあるヨルダン川を渡るイスラエルの人々の描写は明らかに、それより前の紅海を渡る行動の神学的な再現で、「ミドラシュ」として知られる物語の統一技法が用いられている。しかしながら、全体の物語はヨシュア記を越えて、士師記、ルツ記、サムエル記上、サムエル記下、列王記上、列王記下、歴代誌上、歴代誌下、エズラ記、ネヘミヤ記まで広がっている。「物語」という意味では、士師記は征服の話の拡大である。サウル、ダビデ、ソロモンといった王の話は、ヤハウェとアブラハムとの最初の契約の実現だ。紀元前586年のエルサレムの破壊とそれに続くバビロン捕囚は、はるか昔にエジプトにとらわれていた時代と関連している。そして、紀元前538年にエズラに導かれて新しいイスラエルを築くために帰還する部分は、ヨシュアのもとで築かれた最初のイスラエルの再現だ。

ミドラシュという創作法は数多くの類似を生んだが、ノースロップ・フライによれば「どのような物語においても、類似には必ず、デザインや形といった神話的な要素が求められるため、歴史的な内容が二の次になってしまう」。フライは、みずからが「大いなる体系」と呼ぶ比喩と象徴のパターン化を明らかにするために、イスラエルの史詩全体をひもとこうと試みた数少ない学者のひとりである。モーセ五書と歴史書からなる16の書全体はひとつの流れを作っており、ひとつの物語のなかに広範囲にわたる伝統が集められている。ずっとあとになってから書かれたものではあるが、太祖の話は紀元前20～16世紀のどこかに時代が設定されており、出エジプト記には紀元前13～12世紀が示唆される文化的な内容が含まれていて、王朝は紀元前10世紀ごろのように見える。けれども、ブライアン・ペッカムが立証しているように、これらの話の最古の形はいずれも、紀元前700年ごろの君主制末期以降に、口承あるいは文字で残されていた原典をもとに形作られたと考えられる。原典はもはや存在しない。注釈的な内容は、預言者のたくさんの言葉を交えて、数世紀にわたって追加され続けた。君主制が終わると歴史も預言も徐々に消えていき、紀元前3世紀には70人のヘブライ系ギリシア人の学者たちが七十人訳聖書として訳した現在の形になって、紀元前4世紀にはアレクサンドロス大王によって征服された直後の西南アジアに残っていた共通語（リンガ・フランカ）、つまりギリシア語でも読めるようになった。

こうして聖書があまりにも大きな脚光を浴びたために、かえってイスラエルの真の姿がわかりにくくなってしまっている。イスラエルは本当は「古代の近東では最小の取るに足らない国家」だった。それでも、正典を形成する過程で、人知を超えた運命と結ばれた国と王の「力の物語」が形作られた。そして、数々の古い伝統にもとづくさまざまな神話と伝説が慎重に脚色され、ひとつにまとめられて、ヘブライ人の王朝という文学的な序章が作られた。そこから生まれたのが、王朝をしのぎ、王朝がかすんで見えるほどの大きな存在である。古くから存在する東のメソポタミアの帝国、北のヒッタイト、西のエジプトにはさまれたヘブライ人の書記官たちは、地上の歴史を超越した「イスラエル」という帝国を作り上げたのだ。イスラエルの史詩の中心となる「物語」は歴史上の君主国ではなく、神の国である。

イスラエルの史詩は互いに関連のあるいくつかの「物語」で繰り広げられている。ひとつ目は創世記の最初の11章で、世界の創造から始まりアブラハムがシュメールの都市ウルからカナンへと赴くまでの一連の宇宙規模の「物語」だ。ここで重要なできごとは、人間の創造と彼らのヤハウェに対する不服従、最初の殺人、洪水による世界の破壊、そして世界の言葉の混乱である。ふたつ目は創世記の残りの章で、アブラハム、イサク、ヤコブ（のちにイスラエルに改名）、そしてエジプト王家で名を馳（は）せたヨセフについて詳しく語られている。この一家の物語はヨセフの死で終わる。3つ目の「物語」は出エジプト記から始まり、400年にわたるエジプトのヘブライ人の奴隷化に続くモーセの登場と、彼に導かれたエジプト脱出、そしてパレスティナが見えるネボ山でのモーセの死を描く。

シュメールを離れたアブラハムの移住とモーセのエジプト脱出はいずれも事実であることを裏づける証拠がなく、歴史的なできごとというより、強力な帝国に囲まれていることを執筆者らが認識していたことの表れだろう。4つ目の物語はヨシュア記から士師記にあり、イスラエルの制定につながる一連の大がかりなカナン征服が語られている。士師記はやや期待外れな、カリスマ的な武将が率いる小競り合いの連続である。この4部に分かれた物語が序章となって、ダビデとソロモンによって統一された輝かしい王朝につながる。その時代はまさにイスラエルの歴史の頂点であり、新たな「力の物語」の集大成だ。

はるか昔にさかのぼる祖先、英雄にふさわしい血筋、系譜の連続性、そして神に選ばれた王を描く、この王朝と帝国の序章をもとに、物語の書き手たちは夢の帝国のイメージを強化した。すべては、エジプト、カナン、ヒッタイト、バビロニアの人々とその他のさまざまな小規模の部族が崇拝していたたくさんの神々の支配下にあった一地域の至高の神、ヤハウェの導きによるものとして示された。書記官や聖職者はむろん競合勢力に対する勝利の史詩を書きたかったにちがいないが、紀元前6世紀の王の死と紀元前586年の王国の崩壊によって、彼らの目はイスラエルそのものの道徳的な堕落に向けられた。堕落はエジプト脱出のころに始まって、黄金時代であるはずのダビデとソロモンの統治時代に膨れ上がったとみなされた。史詩全体が、過ち、誘惑、神を冒瀆する行動、道徳の崩壊という枠組みにはめ込まれ、それらすべては非難されるべきものごとであり、そのために恐ろしい結末がもたらされたのだと解釈された。やがて、この叙事詩的物語のなかでイスラエルの人々に起きたできごとは、それより前のヘブライ人の歴史にもじわじわと広がっていった。さらにヘブライ人という文脈も越えて、王朝以前の数千年にわたる堕落がイスラエル王国の消滅の理由とされた。そして堕落はとうとう最初に創られた人間にまでさかのぼり、その人間が神に逆らったために多くの人間の状況が定まったことになった。その結果が、ユダヤ教とキリスト教の中心にある罪と救済の形である。人間性に闇の部分があることは否定できないが、聖書の話は架空の「物語」だ。

エジプト、ギリシア、ローマの神話をよく知る読者なら、創世記の最初の11章は神話だとわかるが、ヘブライ人の歴史を知るための資料がほかにないため、それに続く太祖の話を歴史的なできごととみなしてしまいがちである。同様に、出エジプト記、カナン征服、ダビデとソロモンの王朝、最終的には新約聖書の福音書やパウロの手紙も信用された。うわべだけをとらえた評論家たちは、聖書に出てくる地名が現存することが、聖書に歴史が書かれている証拠だと指摘してきた。

旧約聖書は地理的また文化的に正しく見えるように、登場人物が実在したかのように描かれているが、実際に起きたかもしれないできごとが創造性あふれる「物語」と混在しているために、事実や歴史を見分けることはできず、再現は不可能だ。それでも、旧約聖書に確かな歴史的事実を見つけることは難しい、あるいは不可能だと認識している学識豊かな学者たちのあいだでさえ、学問上の議論の土台が聖書内の系図にもとづく時代区分に置かれていることがよくある。自分は「ユダヤ人の歴史」について書いていると主張しているポール・ジョンソンも、例にもれず、聖書の「物語」を歴史とみなしている。

イスラエルの史詩の誕生を理解するためには、モーセ五書とそれに続く歴史書のもとになった資料を集めるとともに、書記官たちが実際に体験していた彼らを取り巻く状況を知ることがきわめて重要である。創世記の1～11章にある「物語」の始まりはさまざまな神話の寄せ集めで、メソポタミアの影響を強く受けている。バビロニアによる紀元前586年のエルサレム破壊でとらえられたヘブライ人の書記官たちは、バビロンへ連れていかれ、紀元前538年にペルシアのキュロス王の勅令によって解放されるまで、半世紀にわたってそこで暮らしていた。そのメソポタミアの都市で彼らが触れたのは、自分たちより2000年も前の神聖な王、古代の創世と洪水の神話、巨大な建築物を含む、いにしえのシュメール、バビロニア、アッカドの文化だった。ゆえに、S・H・フックが明らかにしているように、書記官たちの作品がメソポタミアの影響を受けることは避けられなかったのだが、それがわかったのは、19世紀の大規模な発掘調査の出土品によって、初期の聖書の神話や伝説とそのもとになったメソポタミアのものが多くの点で類似していることが判明してからだった。

太古のメソポタミア文明の影響は、たとえ紀元前6世紀の聖職者や書記官がそう認識していなかったのだとしても、間違いなく彼らに影響をおよぼしていた。数千年前、ウル、ウルク、エリドゥ、ニップールのシュメール人は文字を発明して一連の王国の基礎を作っていた。紀元前3千年紀の終わりごろ、シュメール人の定住型農耕社会の外側にいた遊牧民のヘブライ人は、何世紀にもわたってメソポタミアのすばらしさを知っていたと考えられる。アブラハムとなるアブラムの祖先をウルにたどる創世記の11章31説にそれが見て取れる。長く知られてきた何世紀も前のバビロニアの神話や伝説を史実とみなしていたヘブライ人の書記官たちは、それらを無視することはできないと考えた。ほかの古代の人々と同じく、創世記にある男、動物、そして最後に女を作る話に見られるように、ヘブライ人には単純とはいえ、かなり古い起源のストーリーがあった。それらの話は明らかに、人や動物が「水が地から湧き出て、土の面をすべて潤した」ような状況に依存する農耕より前の遊牧民生活にルーツがある。しかしながら、バビロニアの影響を受けた紀元前6世紀の書記官たちは新しい解釈――1週間での天地創造――を文字にして、それまでの解釈より古い時代に据えた。新旧の変化がたいそうスムーズだったため、書き換えられた話がもとの話の言い換えや要約ではなく、異なる「物語」がまったく違う形でもとの話に継ぎ足されていることには、数世紀後の注意深い読者しか気づかなかった。もっとも大きな違いは、まず男、次いで動物、最後に女が創られるのではなく、アダムとエヴァの両方が動物よりもあとに創られたことである。

この新しい解釈では、神マルドゥクが海の怪物（ティアマト）を倒すバビロニアの神話『エヌマ・エリシュ』が、光を呼び起こして「深淵の面に」ある「闇」（テノム）を倒すヤハウェの話になっている。この新しい解釈は巧妙に、あまたの神がいるバビロニアの多神論を避け、怪物ティアマトを原始の闇に変えて、イスラエルの一神教に置き換えている。特に重要だったのは、アブラハムをウルからの移住者として描くことによって太祖を古いメソポタミア文明と結びつけ、イスラエルの起源をはるか昔に引き伸ばすことだった。けれども、ヘブライ人とイスラエルに長い系譜を与えている歴史のように見えるその描写は、実際の過去ではなく架空の時間軸上で生じたものである。

バビロニアの天体観察からは、彼らが科学的に古代世界のほかの人々よりも進んでいたことがわかる。じつは、人間にとって都合のよい労働の周期と天文学的な発見をうまく取り入れて、1週間を7日とする暦を作って用いたのはバビロニア人だ。その暦では、週7日を繰り返すことで1周が28日の月の周期に、それを繰り返すことでほぼ365日の太陽の周期になる。ゆえに、新しいイスラエルの創世の物語は、バビロニアの7日にあてはめられた。ほかにもさまざまな細かいできごとが見るからにバビロニアに由来している。エデンの園から流れ出る4本の川のうちの2本はティグリスとユーフラテスで、残りの2本であるピションとギホンは、メソポタミアの小川や支流、あるいは干上がった川底などとさまざまに解釈されている。

パレスティナの高地や丘は大洪水に襲われることはなかったが、ティグリス＝ユーフラテス川流域の低地では毎年同じ季節に氾濫が起きた。イスラエル人の書記官たちがバビロニアにいたときに低地の洪水を実際に目撃したかどうかはわからない。おそらく目にした可能性は高いが、いずれにしても古代バビロニアの洪水の物語にはいくつかの説がある。これまでに、ニップールで出土したシュメール人の話、『ギルガメシュ叙事詩』に描かれている話、そして断片しかないアッシリアの話の3つの説が発見されている。ノアと聖書の洪水の起源となったメソポタミアの話は、ニネヴェにあるアッシュルバニパル王の図書館で発掘され、現在は大英博物館にある粘土板に示されている。ジョージ・スミスによる1872年のその驚くべき発見については、デイヴィッド・モンゴメリーが詳しく説明している。聖書では大洪水を逃げ延びた英雄ウトナピシュティムの名はノアに置き換えられたが、洪水の背景はメソポタミアのまま残された。創世記8章4節にはノアの箱舟が「アララト山」の上に止まったとある。これはおそらくティグリス＝ユーフラテス低地から北東に位置するアルメニア高原の、パレスティナから遠く離れた標高約5137メートルと約3896メートルのふたつの頂のどちらかだろう。聖書の洪水の話の書き手は、箱舟が最後にたどり着いた場所を書き換えたくなかったとみえる。洪水に続いて、ノアの3人の息子のうちの最年長で、家族の筆頭となったセムを通して、最初の系図がたどられる。創世記9章26節からは、セムが特別な祝福を受け、彼の息子エベルがヘブライ人の名の由来（名祖〔なおや〕）になったとわかる。こうしてイスラエルの史詩は古代メソポタミアに起源を持つ「物語」と融合して、古い文明を自分たちの伝説の年表のなかに組み込んだ。

創世記の系図は、はるか昔のアダムの血を引くノアの11代目の子孫、アブラム（アブラハム）から始まる。ヤハウェに選ばれ、「人の悪」が満ちた世界の生き残りとなったノアを祖先とすることで、この序論は、のちの王たちが神に選ばれるさきがけとして太祖たちが神に選ばれたことを示している。アブラハムの系図の次はバベルの塔の話だ。そこでは「同じ言葉を使って、同じように話していた」人々がれんがを焼く方法を知り、アスファルトを用いて「天まで届く塔のある町」を建てようとするが、ヤハウェが混乱に陥れる。神を冒瀆する無礼な行動への復讐として、ヤハウェは言葉を混乱させて、互いに意思疎通できない状態にし、建設を続けられないようにして、彼らを地上の各地に散らすのである。サミュエル・ノア・クレイマーは彼が「言葉のバベル」と呼ぶ似たようなシュメールの話に言及しており、それが聖書の話の背景にあった可能性を指摘している。しかしながら、直接の影響をおよぼしたのは、ティグリス＝ユーフラテス低地のシュメール人、アッカド人、バビロニア人が建てた多様なジッグラトだろう。紀元前6世紀、ヘブライ人のエリートたちがバビロニアにとらわれて、書記官が創世記の最初の部分を作っていたころ、バビロニア人は神マルドゥクに捧げるジッグラト、エテメンアンキ（天と地の基礎となる神殿）を再建していた。スティーヴン・ハリスらは、書記官たちがこれを天まで届く塔を建てる野蛮な文化の誤った試みだと判断したのではないかと述べている。聖書にある「彼らはこの町の建設をやめた」という言葉には、数世紀前に始まっていたウルの衰退が反映されていたのかもしれない。話が書かれた時点ではウルの紀元前3千年紀の栄光は見る影もなかった。実際、バベルの塔の建設中止、ウルの運命、散り散りになった人々は、多くの信仰があり、たくさんの神や女神がいたメソポタミア文明全体に対するイスラエル人の審判の表れだ。アブラハム、その父テラ、弟の息子ロト、アブラハムの妻サライ（のちのサラ）はウルから四散した人々だった。彼らの行先は地中海沿岸のカナンで、一時的にハランに滞在したあと、無事にたどりつく。

アブラハム、イサク、ヤコブに注目したトーマス・L・トンプソンは「太祖の物語の歴史的信頼性」を調べ、言語と考古学に関連する数々のすばらしい証拠を集めた。彼は、「紀元前2千年紀のパレスティナの歴史として知られているものは、明らかに歴史的信頼性を欠いているように思われる」と結論づけている。しかしながら、文学という意味では、移住の「物語」はイスラエルの史詩の次の部分、イスラエルを築いたヘブライ人の太祖とみなされるようになるアブラハム、イサク、ヤコブ、ヨセフという家族の物語へのスムーズな移行をもたらす。

古代のさまざまな文献にハビル（あるいはハピル）族への言及が見られることから、20世紀になって、ヘブライ人の起源がそれらの部族にあるのではないかと考える学者が出てきた。西セム諸語という言語的なルーツを含め、背景となる文献を集めたモシェ・グリーンバーグは、それらにもとづき、ハビルあるいはハピルは放浪民か遊牧民ではないかと述べている。エジプト語のアピルは「移住者」だったことから、たくさんの小さな狩猟採集集団が大都市の農耕経済に融合せずに暮らしていたとわかる。そのようなよそ者はおそらく、村の畑から盗んだり、家畜をねらったりするためにも、一か所にとどまらないほうが都合がよかったのだろう。西南アジアのハビルの行動を記録する文献は数世紀にわたっている。ジョン・ブライトによれば、紀元前20世紀のハビルはシリアの草原地帯の大胆不敵な襲撃者だったようだ。紀元前18世紀の古代都市マリの記録によれば、彼らはメソポタミアの田舎の略奪者のように見える。紀元前14世紀の古代都市アマルナの手紙では、シリア、フェニキア、パレスティナでエジプト商人の妨げとなっていた社会的なアウトサイダーとして描かれている。紀元前15～12世紀の古代都市ラスシャムラの文書では、アピルはエジプトの奴隷とされている。数世紀にまたがる各地の描写から、ハビルとは人種でも部族の集団でもなく、増えつつあった都市部の定住地のアウトサイダーだったことがわかる。特定の民族とは関係なく、当時のハビルは社会と政治の秩序の外側で暮らしていた人々で、西セム人、アッカド人、フルリ人などが含まれていた。つまり、紀元前2千年紀のほとんどにおいて、おもに田舎の遊牧生活を続け、社会に同化せず、移動を繰り返していた、いろいろな部族の人々と考えるのが適切だろう。

ハビルの活動時期はヘブライ人の太祖、エジプトからの脱出、その後のカナンの征服と定住の時期と一致する。ハビルの歴史はほかの民族の記録にある簡単な描写に限られているため断片的だが、太祖の「物語」にはハビルのような遊牧生活が示されている。聖書の話では、テントで暮らし、たくさんの家畜を飼っているアブラハムが描かれている。彼はウルからやってきて、上ユーフラテスのハランに住み、その後ベテルの東の地域、さらにネゲブを通ってエジプトに行き、またネゲブとベテルに戻る。ともに旅をしていたアブラハムの息子のロトも「羊や牛の群れ」を飼っていたが、「その土地は、彼らが一緒に住むには十分ではなかった」。牛飼いや羊飼いにありがちな土地利用の問題がそこに示されている。同じ問題はイサクのしもべとゲラルの羊飼いのあいだで起きた、掘ったばかりの井戸水の所有権をめぐる争いの原因にもなっている。のちに、エサウは「弟ヤコブのところから離れて」セイルへ移り住む。理由は「彼らの所有物は一緒に住むにはあまりにも多く、滞在していた土地は彼らの家畜を養うには狭すぎたから」だ。

この1900キロを超える距離の放浪は一般の遊牧民にはあてはまらない。ヤコブは親類が住んでいたユーフラテス低地の北部にあるパダン・アラムへと、ありえないほどの距離を旅する。その後、彼の家族全体が南方のエジプトまで移住する話も同様にありえない。こうしたできごとからは、数多くの場所と、もしかすると異なる時代からの話の寄せ集めが、一家族のストーリー

として つなぎ合わされたと考えられる。

ハビルは現在でも、よそ者として描かれるヘブライ人の祖先の第一候補だ。彼らが農耕生活を中心とした定住者として描かれている資料はない。アンソン・レイニーが指摘しているように、ハビルについて記したシュメールとアッカドの表意文字は「のけ者、無法者、流浪の民、あるいは裏切り者」を意味している。ブライトは彼らを「市民権を持たず、既存の社会構造の周辺部で暮らし、決まった場所もルーツもない人々」と説明している。アブラハムがすでに人が住んでいる土地に気ままに移動したり、ヒッタイト人の協力で妻サラを埋葬する場所を与えてもらったりするのは、絶えず移動する暮らしを重視したためかもしれない。さまざまなできごとから、ヘブライ人の習慣は創世記に描かれているよりは広く受け入れられていたことがわかっている。メソポタミア地域にはフルリ人も住んでいた。イラクで出土した紀元前15世紀のヌジの粘土板には、妻、妾(めかけ)、相続に関するフルリの法が描かれているが、ヤコブがラケルとレアのふたりの妻をめとる話にある太祖の慣習と驚くほど似ている。つまり、ハビルはパレスティナの太祖の時代より前から、メソポタミアに大きな影響をおよぼしていたとわかる。イサクの妻リベカとヤコブの妻たちはアラム人だったことから、ヘブライ人とほかの民族との混血は受け入れられていたと考えられる。アブラハムの時代より前に、パレスティナを含む一帯を放浪していたというハビルの姿は、まさに遊牧生活といえる歴史の断片を示している。聖書の「物語」は単純化され様式化された話だ。

太祖の「物語」は、ひとつにつながった血統を作ろうとして、きわめて多彩で広範囲にわたっていたハビル／ヘブライ人の歴史の一部だけを切り取ったものだと考えるとよくわかる。この時代の口承物語は確かに何世紀にもわたって語り継がれていたが、紀元前6世紀の聖職者だった編纂者たちはさまざまな神話や伝説にひとつの連続した系図をつけくわえて、首尾一貫しているけれども歴史としての信頼性が乏しい「物語」を作り上げた。かぎとなるヘブライ語の言葉は系図を意味する「トレドス」である。旧約聖書の最初のほうでは「これはアダムの系図（トレドス）の書である」のように用いられている。したがって、創世記のタイトルは、もしかすると「系図記」としたほうが正確かもしれない。その後、トレドスは、ノア、セム、テラ、イシュマエル、イサク、エサウ、そしてヤコブの「代」や「子孫」をまとめるために使われている。系図の概要はモーセ五書を通じて、ヤコブの12人の息子たちまでつながっている。歴代誌のノアの系図は圧倒的な長さに達しており、そこではそれまでの系図がすべて繰り返されているうえ、民族、国家、彼らが暮らした地域も名を連ねている。

旧約聖書のトレドスの構成を追っていくと、西南アジアの地理だけでなく、社会、文明、そして帝国としての古代イスラエルの「力の物語」が見えてくる。シュメール王名表は厳密に王だけに注目しており、そのほとんどが謎に包まれていたが、イスラエル人の書記官たちは、物質界を超越した神の王国という先史時代まで系図を引き伸ばした。実際、トレドスが触れているもっとも遠い場所は宇宙だ。聖職者が書いたような7日間の世界の創造の直後に、「これが天地創造の由来（トレドス）である」と書いてある。書き手が文字通りではない比喩的な用法を理解していたかどうかはわからないが、「天地」からすべてが「降りてくる」この系図は、以降に続くすべてのものを歴史ではなく架空のものにしてしまう。エルサレム聖書の訳者たちが「物語」におけるトレドスの意味合いを把握していたことは注目に値する。そこには「天地創造の物語（トレドス）はそのようなことだった」と書いてある。帝国の起源を宇宙に置くことで、争う余地のない権威と抗うことのできない「力の物語」ができあがる。

名祖（なおや）となった祖先たちも、旧約聖書の「物語」が想像上のものである証だ。最初の人間の名であるアダムは、ヘブライ語の「男と女」、より正確には「人間」を意味する。したがって、アダムは人類という言葉の名祖だ。ノアの息子セムはヘブライ人の祖先であり、西南アジアの民族と関連づけられている。新約聖書のギリシア語訳に登場するセムは、いくつかのインド＝ヨーロッパ語族にある「セム族」や「セム族の」という言葉のもとになっている。聖書の時代よりあとに、セムはユダヤ語とアラブ語の両方を含むセム語族を話す人々の名祖とされている。セムの孫エベル（改訂標準訳聖書ではヘベル）はヘブライ人の名祖である。セムの息子であるエラム、アシュル、アラムは、それぞれエラム人、アッシリア人、アラム人の名祖だ。このように、数多くの民族が聖書の系図のなかで説明されている。ノアにあまり好かれていなかった息子、ハムの子孫には、カナン族すべての名祖であるカナンとミツライム（ヘブライ語のエジプト）が含まれている。セム、エベル、アブラハムの家系を数世代たどると、ヤコブにたどり着く。イスラエルという新しい名を授かったヤコブは、叙事詩のなかでもっとも重要な名祖である。彼の12人の息子たちはイスラエルの12の部族の名となった。太古の昔、エベル、ヘベル、ヘブライといった似たような言葉には、同じ語源を持つというだけのさして意味のない類似性しかなかった。ところが、初期の「物語」では、名前を継ぐことが物語の基礎、ひいては神聖な結びつきを示すようになった。つまり、語源の系図が、まったく共通点のない逸話をまとめて力をでっちあげるためにもっとも重要な、架空の「物語」の一部となったのである。その利点は、のちの英雄を先の英雄にたどり、地名を用いて民族を統一し、ヤハウェが作った天と地のすべての世界に宇宙的な背景を与えられることだった。

「物語」と歴史の交錯は、モーセ五書に続く、「歴史書」として知られる11の書にもっとも明確に示されている。天地創造を紀元前4004年とするアイルランドのアッシャー司教が説いた歴史を図で説明するポスターや図表では、世界中の国々がノアの3人の息子のいずれかに起源を持っている。単純化された系図は祖先から子孫へと続き、時代とともにその子孫の数が大幅に増えて、国の歴史や成長によく似た姿をとっている。けれどもその類似はあってもうわべだけで、実際にはほとんどエセ生物学だ。現在から時間をさかのぼってみればわかる。人はだれでも複数の祖先の血を引いている。名祖ヤコブ/イスラエルから名祖エベル（ヘベル）までは生物学的に8世代にさかのぼることになり、親がふたり、祖父母が4人という具合に、祖先は倍々で増えていく。ヤコブの生物学的な祖先を12世代さかのぼると、ノアの世代には4096人になる。ノアの世代は大洪水でみな消え去ってしまったといわれているため、ここで論理的な問題に突き当たる。実際には祖先の系図は1世代さかのぼるごとに2倍になっていくのだから、祖先がひとりという系図は、時が経つにつれて増えていく図を作って生物学の基本をうやむやにしてしまっていることになる。物語に都合のよい事実だけが選び抜かれているために、結果が真実ではなく偽りになってしまっていることにほとんどだれも気づかない。
イスラエルの先史全体では、事件と陰謀だらけの一族の話にのみ焦点が当てられているため、王朝より前の時代にほかのヘブライ人の「物語」がないことが不思議に思われるかもしれない。当然、多くは自然に消滅した。残ったものは断片的であったり、一貫性がなかったりする。けれども、ブライトは次のように述べている。

こう考えることもできる［中略］、時間の経過とともに、さまざまな人物――アブラハム、イサク、ヤコブ――にまつわる伝統がより大きな伝統の集合体にまとめられて、それらが祖先の叙事詩のようなものを形作るようになったのだと。さらに年月を経て、それが［中略］エジプト脱出、シナイ山、征服と結びつき、イスラエルの起源を語る壮大な叙事詩のような歴史になった。

さまざまな伝説をひとつの家系に統一することで、現在のできごとと過去とが容易に結びつき、それが権威、名声、権力の架空の「物語」を形作る。
この一族の話の中心となるできごとは、ヤハウェとアブラハムのあいだで結ばれる契約だ。アブラハムの息子イサクと孫ヤコブの「物語」も逸話としては重要だが、話はアブラハムのひ孫であるヨセフで止まる。ヨセフは嫉妬した兄たちによって商人に売られてしまうが、エジプトの王宮で名を知られるようになり、やがて父や兄たちと再会を果たす。歴史に照らすと、ヨセフと父や兄たちがエジプトに移り住む流れは、ヤコブの遺体を埋葬するためにエジプト人がカナンまで随行する部分とならんで、とりわけ不自然な箇所のひとつである。だが、歴史的にはありえなくとも、そうしたできごとは「物語」全体をつなぐうえで重要な役割を果たしている。

ヨセフが死ぬと、ヘブライ人は苦難の時代に入った。彼らはエジプトの建設現場で強制労働に従事させられるが、これはラスシャムラの文書に短く示されている、ハビルがエジプトで奴隷として働いていたことを大げさに語ったものだ。400年後、モーセが現れる。啓示を受けたこの指導者は、ヤハウェとの新たな契約とモーセの後継者であるヨシュアのもとで達成されたカナン征服を含む壮大な旅物語のなかで、ヘブライ人をエジプトから脱出させる。ヘブライ人という民族の名前は捨て去られた。彼らはイスラエル人と呼ばれるようになった。

この「物語」はイスラエルが築かれた歴史として広く受け入れられているが、これに相当する事実はほぼまったくない。エジプトで奴隷にされていたという大集団や、彼らがエジプトから脱出した記録はない。ごくわずかなハビルの存在が、ほかとはつながりのない、取るに足りない脚注のようにエジプトの歴史に残っているだけだ。したがって、イスラエルの史詩でもっとも重要なエジプト脱出は、旧約聖書のなかでも疑わしい「物語」のひとつである。ファラオと戦車600台、そして数はわからないがたくさんの騎兵からなる追っ手の敗北は、事実だとすればたいへんな痛手だと思われるが、エジプトの記録には何も残っていない。

エジプト脱出とそれに続くシナイ山の放浪については、いずれも考古学的な証拠が発見されていない。紅海を渡ると描写されているイスラエル人の脱出からは、エジプトとシナイ半島のあいだにはっきりとした境界があるように見えるが、当時はそうではなかった。紀元前1450年ごろまでには、エジプト人はすでに100年以上もパレスティナを支配していた。紀元前1300年以降は、北部での勢力は弱まったが、それから150年後の紀元前11世紀半ばまで、エジプト人は低地とパレスティナ南部に残っていた。エジプト人がパレスティナを支配していたことを考えれば、シナイ半島を渡ってエジプトを脱出するイスラエル人の物語は見え透いたうそである。エジプト商人の隊商はシナイ半島の沿岸部と内陸部の両方の道を通っていた。軍隊は定期的にシナイ半島とネゲブ砂漠を通ってパレスティナに進軍していた。紀元前3千年紀からシナイ半島でエジプト人による採鉱が行われていた。シナイ半島の北部と西部は何世紀ものあいだエジプトの勢力圏内にあった。エジプト脱出の「物語」はこれらの現実とは遠く離れたところを漂っている。紀元前14〜11世紀の歴史との隔たりから察するに、物語を組み立てた紀元前6世紀の書記官や聖職者はエジプト、シナイ、パレスティナの歴史についての確かな知識をほとんどあるいはまったく持っていなかったと結論づけられる。

およそ100年にわたる考古学調査からは、シナイ半島のエジプト脱出の時期と結びつくような、人が住んでいた形跡は見つかっていない。野営地も、物質文化の痕跡も、人工遺物も、貝塚も、火を使うために地面に掘った穴も、何もない。同時に、エジプト脱出の規模にも「物語」の巨大化が見られる。逃げ出したイスラエル人の数は「妻子を別にして、壮年男子だけでおよそ六十万人」で、民数記では「六十万三千五百五十人」に更新されている。エジプト脱出が明らかに真実だと考えていた保守派の学者ジョン・ブライトは、「後世のイスラエルの祖先すべてがエジプト脱出にかかわることはできなかったはずである。数が少なすぎるからだ」と結論づけている。彼の計算によれば、聖書の説明では男、女、子どもたちの数は合わせて「200〜300万人」で「250万人が4列になって歩くとその長さは560キロあまりになってしまう」。くわえて、「羊、牛など、家畜もおびただしい数であった」（出12章38節）。これだけでもかなりの規模の巨大化だが、これで終わりではない。モーセはシナイ山で十戒を授かるが、人々が誤った神々を崇拝していることに気づく。金の子牛を拝んだ3000人のレビ人は殺された。その後、モアブの娘たちとの不道徳な行為への罰として、2万4000人のイスラエル人が疫病に見舞われる。数の巨大化が甚だしい箇所の一つは、イスラエルの兵がミディアン人との戦争から戻ってくるときに、羊とヤギが67万5000匹、牛7万2000頭、ロバ6万1000頭と、数は示されていないがたくさんの捕虜を連れてきたところである。モーセは、そのなかから「子供たちのうち、男の子は皆、殺せ。男と寝て男を知っている女も皆、殺せ。女のうち、まだ男と寝ず、男を知らない娘は、あなたたちのために生かしておくがよい」と指示する（民31章17〜18節）。兵のために残された処女の数が3万2000人ということは、捕虜の総数は天文学的な数字だったに違いない。これについて、トマス・ペインはこう語っている。「少年たちを殺し、母親たちを手にかけ、娘たちを辱めよと命令されている」。兵たちは妻や子とともに移動しているにもかかわらず、彼らに女性をあてがうというのだから、安易な作り話であることは見ればわかる。こうした数の誇張の例はたくさんあり、出エジプト記全体で史詩の価値を高めるために用いられている。「物語」の巨大化はヤハウェの権力と、彼を崇拝し、彼の命令に従うイスラエル人の権力と名声を高める。トーマス・トンプソンが指摘しているように、解釈の誤りが繰り返されると「物語と歴史的事実の区別がつかなくなる」。出エジプト記の光景は歴史のなかではなく、特異な物語空間、想像上の世界、まったく別の現実のなかにある。

巨大化はヨシュアのカナン征服でも続く。エリコの占領では、イスラエル人が「男も女も、若者も老人も、また牛、羊、ろばに至るまで町にあるものはことごとく剣にかけて滅ぼし尽くした」とある(ヨシュ6章21節)。アイではヤハウェが手を貸したことが見て取れる。ヤハウェがヨシュアに「あなたが手にしている投げ槍をアイに向かって差し伸べなさい。わたしはアイをあなたの手に渡す」と告げ、ヨシュアがそのとおりにすると、イスラエル人がその町に攻め込んで、火を放ち、1万2000人の敵を殺した。このヤハウェの手を借りた無慈悲な破壊は士師記でも続けられる。ベゼクでは合わせて1万のカナン人とペリジ人、エフドの高地では1万のモアブ人、カルコルでは12万のミディアン人が殺された。英雄個人の戦績にも巨大化が見られる。サムソンは1000人のペリシテ人を殺し、また神殿を崩壊させて人々の上に落としてさらに3000人を殺した。こうした破壊に終わりはないようだ。ギブアでは、イスラエル人は2万5100人を殺してから、逃げようとしていた2万5000人を打ち殺した。殺戮(さつりく)はヤハウェみずからが手を下すこともある。彼は民の数を数えたダビデへの罰として疫病をもたらし、7万人を死なせた。これらの大量虐殺でも、イスラエル人に殺されたアラム人の10万人と、それに続くアフェクの町で城壁が崩れて死んだ敗残兵2万7000人という数字にはおよばない。どの場合にも、イスラエル人が奇跡の勝利を上げ、大量に殺すことができたのは、ヤハウェの助けがあったからだということがはっきりしている。つまり、巨大化の例はみな、神の力に後押しされた軍事力という新たな「物語」なのである。これらの理不尽な殺人は、ダン・バーカーが『神――フィクションにおける最悪の登場人物 *God: The Most Unpleasant Character in All Fiction*』(2016)で取り上げている聖書のできごとのほんの一部でしかない。

こうした殺戮の証拠はまったく見つかっていないため、征服や王朝の形成の話にある物語の誇張だといってよいだろう。これらの「物語」は歴史にもとづいていない。イスラエルとその軍事的な神を賛美することだけが唯一の目的である。トンプソンはいう。聖書を歴史としてとらえることは「崩壊しつつある理論的枠組みである〔中略〕。聖書の言葉は歴史の言葉ではない。きわめて文学的な物語、説教、歌の言葉だ」

「物語」はそこにしかない想像上の時の流れを生む。イスラエルの史詩では、洪水前のアダムの子孫の驚くべき年齢に想像上の時間が示されている。より完全なリストにはアダムからノアの代までの年齢が記されているが、エノクをのぞく全員が700歳を超えている。ここで重要なのは、アダムとノアのあいだに8人の名があがっていることだ。つまり、シュメール王名表、とりわけ王朝が誕生する前に1万6000〜4万3000年も統治した8人の王たちの影響を受けていることが見て取れる。この種の巨大化は創世記のいたるところにある。シュメール王名表では、長い寿命の傾向が次第に短くなっていった。ノアからアブラハムの父であるテラへと続く聖書の系図では、数百年という寿命は続くものの、次第に短くなる傾向が見られ、500歳以下に収まっている。セムからテラまでの8世代では、200歳を超えていないのはひとりだけだ。次のように、アブラハムからヨシュアまでの太祖と出エジプトの指導者では、年齢がまた短くなって200歳を下回っている。

アブラハム　175歳
イサク　180歳
ヤコブ（＝イスラエル）　147歳
ヨセフ　110歳
モーセ　120歳
ヨシュア　110歳

こうした年齢はみないかなる記録も存在しなかった時代のものである。その意味ではこれは先史時代のものであり、よって、全体の「物語」の一部として巨大化が最大限に採用されている。彼らの長い生涯は、紀元前1000年ごろのイスラエル王国の建国を導いた偉大なる英雄だった証、そしてヤハウェに選ばれた人物である証だ。文字による記録が可能になると、寿命は歴史的にみて通常の範囲内に収まるようになった。紀元前586年のエルサレム陥落までのサウル、ダビデ、ソロモン、そしてユダ王国の17人の王たちは100歳を迎えることなく生涯を閉じている。

ありとあらゆる巨大化とならんで、物語を通してひとつにつながっている系図からは、書き手、校訂者、編集者、そして書記官が比類なきイスラエルを描こうと努力していたことがわかる。彼らが作り上げたものは、地上のいかなる帝国にもまさる想像上の神の国だった。そのなかで彼らの王朝と帝国が生まれ、栄え、そして分裂、敗北、屈辱、消滅という憂き目にあう。ノースロップ・フライが簡潔に示しているように、「旧約聖書に関する最重要かつ唯一の歴史的な事実は、それを書いた人々が王国同士のせめぎ合いにおいて不運に見舞われてばかりだったことである」。周辺の王国は何世紀にもわたってイスラエルをもてあそびながら、勢力を伸ばしては衰退していった。イスラエルの偉大なる王と想像上の帝国が存在したのは、エジプトが衰退してからアッシリアの猛襲が始まるまでの、凪（なぎ）のような短い期間だけだった。

　聖書の説明によれば、イスラエルの破滅が見えてきたのは紀元前９２２年で、北の王国がソロモンの後継者であるレハブアムを認めず、自分たちの王としてエフライムのヤロブアムを擁立して、「ユダ族のほかには、ダビデの家に従う者」がなくなったためである。結果として王国は分裂し、建国から１００年も経たないうちに統一王朝は終焉を迎えた。その後のイスラエルのストーリーは複雑で混乱している。暗殺と暴力、ユダ王国との紛争、そして、王アハブが異教徒の女神アスタルテの神官の娘イゼベルを妻に迎え、カナンの神バアルを崇拝するようになった例に見られるような、ヤハウェとの契約との隔たりがそれを特徴づけている。聖書の世界の道徳的な秩序に照らせば、そのような背信はたいてい悲運をもたらす。イスラエルはシャルマネセルが率いるアッシリアに敗北して（紀元前７２２〜21）、その後継者であるサルゴン2世の命により人々がメソポタミアへ移送され、決定的な終わりを迎えた。

　当然のことながら、歴史はすぐに「物語」として作り直される。イスラエルという国は終わったかもしれないが、「イスラエル」はそうではなかった。太祖の「物語」は総じてイスラエルを土地、領土、あるいは国ではなく、どこに住んでいようとヤハウェに選ばれた人々とみなしている。「イスラエル」と名づけられた北の王国が滅びたとしても、その呼称は真の神の王国の一部をなす人々に受け継がれなければならない。驚くまでもなく、イスラエルは生き延び、南の王国ユダに戻ってきた。イザヤ書にあるぶどう畑のたとえ話では、ヤハウェがイスラエルのぶどう畑を台無しにする。動物に食われるにまかせ、踏み荒らされるにまかせ、「茨(いばら)やおどろが生い茂る」にまかせ、雨を降らせずに砂漠化させるが、それでも彼が植えたひとつの植物である「ユダの人々」だけは大切にする。1世紀後、エレミヤは北の元イスラエルと南のユダの両国を非難しながらも、後者を新しいイスラエルの家と呼んだ。

イスラエルがアッシリアに滅ぼされてから130年後、ユダの新しいイスラエルはバビロニアに滅ぼされた(紀元前586)。王国が衰退していくその最後の数年に、イスラエルの家、つまりユダの人々がまぎれもない一神教を作り上げ、14世紀前の太祖、出エジプト、そして征服の時代にさかのぼってそれを投射したことを示す有力な手がかりがある。ソロモンが複数の妻や妾が崇拝していた神々に黙ってしたがったことは、たんなる兆候にとどまらなかった。アッシリアが勝利すると、イスラエルのもっとも声高な預言者たちが、帝国の衰退の原因は昔の王朝の精神的堕落にあったと非難するようになった。その中心は、イスラエルとユダの両国が古い多神教を排除せず、周辺部族が崇拝する神々の誘惑に繰り返し負けたことだった。しかしながら、旧約聖書に記されている何世紀も前の伝説を見れば、それはいずれの王朝、いずれの部族にもあった、古くから続く問題だったとわかる。道徳的な堕落は王朝より前の時代にも書かれている。アモス、ホセア、イザヤ、ミカ、エレミヤの書は、ヤハウェが過去何世紀にもわたって多神教の神々たちと対決していたことを示している。つまり、王国や帝国の先史時代全体が堕落との勇壮な戦いであり、イスラエルはそれに負けたために冒瀆され、破壊されたのだ。

バビロニアにとらわれていた（紀元前586～38）聖職者や書記官は、彼らの架空の「物語」のなかでハビル／ヘブライ人の遊牧民とヤハウェの最初の契約を考え出した。念のために述べておくが、いにしえのアニミズムから脱したばかりの原始的な多神教を信仰していた3800年も前の遊牧民が契約を結ぶとは考えにくい。太祖、出エジプト、征服の「物語」を見ると、多神教は深く根づいていて容易に取り除くことができなかったとわかる。実際の契約は、王朝時代の定住農耕生活の一部として、かなりあとになってから登場する。ゆえに時間的な誇張によって契約が古い年代に組み入れられていることは明らかである。書き手の代わりに戦うヤハウェの長い対決は、実際よりも古く、大きく、力のある王国イスラエルの誕生を象徴するような、複数のできごとを通しておぼろげに示されている。その戦いには、周辺の大きな文化にかろうじてぶら下がっていただけの小さな王国のジレンマが表れている。あとから見ると、のちの書記官たちが過去の堕落の記録を保存するべきか、成功物語に書き換えるべきかで悩んでいたことがわかる。結局、過去数世紀の多神教の証拠を伏せておくことができなかった彼らは度を越した主張を始めた。ほかのいかなる宗教史の年代記をもしのぐヤハウェの存在と支配の「物語」でストーリーを上書きしたのである。ヤハウェは話す声であり、告発者であり、指揮官であり、戦士だ。彼は入れ代わり立ち代わり預言者を通して説教をする。預言者はみな操り人形のようで、説教は押しつけがましく、人知を超えた存在というほのめかしはことごとく損なわれている。

このように、イスラエルの史詩はひとつの物語空間になった。それは、自然でも超自然でもなく、しばしば予測不能な気まぐれと、ときに下手なまねごとのような人物像を持つヤハウェの、完全な想像上の独壇場だった。彼はきわめて人間らしい。人々と同じ地域と戦場を支配している。アダムとエヴァは「ヤハウェが庭を歩く音」を耳にしている。ヤハウェはアダム、エヴァ、カイン、ノア、アブラム、イサク、モーセに直接話しかけ、その言葉が引用されている。ヤハウェが亡霊としてアブラハムの前に現れ、ヤコブの夢に現れ、また格闘の夜に幽霊のような対戦相手としてヤコブの前に現れるというところでは、神が原始的な力に置き換わってしまっている。ヤハウェが燃える柴のなかからモーセと対面するところには、命ある霊魂がすべてを動かしているかのような先史時代のアニミズムが感じられる。ヤハウェは自分が山の神「エル・シャダイ」であると告げ、砂漠を越えてイスラエルの人々を導くときには、昼は雲の柱、夜は火の柱となり、シナイ山でモーセに会いに降りてくるときには「雲」のなかにいる。これでは、ユダ後期の道徳的な一神教を王朝以前の時代に投射するという試みは、部分的にさえ成功したとはいえない。

イスラエルの史詩の中心的なテーマとそれが形になった王朝時代は、イスラエルの人々が自分たちの王国や帝国を築くための戦いだった。建国は数千年にわたって世界中の人々を突き動かしてきた本物の現実の願望である。その願望の中心には夢を操る支配者を演じるヤハウェ（ヘブライ語でエロヒム）がいるが、アニミズムや多神教の名残を引きずっている。嫉妬深い神である彼の先史時代の前身は、カナンとフェニキアとウガリトの創造神エル、山の神エル・シャダイ、嵐の神エル・ベテル、アラムと南ヘブライの月の神エロヒム（別名エロム）、そしてエジプトの月の神ヤー（別名アー）である。イスラエルの「物語」では、人を動かす役割を担うヤハウェ（エロヒム）の存在によって、願望が現実世界からあまたの神や女神がいる想像上の空間へと移る。戦いの場はイスラエルの民を選んだヤハウェ（エロヒム）と数多くの神々に変わるが、敵国とその神々――シュメール、アッカド、バビロニア、エジプト、ヒッタイト、フェニキア、カナンの数百の神々――に囲まれて、イスラエルの建国は挫折する。イスラエルにとっては最悪なことに、神々はヤハウェよりも強かったのかもしれない。

話がシナイ山の神の顕現から新しい契約を結ぶ箇所へ移ると、契約の邪悪な側面があらわになり、ヤハウェは戦いの神として描かれる。彼はアモリ人、カナン人、ヘト人、ペリジ人、ヒビ人、エブス人に対する大勝利を約束するが、その代わりにモーセに「彼らの祭壇を引き倒し、石柱を打ち砕き、アシュラ像を切り倒しなさい。あなたはほかの神（エル）を拝んではならない」と命じる。この命令は、ほかにも神々が存在していることを如実に物語っている。なにしろ主（エル）の名は嫉妬の神だ。内なる敵と外敵の両方との戦いのテーマからは、イスラエルの史詩が、ギリシアの『イリアス』、のちのローマの『アエネーイス』、インドの『マハーバーラタ』、そして後述するポルトガルの『ウズ・ルジアダス』や『マラッカの征服 *Coquest of Malacca*』とならぶものであるとわかる。イスラエル人が多神教になびいたり信仰を失ったりする状況は王朝時代に入っても続き、預言者たちの怒りは爆発寸前にまで高まった。アモス、ホセア、イザヤは、ヤハウェの絶対的な力を必死で認めさせようとして、肥沃多産の神々の崇拝に転じた人々への報いや罰、そして助言にしたがわなければ大災害に襲われるという物語で、熱弁を振るった。そうした預言者によって、他に類を見ない人物像が誕生した。それは創造しては破壊し、称賛しては非難し、導いては見捨てるという矛盾した神で、世界の主要宗教の中心にいながら、先史時代の部族物語を受け継いでいる神である。ヤハウェ（イエウェ）は預言者のなかでも特に情熱的なエレミヤに不満をぶつける。「ユダの町々、エルサレムの巷で彼らがどのようなことをしているか、あなたには見えないのか。子らは薪を集め、父は火を燃やし、女たちは粉を練り、天の女王のために捧げ物の菓子を」作っている。天の女王とはセム族の肥沃多産の女神で、ウォルクスタインとクレイマーがその物語を再現しているが、シュメールのイナンナ、バビロニアのイシュタル、カナンのアシュラ、あるいはフェニキアの性愛の女神でもあるアスタルテだ。アシュラ崇拝は根強く残り、取り除くことができなかったようである。

ひとたび「物語」のパターンを認識し、文学的な形式が明らかになると、イスラエルの史詩を手の込んだ架空の作り話以外のものととらえることは難しい。歴史というには不確かな枠組みにはめ込まれたそれは、今のところ、史詩そのもの以外に真実であることを証明する手段がない。トンプソンは現在わかっていることについて次のように述べている。

今日において、イスラエルの歴史というものはもはや存在しない。アダムとエヴァや洪水の話が神話の域に入っただけでなく、太祖の時代についても歴史として語ることができなくなった。歴史に「統一王国」が存在したことはなく、バビロン捕囚より前の預言者と彼らの書について話すことに意味はない。〔中略〕聖書の「イスラエル」が架空の物語であるばかりか〔中略〕現在ではかなりの自信を持って、聖書はいかなる人々にとっても過去を語る歴史ではないと断言できる。

歴史としては全面的に力を失った。けれども、「物語」としては、今なお、いかなる文化に誕生したものよりもすばらしい叙事詩のひとつである。

古代インドの伝説の帝国

インド亜大陸では、2000年以上前にデーヴァ・ラージャ（神の王）の概念が誕生し、インドの王朝の中心的な「物語（ナラティブ）」になった。ほどなく、王の存在は『マハーバーラタ』や『ラーマーヤナ』といったインドの叙事詩の中心となる帝国に欠かせないものとなった。やがて、そうした叙事詩の影響を受けた帝国が東方へと勢力を伸ばし、プトレマイオスがいうところの「ガンジス川より向こう側のインド」に広がって、タイからインドネシアまでの各地で帝国の「力の物語（ナラティブ・オブ・パワー）」が誕生した。ヨーロッパでは神聖な王を中心とする帝国は初期の文化の発展とともに次第に消えていったが、インドでは近代にいたるまで何世紀にもわたって文学、踊り、戯曲を通して残っていた。

紀元前2千年紀の終わりごろ、インダス川低地からの移住者は、現在のインドでもっとも人口が多いウッタル・プラデーシュ州にあたるインド北部に、小さな集落を作って定住するようになった。彼らはインド＝ヨーロッパ語族であるサンスクリット語と、その時点ですでに書かれてから数世紀経っていたバラモン教の聖典ヴェーダの一部を持ち込んだ。『ウパニシャッド』といったのちの文献はそれらをもとに書かれたものである。そうして、ヒンドゥー教を作り上げている膨大な量の神聖な創作物が作られ始めた。

インド北部は、ガンジス川のたくさんの支流があり、肥沃で、農業の発達に適した地域だった。たくさんの村ができると、ジャナパダ（部族の足場）として知られる地域全体に影響をおよぼしていた、マハクラ（支配する一家）を中心とするアーリア人の統治が始まった。紀元前600年ごろまでには、村の人口が増え、王たちが支配するようになった。それから3世紀後、インド北東部のガンジス川沿いにあったパータリプトラを中心に、マウリヤ朝として知られる強大な王朝が誕生した。現存している碑文やマウリヤ朝の都の考古学発掘調査からは、短い期間（紀元前322～185）だったとはいえ広大な地域を支配していた、人口15～40万人の巨大要塞都市の姿が浮かび上がっている。その領土には南端を除くインド亜大陸全域と、西はイラン、東はバングラデシュまでが含まれていた。マウリヤ朝の王でもっとも有名なのがアショーカ王で、紀元前268年から232年まで国を治めていた。この時期に、インドでもっとも広範囲を網羅する叙事詩『マハーバーラタ』が誕生し、その後400年にわたって進化し続けた。作品としては最長のこの『マハーバーラタ』はスリル満点の物語あるいは冒険集として読まれることが多いが、この叙事詩によって王朝と帝国が強化されていることから、マウリヤ朝の膨大な先史と背景を作り上げている作品と考えるとわかりやすい。

マウリヤの王アショーカの不朽の名声は、アフガニスタンからインド、ネパール、バングラデシュにいたる王国各地の柱、岩、洞窟の壁面に掘られた王の33の「勅命」がよりどころになっている。彼の生涯でもっとも重要なできごとは、インドの東沿岸にあったカリンガの征服（紀元前262～61）後に生じた、価値観の大きな変化だった。カリンガ征服では10～15万人が国外に追放されたといわれているが、その数字には後世にくわえられた「物語」の誇張が反映されているのかもしれない。伝説によれば、アショーカは征服を途中でやめて、紀元前5世紀に生きていたといわれている釈迦が説いた平和な解決方法を採用した。彼の勅令のひとつにその変化が記録されている「カリンガの併合後［中略］聖なる王陛下に深い自責の念が起こった［中略］なぜなら、それまで支配下になかった国の征服には虐殺、死、捕虜の移送がかかわっているからだ。それが王陛下に深い悲しみと後悔をもたらした」。その後30年にわたって、アショーカは帝国中に仏教を広めた。釈迦の死から丸2世紀経ってから刻まれたアショーカの勅命は、現時点で、釈迦と仏教にまつわる最古の記録である。

『マハーバーラタ』には、アショーカのカリンガ征服によく似た占領、破壊、戦争が記されている。挿話の一部については、紀元前8～9世紀の民話が叙事詩に組み込まれた可能性もある。けれども、舞台がマウリヤ朝の支配地域内の王国であるとはいえ、時代が太古の昔に設定されていることから、これはまったくの伝説だ。創造の歴史であるそのストーリーでは、マウリヤ朝の名声が明らかに持ち上げられていて、アショーカのおもな征服が大げさに描かれている。この叙事詩は正体のわからない詩人ヴィヤーサの作品といわれ、物語中のできごともほかの資料からは見つかっていない。叙事詩のテーマはいにしえの兄弟の争いで、それが何世代にもわたって子孫のあいだで続けられ、やがてカウラヴァ一族とパーンダヴァ一族の宇宙戦争にまで拡大する。この権力者同士の争いは想像上の時空間で生じ、シュメール、ギリシア、ヘブライ、日本の作り上げられた先史時代に似ている。その時間の長さは膨大であり、巨大な王国、王家の長寿を示す長い系図、想像を絶する破壊をもたらす帝国の戦争と勝利といった特徴から考えても、歴史上もっとも手の込んだ伝説の文化といってよいだろう。

伝説の帝国というものはたいていの場合、『ギルガメシュ叙事詩』ならウルク、『イリアス』はトロイア、トーラー（モーセ五書）はイスラエルという具合に、最低限は現実世界に言及している。『マハーバーラタ』にはガンジス川の流域、パータリプトラの西にあったといわれる王国のふたつの中心地が含まれている。ひとつはパーンダヴァ一族が支配していたといわれるインドラプラスタ、もうひとつはそこから北東に100キロ弱離れたところにあり、カウラヴァ一族が支配していたといわれるハスティナープラだ。一族はいずれも共通の祖先バラタの血を引いている。それらが合わさって、戦士階級、ときには王を含む数知れない人物が登場する壮大なマウリヤ朝の先史時代を作り上げているが、物語の舞台はインドに特有な架空の年代にある。伝統的にヒンドゥー教の時間は、歴史の繰り返しを表すユガと呼ばれる時代で示され、多くの作品でその時間区分が用いられている。『マハーバーラタ』の説明によれば、時代はサティヤ・ユガ、ドヴァーパラ・ユガ、トレーター・ユガ、カリ・ユガに分けられ、それぞれの時間の長さは172万8000年、129万6000年、86万4000年、43万2000年で、数の比率が4対3対2対1になっている。果てしなく長い時間であるため、現代人とこの叙事詩の作者は、暗い戦乱の時代といわれる同じカリ・ユガに生きている。疑うまでもなく、その特徴づけは、征服と虐殺に対するアショーカの嫌悪感に影響されているのだろう。しかしながら、『マハーバーラタ』の主要なできごとはもっと昔、トレーター・ユガの末期の話だ。現在のカリ・ユガは紀元前3102年から始まっている。年代の引き伸ばしは、インドに王朝が存在した形跡が見つかっている時代よりも2000年前、『マハーバーラタ』が現在の形になったときから3000年前の王と王朝にまでさかのぼっている。その時間の差は、トロイア陥落の物語とわたしたちがいる21世紀との違いに匹敵する。それほどの大昔ともなると、王や皇帝の「力の物語」の共通のテーマである神秘的なオーラと運命の必然性を感じずにはいられない。

この伝説の歴史では、ユガの周期とともに人間の生活が悪化している。これは、ヘシオドスやオウィディウスによって描かれるギリシアの神話に、金、銀、青銅、鉄の4つの時代があるのによく似ている。インド人の目から見れば、サティヤ・ユガではおよそ10万年、ドヴァーパラ・ユガではおよそ1万年、トレーター・ユガではおよそ1000年、現在のカリ・ユガの初めごろにはおよそ100年、そして世界の状況の悪化によって現在ではさらに短くなっている寿命を見れば変化は一目瞭然だ。人類の身長はサティヤ・ユガでは21キュービット（約960センチ）、ドヴァーパラ・ユガでは14キュービット（約640センチ）、トレーター・ユガでは7キュービット（約320センチ）で、現在のカリ・ユガでは3・5キュービット（約160センチ）である。架空の過去の寿命の長さは、シュメール王名表に記録されている王たちの誇張された在位や、徐々に短くなっていった聖書の太祖たちの年齢と共通点がある。

パーンダヴァ一族とカウラヴァ一族の祖先バラタは、インド全域とその周辺の多くの領土を征服したといわれる伝説の王だ。ゆえに、彼の帝国はアショーカ王のマウリヤ朝が達成した征服の文学的なたとえ話である。バラタの架空の帝国はバーラタヴァルシャと呼ばれた。都はパータリプトラ（現在のパトナ）で、その城塞都市の遺跡からは15万、最大で40万人が暮らしていたと考えられる。伝説の王バラタはインド亜大陸全体の名称のもとになった。１９４８年のインド憲法の冒頭には「インド、すなわちバラトは諸州の連邦である」と書いてある。つまり、『マハーバーラタ』（大バラト）はインドの史詩である。

対抗していた一族のあいだの運命を決定づけたクルクシェートラの戦いは、もとはパーンダヴァ一族の拠点でのちにバーラタ王国の都になる、ガンジス川南岸のハスティナープラ（象の街）で起きた。伝説によれば、パーンダヴァ一族は紀元前３１０２年の勝利から、１７００年にわたってハスティナープラを治め続けたという。その時間はほかのどの帝国よりも長い。こうした伝説にある架空の時間は実際の歴史をしのぐ。この史詩が現在の形になったとき（紀元前３００～後３００）には、バーラタ朝の終わり（紀元前１４００）からすでに１０００年以上も経っていた。こうした時間の引き伸ばしは、過去のできごとを実際の歴史的事実の範囲外に置いて検証不可能にしてしまう。歴史がわからなければ、信仰が解釈の手段になる。したがって、『マハーバーラタ』のできごとは、アショーカの王国の人々にとっての起源の物語だ。インドの文明と文化の誕生にかかわる『マハーバーラタ』のできごとは、過去２０００年以上にわたり、インド人の重要な象徴であり続けている。

ハスティナープラの戦場の風景は想像を絶する大きさの神話のような景色である。「地上のすべてから、馬や人が消え、戦車や象がなくなって、子どもと年寄りだけが残された。ジャンブー大陸（ドウヴィーパ）（閻浮提（えんぶだい））全土〔中略〕から集められた〔中略〕すべての種族の者たちが〔中略〕街、川、山、森にまたがる〔中略〕一帯にひしめき合っていた」。ジャンブー大陸はヒンドゥー教の宇宙論における7つの大陸のうちのひとつである。戦場が大陸規模で語られている。

　続く話では、耳をつんざくほどの「数百の太鼓や鐘の音や〔中略〕大声で叫ぶ声」が響き渡るなかで、「1000頭の象のあいだにいる」パーンダヴァの指導者アルジュナの姿が描かれている。数の誇張が物語を形作っている。戦争の山場では、先頭に立つ戦士アルジュナが英雄になる。彼の弓矢で数千人が倒れ、その死体、骨、血が戦場中に流れて、馬や象の死骸とともに大きな川を作る。アルジュナは二輪戦車の1万の兵と700頭の象を殺したといわれている。その架空の大量殺戮によって、当時の世界人口より多く、2012年のインドの人口12億3700万人より多く、もしかするとこれまでの歴史上の戦争すべての死者を合わせたよりも多い、16億6002万人が命を落とした。まさに、何世代も続いた悲劇的な争いの終わりと、その後1700年（紀元前3102〜1400）も続く古代王朝の再興を描く「力の物語」がそこにある。

　この破壊的なクルクシェートラの戦いは、アショーカとカリンガの戦い、破壊的な結末の認識、そしてその後の戦闘放棄にまつわる古代のたとえ話である。この「物語」がインドや南アジアの人々にもたらした影響は、カンボジアのアンコール・ワット遺跡の回廊西面南翼にある、長さ150メートルの驚くべきバスレリーフに見て取れる。現在は、近年開発されたスリットスキャンカメラで撮影された連続写真で見ることができる。『マハーバーラタ』が書かれてからおよそ

1000年後の、クメール朝のスーリヤヴァルマン2世（1113～50）の時代に彫られたこの巨大な壁画では、馬が引く多数の二輪戦車がひしめき、槍、盾、手斧、弓矢が乱れるなかで、武器を手に持ち、兜をかぶった両軍の何百もの戦士が戦っており、その戦場風景は第二次世界大戦のノルマンディ上陸を描く映画を思わせる壮大なスケールだ。

しかしながら、この戦いが実際にあったという記録はない。アーサー・バシャムが述べているように、「この話に比べれば、『イリアス』あるいは北欧やアイルランドの伝説文学のほとんどのほうがまだ歴史学者の役に立つ」。考古学者はこの戦いの痕跡があるかどうかを長く模索してきたが、いまだ発見はない。現在のハスティナープラはデリーから北東へ約105キロ、メーラトから約40キロ離れた静かな街だ。人口は2万5000人足らずで、あまりにも小さいため通常の世界地図には載っていない。1950年代の発掘調査では『マハーバーラタ』に描かれている大きさに見合う場所を特定することはできず、実際、どれほど小さな場所であっても、戦いが終わったとされる時代より2000年以上もあとの紀元前900年まで人が居住していた形跡はなかった。遺物はほとんどない。アショーカの孫、サムラト・サンプラティ（在位紀元前224～15）が建てた寺院でさえ消滅し、現在その地にあるジャイナ教寺院は何世紀もあとになってから建てられたものである。モーセやヨシュアが引き起こした大量殺戮をともなう巨大戦争と同じように、クルクシェートラの戦いは歴史に何の痕跡も残していない。

『マハーバーラタ』のハスティナープラよりも印象的な街は、「インドラの街」を意味するインドラプラスタで、とてつもなく美しかったといわれる王国の中心地である。その壮大さは『イリアス』のトロイアや『オデュッセイア』のイタケをはるかにしのぐ。現在のインドラプラスタは、インドラプラスタ大学や電気などの公共事業会社を含むいくつかの企業で知られている。遺跡はヤムナー川の対岸、16世紀にデリーの中心部に建てられたイスラム教徒の砦（とりで）プラーナ・キラの下にあると考えられている。しかしながら、その遺跡は古代の描写ほど大きくはない。『マハーバーラタ』のインドラプラスタにまつわるものごとはみな、それが架空の帝国で、その素晴らしい栄光はのちのマウリヤ朝を輝かせるためのものだったことを示している。

インドラプラスタは、建築家であると同時に、ヒンドゥー教の中核をなすスピリチュアルな存在マヤ（魔法、幻）の化身でもある神マヤによって築かれた。アルジュナに助けられたマヤはいう。「わたしは腕の立つ職人です［中略］パーンドゥの息子よ、わたしはあなたの役に立ちたい」。アルジュナはそれに答える。「これまでに例がなく、人々が畏敬の念に打たれて真似をしようとも思わないような［中略］集会場を造れ」。それにふさわしく、マヤは「宝石がきらめき、だれも見たことがないような、天体の輝きを持つ神々しい集会場」を建てた。それは「3つの世界を通して崇拝された」。「柱は純金で、間口と奥行きが1万キュービットのとてつもない広さだった」

ギルガメシュのウルクやソロモンの神殿の誇張された大きさを思わせるその巨大さは、実際の空間ではなく「物語」のなかに存在する。同様に、マヤが造った「美しいため池は、宝石がちりばめられた茎が伸び、ラピスラズリ（青金石）の輝く葉を持つハスとユリで飾られ、その透明な水は香りのよい花で覆われて、色とりどりの鳥たちが暮らしている。［中略］水中へと降りる水晶の階段にある大理石の手すりにはきらめく宝石がちりばめられている」。わずか14か月で建物が完成したのち、王は特権階級の人々1万人を呼んで食事を振る舞い、それぞれに牛1000頭を与えた。まさに数の誇張が想像の限界に達しようとしている。与えられた牛の合計1000万頭という数は、アメリカで牛の畜産が盛んだった時代に、テキサス州から北方の終点駅まで運ばれたすべての牛の合計とほぼ同じだ。さらに、東はスマトラ島やバリ島、西はギリシアといった遠い外国からも、人々が王に会いにやってきた。

これほどまでに大きな宮廷やため池であれば、その後数千年は残存する廃墟や跡を残しそうなものだが、そのままはおろか、それより小さな痕跡さえ発見されていない。プラーナ・キラの発掘調査からは紀元前1000年ごろの陶器しか見つかっていない。ホメロスのパイエケスと同じように、ヴィヤーサのインドラプラスタは『マハーバーラタ』以外には存在しない伝説の王国である。インドラプラスタをインドの輝かしい過去の象徴と考える信仰の厚いインド人にとっては、それが存在しないかもしれないという可能性、あるいは少なくともヴィヤーサが描いたとおりには存在しないという可能性は腑に落ちないかもしれないが、年代が何よりの証拠だ。数千年にまたがるこのストーリーは紀元前3102年で終わるが、その時代は文字の誕生より何百年も前である。ゆえに、「物語」は語り伝えによって受け継がれたはずで、物語のなかでもそう述べられている（ただし、描かれている文化は物語が最後に改訂された時代のものである）。したがって、『マハーバーラタ』は美化された過去と、すでに消滅したどころか完全な想像上の時間と場所にしか存在しない王朝の壮大な「物語」である。争っていた一族の古代の系図は、空間と数字におけるけたはずれの誇張とならんで、アショーカ王時代以降のインド人のための巧妙に練り上げられた「力の物語」を形作っているのだ。それでも、信じる人は、インドラプラスタに大宮殿がないのは何世紀にもわたって荒れ果てたからだと理由づけをしてしまう。

歴史を正しく認識していないと、架空の「物語」がその代わりになって人々に満足のいく答えをもたらす。何世紀にもわたる何百万人ものインド人にとってはまさにそうだった。物語にはたくさんの年代錯誤が含まれており、書かれた時代（紀元前２００～後２００頃）の知識がそれより２０００年以上前の過去に投影されている。紀元前４千年紀のバーラタの王が、紀元前２千年紀半ばのミュケナイ文明のころまで存在しなかったギリシアの王をもてなすことは不可能だ。くわえて、ギリシアについての知識が東のインドに到達したのは、アレクサンドロス大王が征服した紀元前４世紀になってからである。また、バーラタの王たちはスマトラ島やバリ島の王たちをもてなすこともできなかった。それらの場所は、共通紀元後の最初の数世紀にインドの文化が東南アジアに広がるまでは未知の場所だったからである。

『マハーバーラタ』の壮大な風景や帝国にひけをとらないのが、インドでもっともよく知られる叙事詩『ラーマーヤナ』に登場する王国である。この物語は人々の心をつかみ、インド文化の要となって、アジア各地にも伝わっている。聖なるガンジス川中流域の支流、ガガラ川沿いにあるウッタル・プラデーシュ州の中央に向かうと、インドのほかの50万の町と大差ない静かなアヨーディヤの町がある。アヨーディヤは、詩人で歌い手のヴァールミーキが作ったされる『ラーマーヤナ』の英雄ラーマの生まれ故郷だといわれている。ヴァールミーキの説明によれば、アヨーディヤは、この輝かしい大都城は長さが十二ヨージャナ、幅は三ヨージャナで、大道は美しく区画されていた。大きな王道は美しく区画されていて、満開の花が満ち、いつも水がまかれて美しく輝いていた。〔中略〕都城のいたる所に女の踊り子の群れが満ちており、場内には遊園地やマンゴー樹の森があり、サーラ樹が帯のように列をなして囲んでいた。都城は、近づき難い深い堀に囲まれ、味方も近づくことができず、敵も攻めることができず、(城内には)馬や象、また牛や駱駝(らくだ)が満ちていた。

アヨーディヤは現存するが、アヨーディヤの宮殿から統治されていたという古代の王国コーサラは歴史的にも考古学的にも存在が証明されていない。叙事詩の都市は、大きさだけを見ても、周囲が約160キロの城壁と堀に囲まれたおよそ1100平方キロメートルという面積が近代都市に匹敵するが、現代のアヨーディヤや周囲の風景を、ヴァールミーキが作り上げた伝説の王国コーサラと結びつけることは不可能だ。それにもかかわらず、人口が1万人あまりの小さな町アヨーディヤには、毎年、人口の50倍もの観光客が訪れる。その数はまさにタージ・マハルの2倍におよぶ。

存在が前提になっている「物語」の原則にしたがって、読者は物語に描写されているものが存在する、あるいはかつて存在していたと考える。今は消えてなくなったがかつては存在していたと思い込むと、現実との比較をしなくなる。『ラーマーヤナ』の「物語」では、アヨーディヤは完璧な社会として描かれている。「男も女もすべての者は徳高く、非常に礼儀正しく、心は晴れやか」だった。これより完璧な社会はほぼ描けない。「アヨーディヤでは、男も女も、誰一人として輝かしくない者はなく、また容姿の美しくない者もなく、また、王を敬愛しない者たちはいなかった」。この完璧な街の中心には完璧な王がいる。「王への助言と王の幸福に献身し、王を敬愛する、老練にして有能な大臣たちに囲まれて、栄光を具えた王は、地上において輝いた」

アヨーディヤ、コーサラ王国、そしてダシャラタ王は完璧だったにもかかわらず、裏切り者が出て、ラーマ王子とその妻シーターは追放されて森での暮らしを余儀なくされる。筋書きは複雑で、その詳しい説明は本書の目的ではない。シーターが森の羅刹王ラーヴァナにさらわれ、彼女を救うためには勇敢な救出作戦と実行が必要だったと述べておけば十分だろう。ラーマはそのために、インド南西部沖のランカー島にあるもうひとつのすばらしい帝国へ向かう。ランカーへの侵入は猿神ハヌマト（ハヌマーンとも）と猿の戦士団に助けられる。その話は第5巻の優美の巻（スンダラカンダ）にあり、学者で詩人のスリニヴァサ・アイアンガーが『美しい叙事詩 *The Epic Beautiful*』（1983）と題して英語の詩に直している。ランカーもまた架空の王国で、コーサラよりもなお美しく堂々としたたたずまいの宮殿があった。『ラーマーヤナ』でこの上なく美しいと描写されているのは、アショーカの影響でにわかに活気づいた仏教文化の影響を受けたのかもしれない。けれども、ランカーの描写と大きさもまた、それが、これまでスリランカ島に存在したいかなるものをも超える伝説の帝国であることを物語っている。

ランカー王国を初めて訪れたハヌマトが目にしたものは「黄金の城壁をめぐらし、美しく大きなもので〔中略〕聖なる黄金造りの塔門」がある都城だった。その後も同じように美化された言葉で、完璧な風景が描かれている。けれども、その美しさの下には邪悪さが隠されている。ハヌマトはランカーを女性に見立てる。「宝石（の城塞）を衣服として身にまとい、牛舎と家を花輪とし、（城壁に備えた）投石器をもつ小塔をふくよかな胸として、飾りたてた淑女のようであった」

ハヌマトがそれを避けて街に入ると、巨大な城壁を持つ要塞は10万の兵で守られていた。天界の建築家で芸術の神ヴィシュヴァカルマンが造った街はすばらしく、マヤがインドラプラスタに立てたアルジュナの宮殿を思わせる。だが、たくさんのイメージが邪悪な場所であることを告げている。「あたかも湖が、息づかいの荒い蛇によって美しく見えるように」と、淫らな衝動をかき立てる。どこに目を向けても見えるのは「上品な婦人〔中略〕眠っている女〔中略〕笑っている美しい顔の女」である。ハヌマトが先へ進むと、見えてきた「威徳に輝くラーヴァナの大宮殿は〔中略〕すばらしい宝石をちりばめてあった」が、ここでもその美しさは別の意味にもとれる。「鰐や鮫に満ち、海の怪魚、魚に満ち、蛇に満ちて、激しい風のために波のうねる海のようであった」。それでも美しさが支配する、そこでは「宝石をちりばめたさまざまな形の階段があり、黄金の格子窓が輝き、水晶で作ったテラスがあり、象牙、真珠、ダイヤモンド、珊瑚、銀、黄金で作った彫像がはめこまれていた」。宮殿全体がコーサラよりもはるかに豪華だ。

捜索を続けたハヌマトは、眠っている女たちがいるラーヴァナのハレムを発見する。彼女たちはみなこの上なく美しいが、邪悪な存在がまどろんでいることが示唆される。彼女たちは「酒と眠りの力にまかされて」、花の冠は乱れ、宝石は散らばり、衣服は汚れ、首飾りがずり落ち、着衣の一部がすべり落ちていた。「女性たちは、お互いの腿、脇、腰、背にもたれて、お互いに体を横たえて眠っていた。〔中略〕お互いの体に触れ合って心地よくなり、みな腕を一つにつないで、そこにぐっすり眠っていた」。ソロモン王にも見られたように、妻や妾といった女たちの巨大ハレムは帝国規模に達したすばらしい王国に共通する特徴で、王国内の下々の民に豪華さ、特権、力を見せつけるためのものである。

ランカーの広さは書かれていないが、城壁、堀、柱、中庭、展望からは、ラーヴァナの宮殿がスリランカのほとんど、ことによっては全体に広がっていたことが示唆される。叙事詩の豊かな描写に照らせば、ほかの古代帝国にまさる大きさだ。実際のスリランカにそのような王国の形跡はない。廃墟もなく、果てしなく広がるラーヴァナの宮殿らしき痕跡もない。神話、伝説、叙事詩などの文学として現代に伝わる古代の王国や帝国は誇張されているのが普通であるとはいえ、ラーヴァナの宮殿の大きさほど誇張されていることはあまりない。ホメロスが描いたパイエケスはなかなかの大きさだが、ラーヴァナのものと比べると見劣りする。ウェルギリウスの『アエネーイス』に登場する女王ディードのカルタゴは地形的に限界があった。ヴァールミーキのランカー王国はどれよりも大きく、まったくの想像上の空間に広がっている。

『ラーマーヤナ』の最終巻のできごとでは、巨大化とありえない時代設定が絡み合っている。救出の助太刀をするのは猿王に導かれた動物たちで、それらが橋を越えてなだれ込むが、ラーヴァナの密偵によればその数は数えきれないほど多い。しかしながら、きわめつきは、国を守るラーヴァナの軍の3億2000万人という戦士の数である。これは現在のスリランカの人口である

２０００万人の何倍も多い。『ラーマーヤナ』では本土からランカー島へ橋がかけられるが、初日に約68キロ、２日目に約97キロ、３日目に約１０１キロ、４日目に約１０６キロ、５日目に約１１１キロが完成する。それほどの数字であるにもかかわらず、救出部隊が勝利し、ラーマは伝説の戦いでラーヴァナを破り、シーターは助け出される。

『マハーバーラタ』同様、『ラーマーヤナ』の「物語」の舞台は太古の昔で、すべての歴史より古い。ヴァールミーキはそれを歴史の２番目の時期であるドヴァーパラ・ユガ、すなわち１００万年以上前に設定している。ダシャラタ王はこのユガに匹敵する長い生涯を送り、６０００年ものあいだアヨーディヤを治めた。このように太古の昔に舞台を置けば時間はたっぷりある。ラーマはシーターを救出してから１万年も支配した。伝説の帝国がこれほどまで太古の昔に置かれ、とてつもなく長く続いている光景は、世界のほかの文学には見られない。ここまで遠くなると歴史に問うことができなくなり、アヨーディヤとランカーに愛着を感じるインドの人々は、どちらの痕跡も消えてしまったのだと納得する。そうして、想像上の人物、できごと、背景が、インド文明の力の物語となる強大な歴史的過去を作り上げる。

サミュエル・テイラー・コールリッジは、「あえて疑問を抱かない」という考え方を用いてフィクションを理解する方法を提示している。想像上の場所は、証拠がないにもかかわらず信じる人を魅了する。ハスティナープラやインドラプラスタはたいそう小さな街で、広域の世界地図には載っていない。それでも、ウィリアム・バックが英訳した『マハーバーラタ』の冒頭にある10センチ四方のインドの地図には、ハスティナープラとインドラプラスタがはっきりと記されている。

そうした地図は古代の叙事詩にはつきもので、『オデュッセイア』や『アエネーイス』にもある。特定の場所との感情的な結びつきや存在するに違いないと信じる気持ちを支える客観的相関物となる地図は、図を利用する特殊な表現手法だ。「物語」の空間は地理的な空間によく似ている。オデュッセウスが地中海のよく知られた海域を横切るのと同じように、『ラーマーヤナ』の救出ルートはインドにそっくりな場所を通る。それぞれの場所や通った道がわかる地図がついていれば、なおのこと類似点が強調される。プルショタマ・ラル訳の『マハーバーラタ』では口絵にインドの地図があり、『マハーバーラタ』と『ラーマーヤナ』に登場する場所が示されている。ウィリアム・バック訳も同じだ。ジョナ・ブランクの旅行記は『ラーマーヤナ』のルートをたどってインドを旅するもので、口絵の地図では現実と「物語」の空間の境界があいまいになっており、ハスティナープラ、インドラプラスタ、アヨーディヤ、ダンダカの森、そしてランカー王国に地理的な場所が与えられている。インドの読者だけでなく文化的な部外者にとっても、「物語」を実際の地理と区別したり、J・A・B・ヴァン・ブイテネン訳の『マハーバーラタ』にあるような系図がまったく架空のものだと見極めることは難しい。「物語」は理性と熟考を妨げる。読者は「物語」の誇張、時間的な拡大、巨大化を神秘の力や奇跡の証拠として受け入れてしまう。たいていは、現代に近づくにつれて、寿命、体格、社会の状況が次第に一般的な大きさになる。「力の物語」にはそのような例があふれている。

『マハーバーラタ』にはたくさんの逸話や文学作品内のできごとが集められているが、『ラーマーヤナ』は伝説の帝国を生かし続けるという点で「物語」のなかでは群を抜いて成功している。

『ラーマーヤナ』の複数のバージョンがさまざまな形で広がっており、その影響力を推し量ることは不可能だ。V・M・クルカルニは、「ラーマの栄光と偉大さ」を証明する4〜7世紀のジャイナ教の文学15作品を列挙している。ウマシャンカル・ジョシは、のちのたくさんの詩や物語とともに14〜16世紀にグジャラート語で書かれたラーマの物語の6作品を一覧にしている。12世紀までには、タミル人作家のカンバンが、サンスクリット語の原典をインド南部でもっとも幅広く使われている言語に翻訳した。R・ナガスワミは著書『ラーマーヴァターラ *The Ramavatara*』で「カンバンはタミルのほかの偉大なる詩人たちをみな霞ませてしまった」と述べている。現在それは、トルパヴァクートゥといわれる影絵劇の原作として、インド南部の影絵シアターで上演されているほか、東南アジア各地にも広がっている。

ラーマの物語と伝説の帝国は、共通紀元後の初期にヒンドゥー教が広まったのに合わせて東南アジアに広がった。古代ビルマの都市パガンにあるラーマについての11世紀の石彫りがその影響力を物語っている。ビルマ文学には『ラーマーヤナ』の9つの翻訳版がある。散文形式が3つ、韻文形式が3つ、戯曲形式が3つだ。イギリスの植民地だった18〜19世紀には、ビルマの王宮で定期的に上演されていた。

タイでは、クメール王朝時代の1108年のものと思われる、北東部のピマーイ寺院の石に『ラーマーヤナ』の場面が刻まれている。ほとんどはラーマとラーヴァナの戦いに焦点が当てられている。一方、シーターの誘拐はパノムルンの塔堂に彫ってあったが、今はない。物語がよく知られていたことは、スコタイの3代目の王(在位1279〜98)の名がラームカムヘーン、つまり勇敢なるラーマであることからもよくわかる。

ヒンドゥー教とラーマのストーリーは、ラーマ王の王国の首都を象徴するかのようにアユタヤと名づけられた、2番目に大きなタイ王国の都市の発展とともに重要視されるようになったようである。アユタヤを築いた初代の王はラーマティボディと呼ばれ、18世紀からは『ラーマーヤナ』が象徴として再現されるようになった。タイの王たちはまずはアユタヤ、ついでバンコクに伝説の王国の象徴を再現した。現在もバンコクで続けられている戴冠式では、王は神の王（デーヴァ・ラージャ）となり、ヴィシュヌ神の化身であるラーマであると認められる。タイの国王はみなラーマと呼ばれ、定期的に行われる公務のひとつは、『ラーマーヤナ』の再現と新しい上演の後援だ。サラパドヌケが示しているように、韻文形式で2976ページにのぼる最初のタイ版『ラーマキエン』は、国王ラーマ1世（在位1782～1809）が完成させたといわれている。サラパドヌケはまた、ラーマ2世（在位1809～24）の時代に誕生した短いバージョン、ラーマ4世（在位1851～68）時代の韻文形式の第3版、ラーマ6世（在位1910～25）の時代に作られた会話形式のものについても、それらがもたらした影響を調査している。文学作品である『ラーマキエン』の知名度は、みごとな芸術の伝統によっても高められている。アユタヤ王朝時代（1409～1767）には、152枚からなる一連の『ラーマキエン』のレリーフで「物語」の主要なエピソードが再現された。それらは19世紀の寺院修復時に、バンコクで最古の寺院のひとつ、ワット・プラチェトゥポンに移設されている。『ラーマーヤナ』の芸術作品はもうひとつ、ワット・プラケオ（エメラルド寺院）の壁画にもある。『ラーマキエン』はまた、王朝、文学、彫刻、壁画の描写とならんで、棒につけた登場人物を動かして背後から光を当て白い幕に映し出す、ナンヤイと呼ばれる影絵芝居でも頻繁に上演されている。ナンヤイで用いられる人形は、動物の革に巧みに描かれ、器用に打ち出されて美しく色づけされた、すばらしい芸術作品だ。もうひとつ、コーンと呼ばれる仮面舞踏劇でもラーマのストーリーが取り上げられているが、役者がつける仮面と衣装が登場人物ごとに異なっていて、１００種類にのぼることもしばしばである。ナンヤイの人形のすばらしい輪郭と透けて見える装飾パターンはほかの芸術にも影響を与えた。J・M・カデットが英訳した『ラーマキエン』の挿絵には、ワット・プラチェトゥポンのレリーフを写しとった絵が使われている。それらは影響力の大きさを示すとともに、太古の昔の伝説の王国にふさわしい夢のようなシルエットで表される登場人物の姿をうまくとらえている。

　世界最大のヒンドゥー教寺院であるカンボジア、アンコール・ワットの回廊西面北翼では、50メートルもあるバスレリーフにラーマの最後の戦いのようすが描かれている。そこでは、複数の頭を持ち、腕が20本あるラーヴァナが、それぞれの手に燃えさかる松明（たいまつ）を持って、爬虫類のうろこを持つ恐ろしい軍馬のようなものが引く二輪戦車に乗っている。ラーマの伝説の王国はラオスにも伝わり、ふたつの文学作品とワット・パケ寺院の壁画として残っている。マレーシアには、『ヒカヤトセリラーマ *Hikayat Seri Rama*』と革の人形影絵芝居（ワヤン・クリット）として、モンゴルにはさまざまな物語として、そして日本には12世紀の平康頼（たいらのやすより）の仏教説話集『宝物集』として伝わっている。これらはみな、ヒンドゥー教の東南アジアへの拡大と、チベットを通して東アジアに広がった大乗仏教の一部として伝わったものである。インドからインドネシアまで、英語を学ぶアジアの学生向けに『ラーマーヤナ』の要約版も作られている。

タイのラーマ王に次いで大きな影響を受けたのはジャワ島とバリ島で、そこでは『ラーマーヤナ』の伝説の王国が寺院、文学、彫刻、芝居、舞踏、舞踏劇に足跡を残している。古いジャワ島のバージョンである『ラーマーヤナ・カカウィン *Ramayana-kakawin*』は、9世紀末から10世紀初めごろの作品だと考えられており、10世紀には早くもジャワ島の宮廷で演じられていた。ジャワ島のものはワヤンと呼ばれる劇として上演され、切り抜かれた革の人形を使う影絵人形芝居のワヤン・クリや、印象的な姿とデザインの木製棒人形のワヤン・ゴレがある。ワヤン・ゴレでおもに演じられるのは『マハーバーラタ』と『ラーマーヤナ』だ。頭が向きを変え、腕は動くけれども口は動かないところが、登場人物に堂々とした王族のオーラを与えている。人形は人物ごとの顔と伝統的な頭飾り、そして蠟染めの衣装でそれがだれだかわかるようになっている。

ラーマのストーリーがもっとも明確に示されているのは、8～9世紀のヒンドゥー教のサンジャヤ王朝の時代に建てられた、ジャワ島中部のプランバナン寺院群である。85の寺院群のほとんどは廃墟になっているが、チャンディ・ブラフマー、チャンディ・シヴァ、チャンディ・ヴィシュヌの3つの主要な寺院は損なわれていない。『ラーマーヤナ』はチャンディ・シヴァの41枚のレリーフに描かれ、チャンディ・ブラフマーの30枚に続いている。これらの寺院はインドのヒンドゥー教寺院のデザインをまねたものである。そびえ立つ巨大な山のような姿で、外壁に可能なかぎりの彫刻が施された寺院は、アジアでもっとも魅惑的な芝居の背景にふさわしい。月に4回、『ラーマーヤナ』舞踏劇が夜の野外で上演され、踊り、芝居、オーケストラの音楽が一体になって、アジア最大の伝説の王国物語が再現される。1961年から満月のたびに繰り広げられているこの舞踏劇の芸術と文化のすばらしさを言葉で伝えることは難しい。このヒンドゥー教の舞踏劇が、イスラム教を国教とするインドネシアで演じられていることに、古代王国の「物語」の力がなおのこと強く感じられる。この舞踏劇の舞台背景になるようにと、ヒンドゥー教のプランバナン寺院群に巨大な石造の舞台を作るよう命じたのは、インドネシアの初代大統領スカルノだった。「壮大なインドネシアの伝統舞踏劇」として、この舞踏劇は1994年と2011年に賞を受けているが、2012年には、71か国から180の応募があった太平洋アジア観光協会の賞で、出演者の数が最大でもっとも長期にわたって上演されているものとして金賞を受賞した。プランバナンの上演がたいそう成功したために、ジョクジャカルタとスラカルタでもラーマーヤナ舞踏劇が上演されるようになっている。

この舞踏劇、ワヤン・クリ、ヒンドゥー教寺院の彫刻、あるいは『ラーマーヤナ』の叙事詩そのものがかもし出す雰囲気は、その場を枠で囲むように「物語」の世界を作り、しばらくのあいだ外界を切り離して、枠のなかだけで完結するような異なる現実を生み、たんなる事実よりも演じられているものごとのほうが重要で、伝説の世界は長く続いているのだと見る人を錯覚させる。ヨーロッパに受け継がれている古典を読む人はめったにいない。何か国にもまたがる『ラーマーヤナ』の影響の大きさに匹敵するものはほかにない。アユタヤにあったシャム人の古代王国、ひいてはラーマの伝説のアヨーディヤに由来するタイ国王の戴冠式は、現代文明の装いの下に古代の「物語」の力がまだ見えていることの証だ。物語が持つ文化の力は2000年ものあいだ途絶えることなく、多くの言葉、政治的な模倣、レリーフの模様、さまざまな舞台芸術に影響を与え続けている。南アジア、東南アジア、東アジアの文化では、『マハーバーラタ』と『ラーマーヤナ』から生まれた王国の物語が現代を支配しているのである。

＊　本節では『新訳　ラーマーヤナ』（中村了昭訳）より訳文を引用した。

伝説のローマ建国

1万2000年前ごろに中東の肥沃な三日月地帯で始まった遊牧から定住生活への変化がヨーロッパ南部で起きたのは、それから何世紀も経ってからだった。それでも、イタリア北中部、ヴァル・カモニカにある数千の岩絵を含む物質文化から見て、紀元前5千年紀ごろまでには農耕定住生活にもとづく高度に発展した暮らしをしていたようである。そのころまでに、パラティーノやエスクイリーノの丘に、やがてローマとなるいくつかの初期の集落ができあがっていた。紀元前1世紀には、ローマは、イングランド北方の境界からアフガニスタンの高地まで不規則に広がる帝国に発展していた。ローマ誕生の神話と伝説は、初代皇帝アウグストゥス（在位紀元前27～後14）が長く続いた紛争、とりわけカルタゴを拠点とする北アフリカの勢力との戦いを制し、パクス・ロマーナ（ローマ支配による平和）を実現してから急増した文献によって、何世紀にもわたって語り継がれてきた。ローマの勝利は古代に起源を持つ建国のストーリーで説明されている。帝国はまもなく、栄光に満ちた時代として知られていた最古の時期、すなわちホメロスの『イリアス』と『オデュッセイア』によって不滅の存在と化したトロイアの時代に起源を持つと考えられるようになった。けれども、完璧な姿で描かれるローマの伝説は作り話で、英雄たちは架空の人物で、歴史は証拠がほとんどない「物語（ナラティブ）」の寄せ集めである。ローマの伝説の起源となる作品を作り上げたのは、歴史学者リウィウス（紀元前59～後17）、詩人のウェルギリウス（紀元前70～19）とオウィディウス（紀元前43～後17）だった。彼らの作品は今なお、古典期で最高の文学作品である。

紀元前１世紀までに、ローマという名のもとになった伝説のロムルスはすでに知られ、何世紀ものあいだ崇拝されていた。物語によれば、ふたごのロムルスとレムスは戦神マルスと人間の女性のあいだに生まれ、捨てられて、野生動物に育てられた。ローマの建国は昔から紀元前７５３年とされているが、その伝説の由来はわからない。もっとも、紀元前５世紀ごろのものと思われる青銅の「カピトリヌスの雌狼」像にそれが象徴されている。最古の記録は建国とされる時代から４００年以上もあとの、紀元前４世紀の終わりから紀元前３世紀のものしか存在しない。紀元前２６９年のものと思われるローマ共和国の最古の硬貨のひとつには、ふたごが雌狼の乳を吸っている姿が描かれている。伝説全体は複雑だが、「力の物語（ナラティブ・オブ・パワー）」として重要な要素がひとつある。それは、人間の女性と神マルスが結ばれた結果生まれたのが、ローマ皇帝だということだ。つまり、ロムルスは半分神の血を引いているのである。ただし、リウィウスはのちに、ロムルスがつむじ風に乗って天へ昇っていく伝説を記して、彼を完全な神に仕立て上げている。こうした種々の伝説はギリシアの伝説の王ミノス、アキレウス、ダルダノス、ペルセウス、テセウスに見られるような、神々を祖先とする典型例を受け継いでいる。

同様によく知られている物語は、ローマの起源を、トロイア戦争から逃げ延びてきたアエネーアスが築いたといわれる古代都市ラティウムにたどるものである。これはウェルギリウスが『アエネーイス』（紀元前19）で創作した話のようだが、さまざまな考古学的発見からは、アエネーアスの伝説は紀元前6世紀までに、ローマ人がトゥスキと呼んだエトルリア人のあいだに広まっていたことがわかる。つまり、紀元前12世紀ごろの小アジアの戦争にまでさかのぼる伝説が、驚くことにイタリアまで到達していたことになる。イタリア北中部にあるヴィラノーヴァの発掘調査（1853〜55）では、ギリシア人の手で燃やされたトロイアから父アンキセスを運び出すアエネーアスの像が出土している。これは、現在ヴィラノーヴァ人として知られるローマより前の文化が、ギリシアの商人によってエトルリアの港に持ち込まれた、古代ギリシアやフェニキアの影響を受けていた証拠である。同じ伝説にまつわる粘土の小さな立像が、ローマ神話のケネス、ギリシア神話のデメテルにあたるエトルリアの女神ヴェイを祀るカンペッティの神殿で発見されている。R・M・オーグルヴィーが述べているように、これは紀元前6世紀後半のエトルリア人が好んで描写していた伝説だった。ピーター・マウントフォードは、少なくとも70個のアエネーアスとアンキセスの話が描かれた花びんをイタリアで発見しており、うち17個はエトルリア南部のものだ。その影響の大きさは、トロイア戦争の架空の原因である「パリスの審判」が描かれた90個を超える花びんからもよくわかる。アエネーアスとアンキセスの伝説を含むエトルリア文化は、共和政時代初期にエトルリア族に占領されたローマ周辺の地域にも流れ込んだ。

トロイアの王子アエネーアスがイタリアに逃げたという伝説は、昔のギリシアの歴史学者が考え出したものだが、移り住んだのはアエネーアスだけではなかった。トロイアの王プリアムスに助言をしていたアンテノールもまた、トロイアの破壊から逃れてイタリアの東海岸で暮らすようになったといわれている。伝説がどのように始まったのかは正確にはわからないが、どちらも『イリアス』や『オデュッセイア』には登場しない。アンテノールの伝説はそれ以上続かなかったが、アエネーアスの伝説は次第に、ローマ建国の起源の物語を示すもうひとつの形として作られていった。ホメロス風の「アフロディテ賛歌」では、アエネーアスを人間のアンキセスと女神アフロディテの子どもとする伝説が生まれ、ローマ皇帝が神の血を引くことを示す証拠になった。ローマ皇帝が、紀元前1183年に陥落したといわれるトロイアの王家の血を引いていることも、同じくらい重要だった。トロイアが古典期末に滅びたことで、これらの伝説は歴史的ミステリーというオーラをまとうようになり、考古学的な事実に妨げられることなく想像力豊かに描写されていた。すでに何世紀も経っていたということは、トロイアについての正確な情報はまったく残っていなかったに等しい。トロイア滅亡から900年以上経った紀元前200年ごろ、ローマは初めて、Q・ファビウス・ピクトルによってトロイアと関連づけられたが、驚くまでもなく、彼の歴史は借りてきた神話と伝説にあふれていた。リウィウスより前に歴史を記した作家は何人もいて、142冊の本があり、リウィウスの作品はおもに彼らが集めた話を語りなおしたものである。そうすることで、リウィウスは700年にわたるローマの過去をある程度操れるようになった。リウィウスの作品の4分の3は失われてしまったが、『ローマ建国史』の最初の5冊は残っている。それらは表向きは紀元前753〜386年の時期を扱っているが、リウィウスはトロイアの王家の血統を示す神話のような400年分の序文をつけくわえている。こうして、帝国とその支配者に権威、権力、そして名声を授ける、ローマ帝国の創作の歴史が誕生した。

意味深い言葉が冒頭にある。リウィウスはローマ人を「世界に冠たるローマ国民」と呼び、最古の歴史は信頼できる歴史的真実というより「詩的な潤色の施された物語」だと述べている。驚くほど正直に認めているが、自分は「すべて受け入れるつもりも、すべて切り捨てるつもりもない」とつけくわえている。彼の次の一文には、帝国の「力の物語」を作り上げていることが明らかに認められている。「古い昔のこととなれば、人間の物語と神々の物語を結びつけ、国家の起源をより荘厳にすることも許されているといえるだろう」。文中のラテン語、アウグスティオラ(荘厳)は、リウィウスがまもなく初代皇帝に与える称号の前ぶれだ。リウィウスはさらに、世界の民族のなかでもローマ人は「自らの始原を神聖化し、創始者を神々とみなすことが許される」と続けている。彼は、たとえ事実でなくとも、権力者は神々が祖先だと主張しても「許される」と考えていたように見える。

リウィウスは、アンテノールとアエネーアスがラティウムにたどりつくまでの比較的平穏な旅で、アドリア海北部の集落について記している。トロイアからイタリアへのアエネーアスの旅について語るなかで、彼はさりげなくアエネーアスは「アンキセスとウェヌスの間に生まれた」子だと述べ、人間と女神を親に持つ半神半人とみなしてよいことを告げているが、それ以外は何も書いていない。彼はいたって普通に、イタリアの先住民族に対するアエネーアスの態度、現地の王女ラウィニアとの結婚、息子のアスカニウスによるアルバ・ロンガ建国について詳述している。

「詩のような伝説」にはこだわらないとしながらも、リウィウスは次に（一段落を使って）途切れることなく、トロイアの陥落からローマ建国までの（紀元前1183〜753）祖先の名を連ねて、のちのヨーロッパの文学と文化に多大な影響を与えることになった「力の物語」の系図を示している。

アエネアス〔アエネーアス〕〔中略〕アスカニウス〔中略〕シルウィウス〔中略〕ラティヌス・シルウィウス〔中略〕アルバ〔中略〕アテュス〔中略〕カピュス〔中略〕カペトゥス〔中略〕ティベリヌス〔中略〕アグリッパ〔中略〕ロムルス・シルウィウス〔中略〕アウェンティヌス〔中略〕プロカ〔中略〕アムリウス〔中略〕レア・シルウィア〔彼の姪、神マルスに犯された〕〔中略〕ロムルス

このなかにはさまざまな名称のもとになった名がいくつか含まれている。ラティヌスはローマ周辺の地区、ティベリヌスはテベレ川（彼はそこで溺れ死んだ）、アウェンティヌスはローマ七丘のひとつであるアヴェンティーノの丘、そしてもちろんロムルスはローマである。リウィウスが頼った資料がこの系図を裏づけているかどうかはもはや確認できないが、ほとんどの歴史学者はリウィウスにならって、「肯定も否定もしない」態度を取りそうだ。これらの人物が実在したかどうかは、シュメール王名表や王朝より前の時代のヘブライ人の系図と同じくらい疑わしい。起源を太古の昔に置き、神々の血を引くことで、王国や帝国は、神々に定められた運命であることを

示す権威と権力の物語を正当化することができる。リウィウスはそれをよく知っていた。神性が広く疑われるようになったロムルスが急死する場面にそれが表れている。時代の流れを感じ取ったプロクルスは、大衆に説明するための戦略を練った。

都ローマの父なるロムルスが今朝早く天から舞い降りてきて、不意に私の前に姿を現わした。私は驚き、畏れ、立ちつくしたが、尊顔を拝することが不敬とならぬよう願うと、ロムルスはこう言ったのである。「行って、ローマ人に伝えよ。天上の神々の望みは、わがローマが世界のかしらになることである。戦争のわざを育み、会得し、子孫に教え伝え、ローマ軍には人間のいかなる力も対抗できぬようにせよ」

そしてプロクルスは「ロムルスは天に昇っていった」と締めくくった。

リウィウスの「戦略」という言葉からは、ロムルスの亡霊はプロクルスが作り上げた政治的に都合のよいストーリーであるとわかる。そこでは、ホメロスの叙事詩に登場するアポロン、テティス、アテナのような神々の降臨と昇天という古代の神話が繰り返されている。けれども、ローマの未来の繁栄を語るロムルスの予言は、もしかするとリウィウスが作り上げたいくつもの戦略のうちのひとつではないかと思わずにはいられない。あまり価値がないと前置きしたうえで、リウィウスの時代がすばらしい発展を遂げると告げているのではないか。

アエネーアスの「この世の最後の仕事」についてリウィウスは、「人間の掟（おきて）、神々の掟において彼をどのように呼ぶべきであるかはともかく」としたうえで、アエネーアスが「ヌミクス河のほとり」に「産土（うぶすな）のユッピテル」、つまり神々の王で天の支配者を語る者として埋葬されたと記している。ロムルスとレムスの血筋の問題が浮かび上がると、リウィウスは「ウェスタの巫女が無理やり犯されて双子の男の子を生んだとき、彼女は本当にそう信じたのか、あるいは神をこの罪の張本人としたほうが聞こえがよいと思ったのか、ともかく、この素性の知れぬ子らの父親はマルス神だと告げた」と記している。リウィウスは「告げた」という動詞を用いることで、ローマの神聖な建国の父ロムルスの古い伝説を維持しながらも、自分は肯定も否定もしないという立場を取れるようにしている。

伝説と事実かもしれないできごととのあいだのリウィウスの慎重な舵取りは学者たちに自信を与えるかもしれない。現在の歴史学者もやはり、伝説を記録しつつ真偽のほどについては口をつぐむよりほかないからだ。あるいは、リウィウスは、古い文献を部分的に引用した自分の作り話から読者の注意をそらそうとしたのかもしれない。ロムルスとレムス、そして7つの丘を持つ都市ローマ建国の「物語」は『オデュッセイア』から拝借した可能性があるためだ。冥府に下ったオデュッセウスは人間の女性アンティオペに会う。彼女はゼウスと寝て、アンピオンとゼトスというふたごを産み、彼らが「七つの門のテベ（テーバイ）の町を初めて築き、これに城壁を繞（めぐ）らせた」（松平千秋訳）。オーグルヴィーが述べているように、「ローマの初期の歴史にはギリシアに起源がないものは事実上ほとんどない」うえ、たとえ若干の事実が根底にあるのだとしても「リウィウスの物語の血となり肉となる部分のほとんどはフィクション」である。オーグルヴィーは、

「歴史学者の仕事はフィクションを事実から切り離し〔中略〕物語を再構築することだ」と断言しているが、人々の関心は伝説と、その詩のような「物語」の芸術的な表現にある。

リウィウスが紀元前24年に最初の5冊を出したとき、ウェルギリウスが10年以上かけて書き上げた大作『アエネーイス』に取りかかってからすでに数年経っていた。『アエネーイス』は、ローマの建国、数世紀争ったのちのアクティウム海戦（紀元前31）で勝利したオクタウィアヌスが確立したパクス・ロマーナ、そして、やがて尊厳者（アウグストゥス）の称号を得て神格化される皇帝オクタウィアヌスその人を賛美する意欲的な作品だった。執筆中、ウェルギリウスは長い「物語」を書き続けながら、その合間に、ラテン語の詩に求められる厳格な韻律だけでなく、自身に課した基準に照らして一句一句を丹念に磨き上げた。紀元前19年の死の直前、彼はその未完成の叙事詩の破棄を命じた。だが、原稿は捨てられることなく保存された。ウェルギリウスが何を未完と考えたのかを知る術はもはやない。主題から考えれば作品はほぼ完成しており、1000年にわたるローマ帝国で最高の文学作品ともいえる。ひと言でいうなら、ウェルギリウスは想像豊かに、燃えるトロイアからのアエネーアスの脱出、海を渡る彼の長い冒険と苦難、ラティウムへの到達、先住民族とその戦士でありたり長でもあるトゥルヌスの討伐、ラウィニアとの結婚、息子が達成した、4世紀後にローマとなるアルバ・ロンガの建国を再現している。

『アエネーイス』はローマの伝説の起源にまつわる最高傑作である。その中心にあるのは、文明の破壊、トロイアの王家の生き残り、新たな土地における文明の再建の「物語」だ。もしかすると、この影響力の大きいストーリーの存在によって、すでに述べたエトルリア人のものといわれている数多くの絵や彫像の存在を説明できるかもしれない。リウィウスはアエネーアスがウェヌス（アフロディテ）の息子だと平然と述べた。そしてウェルギリウスはその神聖な出自を数多くのドラマティックな逸話を通して飾り立てた。ウェヌスはユッピテルを訪れて、息子の安全を懇願した。トロイア人がカルタゴに上陸すると、彼女は息子アモルを連れて女王ディードをそそのかす。アエネーアスがトロイアの略奪とそれまでの放浪（2〜3巻）について語るうちに、ディードは「目に見えぬ炎に包まれ」、恋を煩い、情熱にのみ込まれた。やがて、ディードがアエネーアスを狩りに連れ出しているあいだに、結婚の女神ユーノが「嵐」を起こしてふたりを洞窟へと追い立てる。そこで地の神とユーノが「婚儀」のお膳立てをし、ディードはそれを「結婚」と呼ぶ。ユッピテルの介入によってアエネーアスが自分の使命を思い出してからは、まさに『イリアス』でアフロディテ（ウェヌス）がメネラオスと戦うパリスの守護者だったように、ウェヌスは彼を守り続ける。『イリアス』におけるアキレウスの母、女神テティスの存在と同じように、ウェヌスによってアエネーアスの神聖な血筋が強調されている。

ウェルギリウスによるカルタゴの女王ディードの描写は、古典文学のなかで最高の人物描写のひとつであり、ことによっては、ホメロスのパリスとヘレネ、オデュッセウスとペネロペイアの話にまさる、もっとも記憶に残る恋愛関係かもしれない。アエネーアスとディードの物語はまた、アエネーアスが情欲を振り切って、女王を残して立ち去り、帝国を築くという自分の使命をまっとうしようとする点において、悲劇に終わったマルクス・アントニウスとクレオパトラの恋愛に暗に触れてもいる。クレオパトラ同様、ディードもドラマティックな自殺にいたる。

系図の「物語」として並行して描かれているのが、トロイアの王女クレウサとのアエネーアスの最初の結婚と、息子のアスカニウスである。リウィウスは『ローマ建国史』でアスカニウスの血筋を明確にしていない。リウィウスはまず、アエネーアスがイタリアに築いた街について、彼が「妻の名をとって、その町をラティニウムと名付けた」と書き、次いで、子どもについては「新婚の二人から跡継ぎの男子も生まれ、両親はこの子にアスカニウスという名前を与えた」と言及している。それでいて、そのすぐあとで、「この息子がアスカニウスなのか」「このような古いことを確実なこととして断定することがだれにできるだろうか」と疑問を口にしている。そして、アスカニウスは「イリオン［イーリウム、つまりトロイア］陥落の前にクレウサを母として生まれ、父の亡命の友となり、ユリウス家の人々がユルス［イーウルス］と呼んで自らの始祖と見なす兄の方と同一人物」である可能性もあるとあれこれ推測している。リウィウスによれば、確実なのは「アエネアス［アエネーアス］の息子である」ということだけだ。しかしながら、ウェルギリウスは、イーウルスという偽名を使っていたアスカニウスは、ラウィニアではなくクレウサの子で、女神ウェヌスだけでなくトロイアの王女の血も引いていると述べて、この疑問をあっさり解決している(なぜ断言できるのかは別として)。古代の伝説に対するリウィウスのあいまいさは、ウェルギリウスの確かな「物語」で作り直された。こうして、イーリウムの王家の子孫であるイーウルスは、ロムルスの母であり、神マルスに犯されたウェスタの処女イリア（リウィウスは名前を記していない）の名のもとになっただけでなく、遠く離れた子孫であるユリウス・カエサルと、ローマ皇帝の最初の王朝を築くことになる権力者ユリアヌス家の名祖にもなった。ウェルギリウスは、リウィウスが含めていた中間の王たちをすべて除いて、代わりに詩のような類似性を持つイーリウム、イーウルス、イリア、ユリウス、ユリアヌスを取り上げて、彼が執筆していた時代のローマ皇帝オクタウィアヌス・アウグストゥスの王家と神々の血筋を創作した。片親が神という点で、アエネーアスはギルガメシュ、クリシュナ、ラーマ、アキレウスと同じパターンに収められている。

しかしながら、ウェルギリウスには、要点を的確にとらえて「物語」を想像する才能があった。ホメロスの『イリアス』と『オデュッセイア』を土台に、またローマのエリートたちのあいだでその話がよく知られていたことを踏まえて、ウェルギリウスは、ホメロスのふたつの叙事詩のすばらしいところをつなぎあわせ、それらにまさるとも劣らぬローマ建国物語の再構築に乗り出した。『オデュッセイア』の複数のテーマのうち、何よりも重要なのはイタケの王国に対するオデュッセウスの忠誠心だと、ウェルギリウスは考えた。海の精カリュプソ、魔女キルケ、王女ナウシカアの愛の誘惑は、彼の忠誠心を脅かす最大の危機である。リウィウスは、トロイアからイタリアへのアエネーアスの旅路を一文で書き表していた。ウェルギリウスは『アエネーイス』で同じ旅を再現するために6巻を割り当て、イタリアに上陸するまでに遭遇する、巨人キュクロプス、美しい歌声で船員を惑わせ船を難破させるセイレン、海の怪物スキュラやカリュブディス、キルケやカリュプソの住処、そしてナウシカアのいるパイエケス王国といった、オデュッセウスが経験したものと同じ障壁にアエネーアスを立ち向かわせた。ギリシア伝説の偉大なる冒険家でもっとも尊敬されている王に、ローマ人の祖先の英雄を重ね合わせたのである。

ウェルギリウスが書き上げたものは、みごとな想像上の「物語」である。なぜなら、ローマ人の祖先として美化されているトロイア人は、ギリシア人、正確には木馬を用いる策を考え出した「知略に長けたオデュッセウス」（松平千秋訳）に敗れていたからだ——オデュッセウス本人がそう語っている。しかしながら、トロイアの難民の冒険に敵の『オデュッセイア』の枠組みを取り入れるというウェルギリウスの手法からは、書き手が望めばどのような現実でも新たに作り上げることができるという物語の力がわかる。パイエケスの宮廷で自分のそれまでの冒険すべてを語るオデュッセウスと同じように、アエネーアスはカルタゴの宮廷で女王ディードに自分の話をする。英雄の最後の試練となる冥界での死神との対決はこの叙事詩の中盤にあり、唯一の違いはオデュッセウスがその話を思い出しながら語るのに対して、アエネーアスは進行形である点だけだ。このような筋書きレベルの類似はストーリー、詳細な記述、果ては語彙でも繰り返されており、ウェルギリウスの作品はホメロスの物語の再現になっている。

『アエネーイス』の最初の6巻におけるウェルギリウスのすばらしい工夫は、キルケとカリュプソの誘惑をささいなできごとに書き換えて、オデュッセウスのパイエケス滞在をアエネーアスのカルタゴに置き換えたところである。『オデュッセイア』のアルキノオス王は英雄に娘を差し出すが、オデュッセウスは感謝して賛美したのちに彼女のもとから去るため、ナウシカアはオデュッセウスのさまざまな誘惑者との戯れ、彼の冒険、あるいは彼の正体について、かなりあとになるまで知ることはなかった。それとは対照的に、女王ディードはすぐにアエネーアスの正体を見抜き、彼が過去の冒険について語っているあいだに恋に落ちるなど、その身にキルケ、カリュプソ、ナウシカアの誘惑がすべて詰め込まれている。生身の人間であるディードは、『オデュッセイア』の女神の誘惑や純真なナウシカアよりもはるかにリアルだ。ウェルギリウスがディードを用いたのにはもうひとつ目的があった。アエネーアスに見捨てられたディードが彼とその子孫全員に呪いをかけ、それがカルタゴとローマのあいだに何世紀も続く確執の原因となるのである。

叙事詩の「物語」はたいてい神聖な王、英雄、帝国を取り上げているが、心理的な葛藤もたびたびテーマとして登場し、英雄が王になるためにはその克服が必須である。ギルガメシュが戦った山男エンキドゥは、フンババを倒しに行く前に乗り越えなければならない、自分のなかの原始的で野蛮な部分の象徴だ。ラーヴァナと陰謀に満ちた彼の王国は社会における無秩序な要素の表れで、秩序ある社会を作るためにラーマはそれを制圧しなければならない。叙事詩文学にこうしたテーマが多いのは、古代の文明では王権に混乱、闘争、無秩序がつきもので、それらに対処することが喫緊の課題だったからだろう。『オデュッセイア』では無秩序との戦いが一連の不合理な力（キュクロプス、スキュラ、カリュブディス、嵐）と、肉体の誘惑（セイレン、キルケ、パイエケス）に象徴され、オデュッセウスはイタケで再び王となるためにそれらを克服しなければならない。英雄が不思議な運命（モイラ）の力と絡み合った神々の行動にもてあそばれる『オデュッセイア』と同じように、『アエネーイス』でトロイアからローマへと王国を移す話で描かれているのは神々の争いである。

アエネーアスは、法と秩序の神ユッピテルによって新たな文明の創始者という運命（ファータ）に引き寄せられ、トロイアの神々をイタリアに運ぶ。これは、神の力が宿っている絵や像を介して神を人間の手で運ぶことができるという、神聖さと呪物崇拝を示す興味深い例で、しばしば登場する。彼に立ちはだかるのは女神ユーノだ。彼女は「黄金のりんご」をめぐる美しさの競い合いで負けた怒りをトロイアの難民に向け、「物語」を通してアエネーアスを追いかけて、ローマ建国という運命を覆そうとする。第1巻では、風の神アイオロスをあおりたてて嵐を起こさせ、カルタゴでアエネーアスの船を難破させる。ウェヌスと息子のアモルは自分たちの差し迫った目的を追っているうちに、知らず知らず、ディードの執着と目的達成をもくろんでいたユーノの手助けをしてしまう。その後、ユーノは魔女の女神アレクトに王妃アマタ、続いて王トゥルヌスを刺激して怒らせるよう指示を出し、アエネーアスのトロイアの難民とトゥルヌス率いる先住民ルトゥリー人のあいだに戦争を引き起こす。海、肉体の誘惑、怒り狂う敵、冥界への旅で遭遇する死そのものを克服したアエネーアスは、ローマのすべての王たちにふさわしい祖先としての価値、すなわち理性、法、社会の秩序を兼ね備えた英雄になる。

戦争をテーマにした『アエネーイス』の後半は、ホメロスの先の叙事詩『イリアス』をモデルにしている。ブルックス・オティスの絶妙な表現を借りれば、このローマの叙事詩は「オデュッセイアのアエネーイス」と「イリアスのアエネーイス」の部分で構成されている。アキレウスと同じ半神半人のアエネーアスは勝つ運命にある。トロイアのヘクトルと戦うにあたって鍛治の神ヘパイストスに新しい鎧を作ってもらった『イリアス』のアキレウス同様、『アエネーイス』ではアエネーアスがトゥルヌスとの戦いに先立って、ウルカヌスに鎧を作ってもらう。アエネーアスの盾に刻まれた勝利の歴史には、アキレウスの盾に刻まれた描写や語彙が生かされているが、アクティウムの海戦でマルクス・アントニウスに歴史的な勝利を収めるアウグストゥスの未来にも目が向けられている。つまり、アエネーアスは、ギリシア文学のふたりの偉大なる英雄、オデュッセウスとアキレウスの武勇伝を取り入れると同時に、ローマの未来を美化しているのである。『アエネーイス』で描かれているできごとはどれも歴史の証拠がない。イオニアとフェニキアからイタリアへの初期の移住が、かろうじて伝説の王国トロイアとローマの祖先を結ぶヒントになるくらいである。代わりに誕生したのは、創作の歴史、新たな伝説、神に定められたローマ帝国の建国、その君主たち、名門一族、そして理性と秩序にもとづく法だった。この伝説の歴史はまもなく彫刻やレリーフに刻まれた。1863年には、ローマに近いプリマ・ポルタでアウグストゥスの像が発見された。そこは、アウグストゥスの死後、妻が隠居したといわれる村のある場所だった。「プリマ・ポルタのアウグストゥス」と呼ばれ、現在はヴァチカン美術館にあるその像は、皇帝の右足のそばに小さな子どもの神クピド（アモル）がいて、『アエネーイス』とローマ建国の「物語」、すなわちクピドの母でもあるウェヌスの息子がローマの祖先であることがほのめかされている。アウグストゥスの「尊厳者」の地位とローマの平和の構築を祝う、政治絡みの「アラ・パキス・アウグスタエ（アウグストゥスの平和の祭壇）」には、ロムルス、レムス、アエネーアスが刻まれた小壁があり、神と王家の血を引く「物語」が続いていることが示されている。ウェルギリウスがそこまで見越していたとは考えられないが、アウグストゥスの時代を通して続いたパクス・ロマーナと、そのあいだに花開いた文化は、元老院による大胆なアウグストゥスの神格化の土台になった。アウグストゥスの死までには皇帝を神格化する儀式は整えられ、その後300年にわたるローマの複雑な歴史を通して続くことになった。

神格化された皇帝を崇拝する信仰には、地中海周辺の支配地域にあったたくさんの儀式や宗教の名残りが組み込まれた。それらは意図的に受け入れたものでもなければ、法的に認められたものでもないが、ローマの支配者たちは、ある程度容認したほうが自分たちの権力のためになり、ほかの方針を押しつけるよりも帝国の宗教への忠誠を集めやすいと認識していたようである。ゆえに、現在の地図では十数か国にまたがる、ローマが征服した多くの領土の多種多様な信仰をそこに見ることができる。それぞれの宗教は住民の一部だけが信じるもので、外部から持ち込んだ儀式が続けられていた。要するに、ローマ帝国内にたくさんあった宗教は、それぞれが異なる国外の神話から引き出された「物語」にもとづいていた。それらがローマ文明に組み込まれた結果、ローマ帝国の絶対的権力の中核となるストーリーに数知れない宗教的な「物語」が継ぎ足されたのである。

なかには、アジアの神々がギリシアで融合され、のちにローマで受け入れられた例もある。トルコ北西部のフリギア（小アジアの古代国家）からは、母なる女神で野生動物の支配者でもあるキュベレー崇拝がギリシアに伝わり、キュベレーはその地でゼウスの子を宿した。紀元前204年には彼女の聖なる黒い石がローマに持ち込まれ、大いなる母（マグナ・マーテル）キュベレーとして、勝利の神殿に祀られた。キュベレー崇拝には、その信仰の聖職者をめざす若い男性たちの情熱的な踊り、サディスティックな行為、果ては自分で行う去勢までもが含まれていた。3月22日は、彼女の夫で地中海の神話に登場するたくさんの季節の豊穣神のひとり、アッティスを敬う日とされている。

早くも紀元前400年ごろには、フリギアの天空の神サバジオスが西のアテナイに持ち込まれ、その後ローマに伝わって、200年ごろにはその人気が頂点に達し、300年ごろになってもまだ墓のフレスコ画に描かれていた。シリアからは、母なる女神アタルガティスが地中海東岸を介して広がった。ライオン、イルカ、そして魚と結びつけられているこの女神は人魚の形で描かれ、魚がたくさんいる王家の池に祀られていた。紀元前2世紀までに、彼女はギリシア、エジプト、そしてローマでも注目されるようになった。3000年前に誕生し、地中海沿岸地域でよく知られていたエジプトの農業の神イシスとオシリスの物語は、紀元前100年ごろのヘルクラネウムとポンペイにもあり、第3代ローマ皇帝カリグラ（在位37〜41）はイシスに捧げる神殿をローマに築いた。さらに古いエジプトの死と来世の神でジャッカルの頭を持つアヌビスは、アレクサンドリアにある墓石の彫刻でローマ軍兵士の格好で描かれ、アヌビス信仰がローマで受け入れられていたことを示している。皇帝ドミティアヌス（在位81〜96）とトラヤヌス（在位98〜117）は、築後すでに3000年以上経過していたエジプトのデンデラにある神殿を修復した。神殿内部の天井の高さがおよそ15メートルもあったこの巨大な建造物はエジプトの牛の女神ハトホルに捧げるもので、ハゲワシの女神ネクベト、天空の女神ヌトの有名な絵があるほか、クレオパトラ女王（紀元前69〜30）がユリウス・カエサルとのあいだに生まれた息子カエサリオン（小カエサル）とともにいる姿が描かれている。ドミティアヌスとトラヤヌスはローマ風の門を増築し、その前面には、ドミティアヌスがハトホル、天空の神ホルス、音楽の神イヒに貢ぎものを捧げるレリーフが施された。ローマ人がこれほどまでにいろいろな神を知っていたことは注目に値する。

アヌビス、ハトホル、ネクベトは動物の力と結びついている古代の神々で、より近代的で人間味を帯びたローマの諸神のなかではめずらしい。

ローマのなかで飛び抜けて広く知られていた国外の宗教はペルシアの太陽神ミトラスを中心とするものだった。ミトラスは遠くインド南東部にもミトラ（友情の意）として伝わり、『リグ・ヴェーダ』や『バーガヴァタ・プラーナ』にも短く登場して、やがて連帯と法の原則、とりわけ約束、契約、誓約を象徴するようになった。ローマの図像ではミトラスは印象的な彫刻として姿が描かれ、ローマのフレスコ画では聖なる雄牛を殺している。ミトラス信仰には、ローマのサン・クレメンテ教会の下に保存されているような、地下神殿の雄牛殺しの儀式も含まれていた。ミトラス崇拝はローマ軍に広く浸透し、遠くイギリスにも伝わった。ミトラスが誕生したのは12月25日で、それがのちにキリスト生誕の日として取り入れられた。こうして集まった神々の奇跡の誕生や自然を超えた力にまつわる数多くの話が、キリスト教の神秘と奇跡を受け入れる土台になった。

こうして地中海沿岸地域の宗教の寄せ集めを介して、ギリシア神話の物語全体とそこに登場する神々は、アエネーアスの手で船で運ばれたトロイアの神々のように、ローマにやってきた。トウモロコシの女神デメテルとその娘ペルセポネや竪琴の名手オルフェウスのように、幾人かは密儀宗教の中心に据えられた。ギリシアのヘルメス、アフロディテ、アレス、ゼウスは、太陽系の惑星の名前にもなっているローマの神メルクリウス（水星）、ウェヌス（金星）、マルス（火星）、ユッピテル（木星）と一体になった。それらはみな、帝国の主要な宗教のなかへ、時の皇帝を中心とした神聖な王の「物語」のなかへと組み込まれた。

やがて、ローマの宗教はみな衰え、象徴的な比喩として少しずつ詩の世界に溶け込んで、中世やルネサンスの芸術のテーマになった。宗教の「物語」は時とともに成長し、変化する。「物語」の強化の原則には限界があるようだ。部分的に隠す余地のないもの、あるいは予期せず終わりを迎えてしまうものは長続きしない。しかしながら、興味深いことに、神であるローマ皇帝を中心とした「物語」は、皮肉にもはるか昔に(70)皇帝ネロによって滅ぼされた、遠いイスラエルという地方にあったもうひとつの神聖な王朝と結びついて大きな変化を遂げる。

＊ 本節ではリウィウスは『ローマ建国以来の歴史』(岩谷智訳)より引用した。

第3章　創始者

イスラエルの律法を作ったモーセ

ユダヤ教の教え、モーセ五書のうち4書（出エジプト記、レビ記、民数記、申命記）にあるモーセの生涯をまとめると以下のようになる。幼いころ死に瀕したことがあり、エジプトの王家で恵まれた子ども時代を送り、ヤハウェから啓示を受け、奴隷だったイスラエルの民を率い、ファラオを倒し、民とともにシナイ半島に逃れ、ヤハウェから十戒とイスラエルの法典を授かり、約束の地であるカナンが見えるまで軍の指導者であり続けた。これが、モーセが五書を記したという広く信じられているけれども疑わしい伝承とならんで、標準的な聖書の辞書によくあるモーセの略歴である。「経歴」と「作者」の仮定には常識にもとづく検証が必要だ。辞書の別の箇所には、一般の読者にはまだあまり知られていない「文書仮説」の議論が書いてある。モーセ五書はもともと異なる文書を集めて編集したものであるというこの仮説は140年以上も前に立てられたものので、その後少なからず修正されているが、モーセの「物語（ナラティブ）」のとらえ方が示されている。

モーセとエジプト脱出を裏づける証拠は聖書以外に存在しないが、舞台となった時代はエジプト新王国（紀元前１５５０～１０８５）時代半ばではないかといわれている。４～7世紀ごろ、聖書の系図をもとにできごとの年代を算出する数多くの計算が行われた。ダビデとソロモンの王朝とそれに続く数世紀についてはあまり隔たりはなかった。19世紀後半まで広く受け入れられていたジェイムズ・アッシャー司教の計算によれば、シナイ山で十戒を授かったのは紀元前１４９１年である。それより信頼できる年代特定によれば、モーセとエジプト脱出はそれよりもう少しあとの、青銅器時代ⅡA～B期（紀元前１４００～１２００）とされている。ヘブライ語と旧約聖書の学者ジョン・ブライトは、その時代のなかでエジプト脱出を１２８０年とした。新エルサレム聖書では１２５０年になっている。こうした年代はみな聖書が歴史書であると仮定しているどころか、暗に歴史書だと認めている。

啓蒙時代に入ると、トマス・ペイン（１７３７～１８０９）が、モーセ五書をモーセが作ったとする説は不可能だと気づき、むしろずっとあとの時代に作られたものだと断言した。著書『理性の時代』で彼は「聖書のほかに証拠を探したわけではないが、聖書そのものにもとづいて、歴史的また年代的に、モーセが書いたといわれる書の作者はモーセではないと証明できる」と述べている。決定的ではないがそれを示唆する証拠は、20世紀後半のモダニズムにおける文学の実験的な試み以前にはほとんどなかった三人称での語りである。それより説得力のある証拠は、申命記34章にあるモーセの死と埋葬についてモーセ自身が記すことは不可能だということだ。決定的な証拠は聖書ののちに書かれた部分にある。ペインが指摘しているように、モーセの時代より何世紀も前のアブラハムは、ロトの捕虜をダンまで追跡する。ところが、その当時ダンは存在していなかった。士師記で明らかにされているように、モーセの時代よりずっとあとになるまでライシュと呼ばれていたのだ。ダン族が「ライシュに向かい、［中略］町に火を放って焼いた。［中略］その町を再建して［中略］彼らの先祖ダンの名にちなんで、ダンと名付けた」（士18章27〜29節）のである。できごととそれが記された年代が離れていると、こうした事実関係の誤認が生じやすい。少なくとも紀元前11世紀まではダンと改称されなかった紀元前18世紀の町をダンと呼んでいるということは、モーセ五書の話は最低でも700年後、モーセの時代より200年あとに書かれたことになる。

トマス・ペインの注意深い読解からは、聖書の「物語」にそうした徹底的な研究が必要だとわかる。19世紀の詳細な調査、なかでも有名なカール・ハインリヒ・グラフとユリウス・ヴェルハウゼンの研究をもとに、ひとつの「文書仮説」が誕生した。この仮説は、モーセの時代よりずっとあとのそれぞれ異なる時代に書かれた、少なくとも4つのばらばらな文書（J、D、E、P）が、さらにあとの時代に継ぎ合わされて、現在の太祖とモーセの「物語」になったと考えるものである。それらは紀元前10世紀からバビロニア人によってエルサレムが破壊された紀元前586年のあいだにまとめられたと考えられていた時期もあったが、「物語」のできごとに近い時代に書かれたはずだと仮定する以外に、年代を特定することはほとんどできない。しかしながら、聖書のなかにさまざまな証拠がある。現在の研究をまとめているジョン・バートンによれば、申命記（文書仮説の「D」）を除くすべてはバビロン捕囚の終局よりもあとに書かれた可能性が高い。

つまり、紀元前538年以降である。そうなると、太祖の物語は太祖たちの時代よりも1000年、モーセと出エジプト記はモーセの時代よりも600年あとに書かれたことになる。ブライアン・ペッカムは過去の研究にもとづき、さまざまな文書を一節ごとに細かく分化して「後期ユダヤ文学の伝統」を徹底的に調査している。現在では、モーセと出エジプトの時代に起きた奇跡のできごとは史実ではなく、それが記されるまでのあいだの数百年に文学的に誇張されたものであることが明らかになっている。

文学的な特徴に注目すればなおのことそれがはっきりする。ナイル川の沐浴(もくよく)場所に近いところに隠されていたモーセが助けられたという彼の誕生の「物語」は、シュメールの粘土板に記されている紀元前23世紀ごろのアッカド王サルゴンの誕生にまつわる民間伝承から借りてきたものだと考えられている。この借用もまた、ストーリーの創作に関する新たな手がかりだ。ヘブライ人が紀元前6世紀より前にシュメールの伝説を知っていたとは考えにくいが、エルサレムの破壊(紀元前586)後、聖職者や書記官を含むヘブライ人のエリートたちがバビロンに移送された紀元前6世紀には、その可能性がぐっと上がる。この時期、あるいは追放後に行われた古い文献の収集や改訂によって、メソポタミアの伝説やカナンの神々がモーセ五書に数多く取り込まれることになった。紀元前6世紀のヘブライ人書記官たちは、1000年前の祖先が一神教を取り入れていたことを示そうとした。けれども、カナンの諸神の総称である「エロヒム」を自分たちの神のもうひとつの名として採用したということは、カナンの地を征服したヘブライ人に取り込まれたカナン語とカナンの神々(エロヒム)が、紀元前6世紀になってもまだ生き残っていたということである。

紀元前13世紀にエジプトで生まれたといわれるモーセがヘブライ人の神の名前にカナンの諸神の名を使うことはありえない。だが、紀元前6世紀には、カナン人と彼らの神々（エロヒム）の両方がイスラエル人と同化していた。エロヒスト（文書仮説の「E」の執筆者）が書いたとされる文書の主要な文学的特徴であるこの「エロヒム」は、創世記と出エジプト記を通じて見られる。1611年の欽定訳あるいはジェイムズ王訳と呼ばれる聖書では、ヘブライ語の「ヤハウェ」は「神（God）」、「エロヒム」は「主（Lord）」あるいは「主なる神（Lord God）」と訳されており、英語の読者から彼らの「神」がふたつの異なる神々の融合体であることがうまく隠されている。

常識的に考えれば、古代の王、戦士、指導者、あるいは立法者はみな、わたしたちと同じ普通の人間として生まれ、わたしたちと同じような経験をしたはずだ。現在の世界では、それがあたりまえである。神の啓示、魔法、奇跡、超常現象の話は、一個人のものでも共有されているものでも誇張された作り話、夢物語、幻覚とみなされている。そのように区別や評価ができるのは、太古の文化のいくつもの伝統について知っているからだ。古代文明の「物語」を読めば、ほかの文化や宗教が「力の物語（ナラティブ・オブ・パワー）」と絡み合っているとわかる。モーセが教祖になる場面はそうした観点からとらえるべきだが、このように始まる。「柴の間に燃え上がっている炎の中に主の御使いが現れ」、続いてヤハウェが自分の正体を明らかにして、エジプトで奴隷になっているイスラエルの人々を連れ出すようモーセに命じるのだ。この物語には「わたしはあるという者だ」と、神の正体が明らかにされる箇所があり、これはエロヒスト資料がもとになっていると思われる。祭司資料（文書仮説の「P」）では燃える柴の神の顕現が省略されており、ヤハウェはモーセに自分は「エル・シャダイ」、つまり「山の神」だと告げる。「エル」は、ウガリトの遺跡で発見された碑文から、カナンやフェニキアの至高の神であることがわかっている。同じ神にさまざまな名前（ヤハウェ、エロヒム、エル・シャダイ）があるのは、モーセ五書に複数の資料が混ざり合っているためだ。神の顕現や啓示は主要な宗教のほとんどにあり、教祖に権威と権力をもたらす典型的な物語を構成している。それらに共通する特徴は、「神秘」と称されるできごとにおいて自然を超えた力が自然界に介入することだ。アブラハム・マズローの心理学用語では「至高体験」と呼ばれている。

啓示をもたらす神の顕現にはさまざまなアプローチで取り組むことができる。そのひとつはトマス・ペインによって次のようにまとめられている。

啓示という言葉が宗教で用いられる場合、それは神から直接人間に伝えられるものごとを指す。だれも、全能の神が思うままにそのような伝達をする可能性を否定したり、それに反論したりはしない。けれども［中略］啓示はそれを受けた人だけのものである。その人がふたり目に話し、ふたり目が3人目、3人目が4人目というように繰り返されれば、それはもはや啓示ではない。啓示を受けたのは最初の人だけであって、それ以外の人にとってはうわさにすぎない。よって、それを信じる必要はない。

これは、他者の宗教や文化の啓示といわれる話を割り引いて聞くときに（自分の信仰の場合は無抵抗に受け入れながら）、ほとんどの人が無意識に適用している冷静な常識判断である。ふたつ目のアプローチは啓示の物語形式にもとづく文章の分析で、単純に証拠から判断するものである。啓示はモーセが書いたものではなく、だれも啓示を目撃しておらず、何百年もあとの人間が書いたものであることはすでにわかっている。文章を正しく理解すれば、それが捏造された「力の物語」であることは明白だ。残りのモーセのストーリーはすべてその上に築かれたものである。

モーセとアロンがヤハウェの念入りな指示にしたがう次の場面は、ファラオの前で自分たちの力、ひいてはヤハウェの力を示すところである。アロンが杖を投げるとそれがただちに蛇になるが、ファラオが「賢者や呪術師」を呼び出して杖を投げさせると、それらも蛇になる。この力の誇示は、アロンの蛇が相手の蛇を飲み込んで終わる。表向きにはヤハウェ、モーセ、アロンの力がまさっていることを示すこのエピソードは、考慮されていないふたつの仮説によって打ち砕かれる。まず、ファラオの呪術師も超人的な力を引き出せるということは、相手も神レベルの力を持っていることになり、多神論を認めていることになる。もうひとつは、杖が蛇になる双方のトリックがたんなる手品である可能性だ。この場面を考え出した作者は明らかにこのふたつの説明がもたらす皮肉を見落としている。

目下のところ、モーセが生身の人間であることを示すできごとは、ヘブライ人を「殴って」いたエジプト人を見て、殺してしまい、その死体を砂のなかに隠したという衝動的な行動以外には何もない。それに続く、妻ツィポラをめとる話は、彼より前の太祖やのちの王たちの結婚と比べるとありきたりで退屈であまりパッとしない。モーセがエジプト人にもたらした「十の災い」はありえない不快感と苦痛の積み重ねだ。中東の農耕文明を崩壊させかねない異常気象や災害が連続で引き起こされているが、通常は立て続けに襲いかかることはない。誇張を差し引いても信じられるのはひとつくらいで、10もあると信頼性が損なわれる。いたるところで水が血に代わり、蛙（かえる）が群がり、続いてぶよ、あぶに襲われ、家畜が死に、腫れものができ、ひょうが降り、イナゴに襲われ、暗闇に包まれて、最後にはエジプト人の長子がすべて死ぬ。一連の災いからは、命令にしたがっているだけの退屈な行動以外にモーセについてわかることは何もない。彼がやっているのはヤハウェに命じられるままに手を伸ばして災いをもたらすことだけで、ヤハウェが物語の主役である。数世紀後、ヨブ記の冒頭で初めてサタンが登場してからは、そうした悪行はサタンの仕業になったようだが、サタンより前の時代には、神そのものが破壊的な洪水、大量殺人、災いの源だった。

続くできごとは魔法と奇跡の物語だ。紅海の水が分かれて壁となり、ファラオの軍隊が溺れ死んで、ヤハウェが昼は雲の柱、夜は火の柱となって人々を導き、天のマナを食料として与え、木を水に投げ込んで魔法のように苦い水を甘い水に変える。これらは明らかに英雄の力を示す「物語」だが、モーセというよりはヤハウェの力が強調されており、モーセは旧約聖書のなかでもっともつまらない登場人物のままである。

トーラーにしたがう人々にとっては、偉大なる立法者としてのモーセの役割に比べれば、歴史資料の欠落、考古学証拠の欠如、「物語」に散見されるありえないできごと、そして明らかに神話的な性質などはどうでもよいことだ。十戒が刻まれている石板は、高さ225センチの石柱やたくさんの粘土板にくさび形文字で刻まれた紀元前18世紀のアッカドのハンムラビ法典を模しているように見える。282条あるハンムラビ法典がレビ記、民数記、申命記のたくさんの法典のひな型になった可能性は高い。ルーブル美術館とイスタンブール考古学博物館に展示されている石柱や粘土板に記録されたハンムラビ法典とは異なり、十戒が刻まれた石板やモーセが割ったといわれるかけらは、たとえ本当に存在していたのだとしても、いっさい発見されていない。

一語一語をたどっていくと、十戒の話にはいくつもの謎がある。最初に授かった十戒を叩き割ってから、モーセは山を上り、新たな石板を受け取る。すると内容が大きく異なっているのだ。最初の十戒の原典はエロヒスト資料とみなされている。2番目の十戒はヤハウィスト資料（文書仮説の「J」）で、食べもの、いけにえ、ヘブライ人の祝祭などが含まれていることから「儀式の十戒」と呼ばれることも多い。文書の起源が異なることを知らずに読むと、最初の石板を刻んでから2番目を刻むまでのあいだにヤハウェの気が変わったかのように見える。この奇妙な点は見過ごされがちだが、「E」と「J」の資料の分析によると、出エジプト記34章の戒めは古い遊牧民文化に由来しており、200〜300年離れたヘブライ史の異なる時期に描かれたことがわかる。したがって、モーセは至上の立法者ではない。数世紀にわたってまとめられたヘブライの律法全体がモーセの「物語」に織り込まれたのである。この事実とそれ以外の文章の相違点を踏まえれば、律法全体がシナイ半島の荒れ野で啓示されたという表現は疑わしいものとなる。申命記がそれを如実に示している。申命と訳される英語のデューテロノミーという言葉の起源は、紀元前2世紀の「七十人訳聖書」のギリシア語で「2番目の（あるいは写された）律法」を意味する「デウテロノミオン」だ。もともとは申命記17章18節にあるヘブライ語の「律法の写し」の直訳である。つまり、申命記は律法の写しなのである。あたかもモーセが話しているかのように引用符がつけられているが（現代訳になってからくわえられたもの）、モーセよりずっと昔の言葉だと考えられる。

十戒が三度目に繰り返されるときにも、石板に刻まれているのだから永久に変わらないはずなのに、やはり疑問を抱かせるようないくつかの相違がある。現在では、申命記における繰り返し、特にその中心となる部分はほかの部分より数百年あとに書かれたものだと考えられている。おそらくユダの王ヨシヤ（在位紀元前640～09）の時代に行われた法改革の一環として、統治18年目（紀元前622～21）に神殿で見つかった「律法の書」あるいは「契約の書」が反映されているのだろう。したがって、モーセの時代まで600年さかのぼってそれを投影したのは、のちの編集者たちである。現代の資料編纂の基準に照らせば、モーセが話したかのように引用符を用いるのは文学的な詐欺である。

ユダヤ教徒とキリスト教徒がモーセの「物語」の歴史的信頼性に疑問を抱くことはめったにない。また、昔の考古学者や神学者も問題をはぐらかしてきた。30年前、聖書学者でヘブライ語教授のアデル・バーリンは、聖書以外にモーセの記録がなく、裏づけとなる考古学の証拠もないことを指摘し、「モーセの歴史的信頼性は、ほかの聖書の登場人物と同じように、読む人が聖書の歴史的信頼性をどのようにとらえているかに左右される」と述べた。だが、そのように意見、信念、信仰を尊重すると、問題点がはぐらかされてしまう。聖書の歴史的信頼性は読む人の「見方」に左右されるものではない。歴史的信頼性は確かに起きたと確認できるできごと以外を根拠にしてはならない。のちの研究からわかっているように、モーセの「物語」は事実であることを証明できない。400年ものあいだヘブライ人がエジプトで奴隷になっていたのなら、しかるべき記録が残っているはずだが、ひとつもない。60万の男とその妻や子ども、合わせて推定100万人が移動するほどの歴史的民族移動があれば、それなりの記録が残っているはずだが、ない。40年にわたって100万人がシナイ半島で暮らしていれば（もっと現実的に数百人と考えても）、野営地、壊れた道具、陶器のかけら、たき火の跡、肥やしの山があるはずだが、何もない。異なる神々を崇拝してヤハウェに殺された4万人のイスラエル人の死は大規模な埋葬地を作ったはずだが、どこにもない。1948年以降125回の発掘調査を実施した、エルサレム・ヘブライ大学の考古学者アミハイ・マザールは、「ヤハウェ信仰を起こし、エジプトでの奴隷、エジプト脱出、シナイ山、モーセの役割にまつわる伝統を作った」聖書のモーセ五書にあるようなイスラエル人の同盟が存在した証拠はいっさい見つかっておらず、「現在の考古学は謎の解明にまったく貢献できていない」と述べている。モーセの「物語」はみな、それより前の太祖の「物語」と同じように時間をさかのぼって投影されたもので、のちの一神教にいにしえの起源を作るためにヤハウェを核に創作された物語だと考えられる。

モーセの時代から数百年経ってもヤハウェとは異なる神々が崇拝されていたことを示す証拠が、ふたつの発掘調査で見つかっている。1967年にウィリアム・デヴァーが調査した、ユダの山麓地帯にあるキルベット・エル・クオム遺跡では、ヤハウェとアシュラを結びつける祝福の碑文が発見された。１９７５〜76年にゼエヴ・メシェルが発掘したシナイ砂漠の端、ネゲブの南西の丘陵地帯にあるクンティレット・アジュルドでは、碑文のなかでヤハウェ、エル、バアルに祈りが捧げられており、2柱の神の姿と「サマリアのヤハウェと彼のアシュラ」という文字が刻まれている。いずれの遺跡でも、ヤハウェが紀元前9〜8世紀のカナンの女神アシュラと結びつけられていて、モーセの「物語」で一神教になったとされる時期から４００年経ってもまだ、ヤハウェが多神教ともつれ合っていたとわかる。はるか昔、紀元前18世紀の太祖の時代に信仰されていたといわれる一神教は、紀元前6世紀に聖書の物語を作り上げた編纂者の願望が１２００年前に投影されたもののように見える。実際のイスラエルがなおも近隣文化の多神教に同調していた時代に、ヤハウェに選ばれた国としてのイスラエルを描くことが彼らの目的だった。

こうした発見は必然的に、聖書の「物語」の解釈に革命をもたらした。トーマス・L・トンプソンは著書『神話の過去 *The Mythic Past*』で「歴史としての聖書」という考え方は「崩壊しつつある理論的枠組み」だと指摘している。ハアレツ紙に掲載された論説「エリコの壁の解体」で、テルアビブ大学、考古学・古代近東学教授のゼエヴ・ヘルツォークは「イスラエルの地の発掘調査から考古学者が学んだこと、それは、イスラエル人はエジプトにいたことはなく、砂漠をさまよったこともなく、軍事作戦でその地を征服したこともなければ、それをイスラエルの12の部族に分け与えたこともない、ということだ」と記している。これはモーセが存在しなかったという意味ではない。そのような考えはモーセ五書に書かれている彼についてのすべてが歴史的な事実だと信じるのと同じくらい根拠がない。おそらく、イスラエルの歴史の隠れた部分にだれか重要な人物がいたのだろう。もしかすると、エジプトの影響力がシナイ半島とパレスティナに広がった紀元前13〜12世紀ごろの部族の長かもしれない。彼の名は、ムセスやラムセスといったエジプト人の名前が変化したものかもしれない。ブライトが指摘しているように、エジプト人の名前はその時代のイスラエルで広く使われていた。

エジプトにおけるヘブライ人の奴隷の「物語」は、もしかすると、さまざまな時代にエジプトの国境から遠く離れた地域で起きていたエジプト人によるセム族の弾圧を要約した伝説かもしれない。何が起きたのであっても、モーセの生涯の実際のできごとはわからなくなったか、隠されたか、脚色されたか、上書きされた。その結果誕生したのが、ギルガメシュ、アキレウス、オデュッセウス、あるいはラーマに比べれば見劣りするとはいえ、叙事詩のひとりの英雄だった。エジプト脱出のストーリー全体は後世に書かれた巧妙な「力の物語」に見える。そこには、歴史のなかに発見できない英雄のような教祖がいて、彼を中心に、国の起源とヘブライの律法がヤハウェからの偉大なる啓示として積み重ねられた。聖書に描かれているモーセの人生のできごとが実際には起きていなかった可能性を示す強力な証拠があるにもかかわらず、彼が一宗教全体の教祖であり続けているということそのものが、文学である「物語」が歴史を上回る力を持つ証である。

釈迦と前世の伝説

欧米における釈迦（ブッダ）と仏教の研究調査は数では数えきれないほどあるが、すべてパーリ仏典として知られる一連の書物に頼っている。紀元前1世紀のその文献は権威ある書とみなされてはいるものの、釈迦の死より500年以上もあとに書かれたものである。釈迦の死後数十年が経過した紀元前400年ごろ、当時の伝統を維持するために、最初の仏典結集（けつじゅう）が開かれた。この話し合いについて現在わかっていることは、当時の文献にもとづくものではない。なにしろ、記録がないのである。のちの説明によれば、結集では釈迦の教えである経（スッタ）と僧の規則である律（ヴィナヤ）が集会の目的に合わせて唱えられた。つまり、釈迦が死んだとされる紀元前483年からほぼ100年ものあいだ、仏教は口承でしか受け継がれていなかったのである。そこには暗黙の仮定があった。すなわち、伝統をまるごと唱えることで、釈迦の教えと僧の規則が参加者すべての頭のなかに植えつけられるのだから、教えられたとおり正確に伝統が守られるはずだ、という考え方である。

2回目の結集は僧が金銭を受け取ることに対して論争が生じたために開催された。その慣習はやめると決まった以外に、その結集の結果について本書で取り上げるべきことはない。ルイ・

ド・ラ・ヴァレ・プサンがこの結集についてのかぎられた記録をもとに書き上げた人物伝が、20世紀のほぼすべての仏教学者の手による釈迦の伝記の基礎になっている。3回目の仏典結集（紀元前251頃）は、釈迦の死から200年以上経ったマウリヤ王朝初期にアショーカ王が招集した。残っている記録によれば、それは「大結集（マハサンギーティ）」というもので、仏教の中心となる伝統は依然として大部分が口伝えだった。実際、インド北部一帯の数十の巨岩や柱に勅命が刻まれているアショーカ王に比べると、釈迦についてわかっていることは少ない。

釈迦の生涯と仏教は、スリランカで4回目の結集が開かれた紀元前1世紀ごろまで、文字に表されなかった。そのとき初めてほぼ5世紀分の伝説が文字にされたが、ほかに資料がないため内容の立証は不可能である。さまざまな書物に記されている彼のすばらしい人生と教えは、仏教が起こったインド以外でもよく知られている。彼は名をシッダッダ（サンスクリット語ではシッダールタ）といった。悟りを開く前の姓はゴータマ（サンスクリット語ではガウタマ）だったが、悟りを開いてからは「悟った者」を意味するブッダとして知られるようになった。彼は、ネパール南部にあった釈迦（シャーキャ）族の都、カピラ城の支配者だった父に育てられた。母のマーヤー（摩耶）は彼を産んだ7日後に死去した。特権階級に生まれた彼は比較的ぜいたくをして育ったが、成人すると、人々が病気、老い、死で苦しんでいることを知った。そこで彼は、人間の存在にともなう悲劇に対する答えを見つけようと考えた。29歳で故郷を離れた彼は、数年にわたってガンジス川流域で森の賢者とともに瞑想をして、みずからの心の道を切り開いた。6年後、涅槃（パーリ語でニッバーナ、サンスクリット語でニルヴァーナ）に達した釈迦は、残りの人生を、人々に知恵、真実、悟りを教えることに費やした。サンスクリット語でサンガと呼ばれる修行者の集団をいくつも作ったのち、彼は80歳でこの世を去った。

この伝記はもっともらしく聞こえるが、じつはそうともいい切れない。北部のマハーヤーナ（大乗仏教）の学校では彼の生涯（紀元前563～483）は広く受け入れられているが、半世紀前や半世紀後とする説も数人の学者によって提示されている。それほどの差が生じるのは、その時代の歴史的な記録がないためだ。かつて実際のできごとが知られていたとするなら、南伝仏教の「長老派」であるテーラワーダ（上座部）に発展した初期の僧の長老たちのあいだで知られていたのだろう。釈迦が語ったといわれるたくさんの言葉が残っているが、文学史学者のモーリッツ・ヴィンテルニッツが述べているように、たくさんの伝説、物語、格言のうちどれが本当に釈迦に由来しているのかはほとんどわからない。仏典のほぼすべてがその問題を抱えている。手に入りやすく、幅広く読まれている仏教の経典のひとつ、『ダンマパダ（法句経）』に釈迦の言葉として記されていても、半数以上はほかの記録とまったく同じ言葉で、出典があいまいである。また、5世紀の仏教学者で訳者のブッダゴーサが特定の文言につけた注釈は、『ダンマパダ』が書かれた紀元前3世紀から800年もあとのものだ。したがって、1921年にユージン・ワトソン・バーリンゲイムがそれを、仏教徒の「伝説」として訳したのは適切である。

第4回仏典結集（紀元前1世紀）で行われたパーリ仏典の編纂には500人の僧が集まり、その作業は3年間続いたといわれている。その仏典には仏教の教えすべてが含まれ、記憶として受け継がれてきたといわれる教祖の説教もそのなかにあった。おそらくヤシの葉に書き写されたと思われるその経典、『クッダカ・ニカーヤ（小部）』はのちに、仏教徒が東南アジアに移住したのに合わせてミャンマー、タイ、カンボジア、ラオスにも伝わった。テーラワーダの仏教徒はパーリ仏典を正式かつ正確な釈迦の教えとみなしている。しかしながら、そこには系統立った伝記がない。昔から伝わるおおよその釈迦の生涯はマハーヤーナの説明が起源だ。よく知られているものはふたつあり、ひとつは釈迦の死からおよそ600年後にアシュヴァゴーシャ（馬鳴）が書いた『ブッダチャリタ』（仏所行讃）で、もうひとつはさらに100年あとに戯曲の形で作られた『ラリタヴィスタラ』（大遊戯経）である。釈迦の生涯から長い年月が経っていることにくわえて、マハーヤーナには仏教を普及させるために、すでに信仰されていた中国の多神教から神々や超自然な力が取り入れられているため、歴史の解釈としては問題がある。初めて英訳したエドワード・B・カウェルはそれにふさわしく、『ブッダチャリタ』を「釈迦の伝説の歴史」と呼んでいる。

文字記録がないという問題は、紀元前1世紀のパーリ仏典に含まれている釈迦の「説教」にもあてはまる。モーリス・ウォルシュがその多くをまとめているが、体系的にまとめられているその形は、ひとりの人物が語ったというより、すでに確立していた哲学の一派としての教えに近い。もし釈迦の教えと生涯にまつわる話が彼の死から100年くらい経った時期に書かれたのであれば、たとえば、『ブッダチャリタ』が最初、『ラリタヴィスタラ』が2番目というように、年代順を明らかにすることが重要だっただろう。また、ある特定のできごとについて証人がいたのかどうかなど、釈迦の生涯のさまざまなできごとの出典を明らかにすることも必要だっただろう。けれども、15〜20世代にわたって口承で受け継がれたために、最古の文書の説明は釈迦の実際の生涯とはまったく別のものになった。結果として、そうした「伝記」に書かれているできごとはどれもまったく非現実的であるように見える。正確な経歴と歴史の事実は、神話、伝説、魔法、奇跡の力に置き換えられてしまった。

釈迦の生涯を理解するためには、疑問の余地のない「知識」を伝えていると考えられている伝統的な「物語（ナラティブ）」が、教祖の死から数十年、数百年のあいだにどのように発展するかを知っておく必要がある。そうした「物語」は、その後の発見すべての辻褄合わせの核になることが多い。ほぼすべての宗教指導者について同じことがいえる。イスラムの学者フォルカー・ポップはこれを「伝統的な説明あるいは記録」と呼んでいる。同じく学者のカール・ハインツ・オーリヒは、客観的な調査を行うためには「伝統文学［中略］に含まれているように見える『知識』を用いて、早まって解釈し直してしまってはならない」と強調している。新たな情報を「既存のものとかみ合うように」操作すると、従来の説にある真実や歴史的信頼性に正当性を欠く仮定が入り込んでしまう。20世紀になるころにはそのような解釈の方法がとられることはめったになくなっていたが、宗教の起源を調査するときだけは例外だった。熱心な信者が調査をするため、伝統的な説明を受け入れることにまったく迷いがなく、その説明を基準に、新たな発見を受け入れるか拒絶するかを決めてしまったのである。

受け継がれた「知識」を除いて釈迦の生涯が論じられるようになったのは、伝統的な説明がきわめて神話的な性質を帯びていることが認識された19世紀である。19世紀の終わりから20世紀初めにかけて、釈迦の生涯は太陽神話のひとつとみなされていた。ウィリアム・タイラー・オルコットは、日本の神道の宮司たちが天照大神は「釈迦の化身にすぎない」と述べたと記しており、当時典型的だった混合主義あるいは還元主義的なアプローチがそこに見られる。数多くの寺院や仏塔にある釈迦の生涯を描くレリーフに影響されたのかもしれないが、初期の文学者には、釈迦の生涯は悟りを開く道を示すたとえ話だと考える傾向があったが、現在はそのような解釈は好まれていない。現代の研究では、歴史上実在したと思われる釈迦についての知識を深め、それができない部分については、彼の若いころの人生から史実と思われるような情報を丹念に抜き出すことに重点が置かれている。

現代の学者たちは、釈迦の生涯と教えを抜き出して再現することは不可能だと認識している。けれども、信者にとってはそれはどうでもいいことだ。エドワード・コンツが述べているように、「ガウタマ、あるいは釈迦牟尼のひとりの人間としての存在は〔中略〕仏教徒にとってはさして重要ではない」のである。コンツは「文学の記録が有する性質により、釈迦の生涯を明らかにする試みはうまくいかないどころか不可能だ。〔中略〕釈迦の生涯の歴史的事実を仏教徒が受け入れている伝説から切り離すことはできない」とも述べている。仏教徒のアプローチは架空の伝記を受け入れているうえ、釈迦ではなく仏教の思想に重点が移されているため、歴史とはいえない。T・R・V・ムルティは著書『仏教の中心的な哲学 *The Central Philosophy of Buddhism*』で、仏教の本質を、その教えが釈迦本人が作ったものか、彼の死後数百年のあいだに発展したさまざまな宗派が作ったものかを問わない哲学体系と定義している。フョードル・シェルバツコイからD・T・スズキ、アナンダ・K・クーマラスワミ、ヘルムート・フォン・グラゼナップ、クリスマス・ハンフリーズ、ヘルベルト・ギュンター、そしてピーター・ハーヴィーにいたる文献でも、伝記より哲学に重点が置かれていることが明らかにされている。しかしながら、この哲学も結局は、すべての仏教徒が受け入れている伝説、すなわち、常識や歴史的信頼性の検証を無視した神話のような「力の物語（ナラティブ・オブ・パワー）」がひとり歩きしている伝記から力を得ている。信者は物語が真実だと信じたいため、創作や捏造の可能性が喜ばれることはめったにない。釈迦の生涯にまつわる力の「物語」は例外なく、社会的また心理的に大きな影響をおよぼしている。

アシュヴァゴーシャが1世紀に書いた『ブッダチャリタ』に目を向けると、そこは歴史の手がかりとは無関係の、想像力に富んだ文学作品の世界だ。神話、超自然な力、巨大化は随所に見られる。シッダールタの誕生から始めよう。話はカピラ城から始まる。都には「高くそびえる王宮がありそれは「カイラーサ山のように華麗で［中略］宝石で輝き［中略］まばゆいばかりに富が輝き［中略］祝いのあずまや、アーチ型の門、尖塔があって、家々はみな宝石できらめいていた」。王のシュッドーダナ（浄飯（じょうぼん））は「地上の君主として降りたった太陽のようで［中略］その支配は［中略］広範囲にわたっていた」。彼の前に「敵の立派な象たちがひれ伏し、敬意を表して花を差し出すかのように、たくさんの真珠を降らせた」。シッダールタの母となる王妃マーヤー（摩耶）は「王家にふさわしく、繁栄の女神のごとく輝き、まるで最高位の女神のようだった」。カピラ城の景色はこの世のものとは思えないほど美しく、両親は輝いていた。マーヤーの懐妊は不意の奇跡として描かれている。「最高位のボーディサットヴァ（菩薩）がふと思い立ったように［中略］6

本の牙を持ち、霊液(イコル)のよい香りを顔につけた、ヒマラヤのように白い巨象の姿をとって、シュッドーダナ王の妃の胎内に入った」。シッダールタの誕生もまた奇跡である。「ボーディサットヴァは不意に彼女の子宮を切り裂いて出てきた〔中略〕彼は生まれたときから知性がそなわっていた〔中略〕生まれるやいなや〔中略〕天からふたすじの清らかな水の流れが、たくさんの曼荼羅の花とともに彼の頭上に降ってきた」。彼は生まれた直後から歩いたり話したりすることができ、「わたしは悟りのため、世のために生まれた」と語った。

　釈迦の誕生を物語るこの最古の話には、事実がまったく含まれていない。これは文学的叙事詩のジャンルだ。釈迦の生涯から少なくとも500年経ってから書かれたこの物語と釈迦との関連性は、ホメロスの『イリアス』とアキレウスと同じくらい不確かである。ホメロスの作品に史実にもとづく伝記を求める人はいない。アリストレテレスの『詩学』のヒンドゥー版ともいえる作品で、18世紀にダンディンが書いたと考えられている『カーヴィヤーダルシャ』でもそれが明らかにされている。ダンディンは、アリストテレスが悲劇を定義したように、実際の叙事詩から特徴が表れている箇所を引用しながら「カーヴィヤ」(叙事詩)を定義している。カーヴィヤの特徴は、すでにある「物語」の誇張、勇ましく気高い英雄、街、海、森、太陽や月の詳細な描写、愛、結婚、酒、誕生、手ごわい相手との戦いなどである。クリシュナ・チャイタニアが絶妙な表現をしている。「叙事詩とは生涯を描き、1年中、何年も、何世代にもわたって広大な大地を闊歩(かっぽ)し続けている人間の行動を描き、外界と緊張したかかわり合いを持つ登場人物を描く大きなフレスコ画である」。『ブッダチャリタ』は『ラーマーヤナ』や『マハーバーラタ』とまさに同じ絵を描いている。

『ブッダチャリタ』の構成、表現、幅広いテーマを考えれば、同書には歴史の情報のかけらも期待できない。考古学者はカピラ城、あるいはシュッドーダナやマーヤーが残したと考えられそうな遺跡を発見できずにいる。シッダールタの母の自然とは思えない懐胎、彼の誕生、乳児期は可能性としてありえない。実際、続く話はやがて釈迦となるこの息子の力を証明する奇跡の物語である。釈迦の少年時代を集めた『ラリタヴィスタラ』によれば、生まれるとすぐに彼は「大地に降り立ち［中略］大きな蓮(はす)の花が大地を貫いて現れて［中略］彼は生きとし生けるものの心と行いについて知っていた」。ダムが決壊したかのように、数字が誇張された奇跡があふれ出す。このボーディサットヴァが生まれた夜、支配階級、聖職者階級、商人、地主などの土地所有者の家庭に2万人の女児が生まれた。少なくとも1000年にわたってインドを支配したバラモンのカースト制度の観点に立つこの描写からは、彼の誕生が社会のすべての階層に影響をおよぼしたことがわかる。「女児たちはみなボーディサットヴァに仕えるために差し出された」。父親も彼に2万人を与えた。親族も2万人を与えた。そして聖職者たちもさらに2万人を与えた。みな「彼に仕える」ためだった。こうして彼は8万人の女性からなるハレムを手に入れた。これまで見てきたように、これはシュメール王の在位、アガメムノンの船、ランカーのラーヴァナの軍隊のように、古代の「物語」によくある数の誇張である。シッダールタはただちに神殿を参拝する。「ボーディサットヴァが神殿の床に右足を置くやいなや、動かないはずの偶像――シヴァ、スカンダ、ナーラーヤナ、クベーラ、月の神、太陽の神、ヴァイシュラヴァナ、シャクラ、ブラフマー、ローカパーラたち——がみな立ち上がって、ボーディサットヴァの足元にひれ伏した」。ひとりの人間の力を正当化するにあたって神々に敬われることはめったにない。

多様な空想物語が釈迦の誕生を取り巻いているが、奇跡は生涯続く。アシュヴァゴーシャの『ブッダチャリタ』第3章で、シッダールタは苦悩——老い、病、死——を知り、第4章で彼は愛欲に満ちたハレムの生活を拒み、ぜいたくと特権のある生活から離れようと決意する。王は都城の扉にかんぬきをかけ、何百もの兵を置いたが、彼が出立しようとすると魔法のように扉が開いた。ヤクシャと呼ばれる神秘の存在によって蹄（ひづめ）を支えられた馬のカンタカは音を立てずに進み、だれにも気づかれずに、彼は都から出て行った。のちに、悟りを得るために厳しい修行をしていたときには、彼は毎日ナツメとゴマと米をひと粒ずつ食べ、「6年のあいだ座禅を続けた」

南アジアと東南アジアに広がっていた南伝仏教あるいはテーラワーダ（上座部）と呼ばれる宗派は、釈迦は神ではなく普通の人間だという見解を断固として維持している。テーラワーダの中核となる八正道（はっしょうどう）は通常の世界の実生活に焦点が当てられている。けれども、中国や東アジアの北伝仏教、マハーヤーナ（大乗仏教）は、『ブッダチャリタ』と『ラリタヴィスタラ』というふたつの釈迦の「生涯」を見ればわかるように、異なる道をたどった。そこでは釈迦は神のような存在であり、神々に囲まれ、この世とは別世界に暮らしているように見える。焦点が実生活から釈迦そのものに移っているのだ。トーマス・ベリーがいうような「釈迦論」になったのである。「やがてそれは、キリスト教のキリスト論と同じように仏教の中心となった」。その結果、北伝仏教の釈迦は「救世主のような性格を持つ、思想と献身の中心にある最高位の存在」へと進化した。「力の物語」は彼を「唯一無二の存在、真実を啓示する最高位の存在、宇宙と人類の秩序の中心、自然現象と超自然現象が交差する点」に仕立て上げた。「釈迦が普通の人間とみなされていたら、仏教は現在のような巨大な信仰にはなっていなかっただろう」と主張するベリーの見解は興味深い。すばらしい架空の「物語」がもたらす偽りの力がなければ仏教は存在しなかっただろう。それは世界のほかの主要な宗教の教祖にもあてはまる。

シッダールタの現実的な経歴を知ることは不可能だ。南伝仏教のテーラワーダには文字で残された記録がない。仏教徒のあいだでは、1500年後に北伝仏教で書かれたものが記録だと考えられている。ほかの宗教指導者、教祖、古代の立法者の「物語」を知らなければ、信者は通常の現実社会にそぐわないことを疑いもせずに、自分たちの「物語」を信頼できるものとして受け入れる。「物語」の基本原則に照らせば、過去には現在よりもたくさんの魔法や奇跡が示されていてもおかしくないからだ。それとは対照的に、信者以外の人は、物語のなかのできごとを現実とは思えないため、釈迦という人間が存在していたことを否定しがちである。真実はそのあいだのどこかにある。かつて重要な人物がいたことは間違いないだろう。けれどもその生涯の詳細ははるか昔に失われてしまった。むろん、『ブッダチャリタ』や『ラリタヴィスタラ』の作者が物語全体を創作したといえないことはないが、おそらくそうではないだろう。むしろ、シッダールタの重要性、影響力、権力を証明する「物語」が500～600年にわたって何度も繰り返し語られて積み重なり、実際のできごとが埋もれるか消えるかして話が書き換えられて、何世代にもまたがる信者たちを通して広がり、伝説として口伝えで受け継がれてきた可能性が高い。

そうするあいだに、もうひとつの伝統が形になった。誕生までのストーリーの蓄積から生まれた複雑な先史時代である。口承されていた数世紀のあいだに発展したボーディサットヴァ（菩薩）の概念は当初、ボーディ（悟り）を得る前の状態を意味する言葉だった。しかし、パーリ仏典の『マハーパダーナ・スッタ（大本教）』（血統についての大説教の意）など、釈迦の講話といわれるものにおいてその概念が進化し、ボーディサットヴァは誕生前から存在していて、母親の胎内に「降臨」して姿を現したと解釈されるようになった。話はさらに発展し、やがて、それが数万年前から何度も繰り返されてきたことになった。

前世の話は『ラリタヴィスタラ』で大きく取り上げられている。ラリタヴィスタラは「大遊戯」を意味し、ある英訳書では、『ブッダチャリタ』のシッダールタの誕生と同じように、ボーディサットヴァのこの世への誕生が驚異的であることが強調されている。とはいえ、ボーディサットヴァの前世のほうがはるかに仰々しい。彼は前世で天界のようなすばらしい場所に住み、美しい乙女たち、神々、そしてほかのボーディサットヴァたちに囲まれていて、その数はそれぞれ10万だ。巨大な数字は3万2000階の天宮や、8万4000の楽器で奏でられる音楽といった描写にも用いられている。彼が「トゥシタ天（兜率天）」から旅立つときには、60万の神々と840万の天女たちがそれぞれの世界から集まった。世界は5つあるといわれているのだから、天女たちの数は4200万人である。そのような「物語」の巨大化と数字の誇張が、のちの釈迦の権威と権力を作りあげた。この印象に残るシーンは、オランダの学者コルネリス・マリウス・プレイテの目にも留まった。なぜなら、ジャワ島中部にあるボロブドゥール遺跡の第1回廊の壁上部に円を描くように配置されている、9世紀の１２０枚のレリーフパネルとして残っているからである。

ガウタマ・シッダールタが生きていたといわれる紀元前6世紀後半には、インダス川からガンジス川下流の低地のあいだのインド北部に、古代アーリア人のヴェーダの神々を信仰する多神教が広まっていた。ボーディサットヴァの出立を見送った神々の60万という数は、明らかに古代ヒンドゥー教が背景にあったと考えられるが、この記念すべきできごとに招待された恵まれた神々のエリートは、超自然界に住んでいた数百万の神々のほんの一部にすぎない。『ラリタヴィスタラ』の釈迦に見られる前世という考え方は、仏教が発達した時期にガンジス川流域に浸透していた、ヒンドゥー教のさまざまなウパニシャッドに登場する誕生・死・再誕の概念にもとをたどることができる。『ブリハッド・アーラニヤカ・ウパニシャッド』では、ちょうど葉先にいるイモムシが体を伸ばして次の葉に移ろうとするように、死後、アートマン（我）が新しい命として生まれ変わる。『シュヴェーターシュヴァタラ・ウパニシャッド』では、サンサーラ（輪廻転生）を、誕生・死・再誕が回る車輪のようなイメージで表している。パーリ仏典が編纂されたころまでには、釈迦の前世の「物語」は伝統として確立していた。

釈迦の前世があまりにも重要になったため、釈迦の講話のなかで複数の過去の人生が語られていることもよくある。『マハーパダーナ・スッタ』では「９１０億年前、世尊、アラハント（アルハット）である悟りを開いたヴィパッシ・ブッダがこの世に現れ〔中略〕３１０億年前、シキン・ブッダが現れ」て、そのあとにヴェッサブー、カクサンダ、コーナーガマナ、カッサパという悟りを開いた一連のブッダたちが続いている。過去数百万年に伸びる時間の概念はヒンドゥー教のカルパ（劫）に由来している。その膨大な時間の観念は釈迦が次のように断言しているところからもわかる。「ヴィパッシだったときには8万年生き、シキンでは7万年、ヴェッサブーでは6万年、カクサンダでは4万年、コーナーガマナでは3万年、カッサパでは2万年生きた。わたしの時代には」と釈迦は続ける。「人生は短く、かぎられており、すぐに終わる。100歳まで生きる人はめったにいない」。この種の時間的誇張は大洪水より前のシュメール王やヘブライ人の話ですでになじみ深い。

釈迦の前世にまつわる話は、パーリ仏典すなわち三蔵（トリピタカ）のなかの小部経典（クッダヤ・ニカーヤ）に含まれる『ジャータカ物語』の一部を形作っている。『ジャータカ物語』はおそらく当初民間伝承だったものが、次第に初期のブッダの話に書き換えられたものだろう。『ラリタヴィスタラ』は、釈迦の母親がだれかという話にわずかに触れている――母のマハーデーヴィーは「ボーディサットヴァの500の生涯で彼の母だった」。いずれも父親はシュッドーダナだった」。理由はよくわからないが、釈迦の前世の話は哲学的見解を超えて、インドでもっとも親しまれている文学ジャンルのひとつになった。ゆえに、『ジャータカ物語』には500話を超える出自（ジャーティ）の物語がある――正確には547話だ。『ブッダチャリタ』や『ラリタヴィスタラ』の芸術性と比べると、『ジャータカ物語』は明らかに陽気で、体系的な哲学ではなく広く親しまれていた民話に起源があることがよくわかる。それでもやはり、それらは釈迦の伝記を広める文学的な「力の物語」を強化する役目を果たした。

話のひとつは人間が存在していなかったころの古代が舞台となっているが、多くは伝説といわれる古代の王――ヴァーラーナシー（ベナレス）のブラフマダッタ王の時代に設定されている。典型的な話では、多くの異なる役割に生まれるブッダ、あるいはブッダになると定められたボーディサットヴァが描かれている。根底にあるのは、すべてのもの、すべての人に霊的な力があるとするアニミズムの概念だ。したがって、ブッダたちは身分の高いバラモンや王妃のもとに生まれるだけでなく、職人の親方や乞食、王子や貧民、女王の配偶者や商人、貿易商や隠遁者にも生まれ変わった。それらはボーディサットヴァが生活のあらゆる場面と関わっていたことを暗に示している。しかしながら、多くは動物となった初期のブッダたちの話だ。フランシスとトーマスが編纂した初期の話にはこうある。「昔々、ブラフマダッタがヴァーラーナシーを治めていたころ、ボーディサットヴァはハトとして生まれた」。別の話では「昔々、ブラフマダッタがヴァーラーナシーを治めていたころ、ボーディサットヴァはネズミとして生まれた」と始まる。こうした話では、未来のブッダは、犬、雄牛、ウズラ、トカゲ、ジャッカル、ライオン、ウミヘビ、オウム、ウオガラス、アンテロープ、キツツキ、野うさぎ、シンギラ鳥、象、神鳥ガルーダに生まれる。サルには3度、木の霊にも3度生まれ変わる。これらの前世の姿は、折に触れ、彼がすべての生きものの世界で暮らしていること、つまりブッダが宇宙規模であるという宗教観念を支えている。化身は、ウパニシャッドに出てくるようなバラモンたちの誕生から死までの「物語」の根底にあるインドの生まれ変わりの概念の表れだ。シッダールタは悟りを開く（涅槃に達する）前、そうしたバラモンたちとともに暮らし、学んだといわれている。『ジャータカ物語』は、教義として一貫して釈迦の経歴を示すひとつの大きな枠物語である。そこにある数百の物語はよく知られる動物たちの話だ。だがそれらを合わせると、膨大な時間を通して繰り返されてきた生まれ変わりが、釈迦とその宗教の教えを強化する「力の物語」に匹敵する背景を作り上げているとわかる。

道徳的な教訓という『ジャータカ物語』の形は、何世紀もかけて徐々にイソップの名と結びついていった『イソップ寓話集』に似ている。『ジャータカ物語』は四諦八正道（したいはっしょうどう）の哲学的な教えや、T・R・V・ムルティとエドワード・コンツが詳しく解説しているような、僧ナーガールジュナ（龍樹（りゅうじゅ））から始まったきわめて思索的な分析とは対照的だ。『ジャータカ物語』は子どもでもわかるような読んで楽しい道徳の話でありながら、さまざまな形で引用されて強化されるたくさんの話の母集団の役目を果たし、釈迦の話としての価値を保っている。前世の数があまりにも多いため、どうしても大衆に好まれるものとそうでないものが出てくる。エレン・C・バビットの『ジャータカ――インドの物語 *The Jatakas: Tales of India*』では、みごとな影絵の挿絵とともに18の説話が取り上げられている。35話を取り上げたエセル・ベスウィックの『ジャータカ物語――ブッダの誕生の話 *Jataka Tales: Birth Stories of the Budda*』は、仏教における生まれ変わりのテーマに沿っているように見えるが、話の中心は動物たちである。

4世紀、アールヤシューラというサンスクリット語の作家が『ジャータカ・マーラー』として34の釈迦の生まれ変わりの物語を集めた。アールヤシューラについてはよくわかっていないが、この物語もまた、1100年前にボロブドゥール遺跡に刻まれており、第1回廊の外壁にあるバスレリーフに34話すべてを見ることができる。

『ジャータカ物語』にはさまざまな境遇に生まれた初期のブッダたちがひしめきあっているが、もうひとつ、それより狭い範囲で描かれている伝統がある。全15巻の『クッダカ・ニカーヤ』にある『ブッダ・ヴァンサ（仏種姓経）』（ブッダの系図）では、釈迦の前世は24で、規則正しい間隔で生まれ変わっている。理論としては、人々が最初は熱心に信仰しても数千年も経つと忘れてしまうため、新たなブッダの登場によって再び仕切り直さなければならないということのようだ。それにより、過去のブッダはそれぞれ５０００年のあいだ大地を支配し、仏教の先史時代は合わせて12万年になった。10万イーオン前（１イーオンは10億年）にさかのぼる釈迦の太古の生涯では、ガウタマはスメーダという名の苦行者で、最初の24人のひとりといわれるいにしえのブッダ、ディーパンカラ（燃燈仏）の足元にすわっていた。そのときの影響で、彼は悟りを開くために何度も転生を繰り返しながら、自分の道をきわめようとしたという。この「物語」からは、悟りは「無上正覚」（あるいは阿耨多羅三藐三菩提）、すなわち、この上なくすぐれて正しく平等であるという仏教の考え方がわかる。悟りを開くまでの釈迦の長い道のりについて、コンツは以下のように述べている。「悟りの境地にいたるまでの釈迦の準備期間はまさにとてつもない長さだ。ディーパンカラとして生きていた時代に悟りを開いたにもかかわらず、最終目標を達成するために、計算できないほど長い時間、ボーディサットヴァとして生きなければならなかった」。悟りはその結果として獲得した力であり、その力を得るために何度も生まれ変わって成し遂げた偉業が仏教で語られているのである。つまり、１日に20分すわって瞑想をしたところで悟りは開けない。

過去のブッダのなかでもっともよく知られているかもしれないディーパンカラは、中国、ミャンマー、ネパール、スリランカ、タイで座位のブッダと描写されているが、2001年にアフガニスタンで破壊された立位の仏像もディーパンカラだといわれている。ディーパンカラの伝説は南アジアや東南アジアの南伝仏教、テーラワーダの伝統として各地に残っている。彼は『ブッダ・ヴァンサ』だけでなく『マハーヴァストゥ』（偉大なできごと）にも登場する。『マハーヴァストゥ』にも釈迦の長い生涯の伝説が含まれている。北伝仏教のマハーヤーナにも詳細な中国語版があり、王立アジア協会誌で発表されたS・ビールの英訳で欧米に知られるようになった。ディーパンカラほど数字や空間の誇張がはっきりと示されているブッダはほかにない。身長は80キュービット（約37メートル）で、10万年生き、8万4000人のアラハントが仕えていた。ディーパンカラはシッダールタと同じように、日々の生活に幻滅し、それまでの生活を捨ててようやく悟りを開いた。ディーパンカラ伝説の重大な場面は、やがて歴史に残るブッダが現れるだろうと予言するところで、旧約聖書の預言者が告げたといわれる予言によく似た文学的手法が用いられている。『ブッダ・ヴァンサ』によれば、ディーパンカラは、ナンダラーマという場所で悟りを開いたとされる。場所の位置は特定されていないため、おそらく伝説上の場所かもしれないが、そこにあった高さ6ヨージャナの仏塔の下に彼の灰が埋められた。1ヨージャナの長さには諸説あるが、約8～21キロのあいだといわれ、ソロモンの神殿やトロイア、ハスティナープラやインドラプラスタの巨大化が思い起こされる。むろん、ディーパンカラのできごとはみな歴史に残るブッダの時代よりも何十億年も前に起きたことだといわれている。

アートマン（我）という精神は途切れることなく続く。ゆえに、過去のブッダたちはみな、歴史に残るブッダ、つまり釈迦の生まれ変わりとみなされる。したがって、過去のブッダたちの物語や伝説は釈迦の物語であり、そこへ新しい物語が無限に積み重ねられていく。まさにすぐれた哲学だ。いにしえの物語は歴史を超えた時と場所で生じているため、いずれも反証できない。釈迦の「物語」は、ほかのいかなる宗教創始者をもしのぐ数だけあるようだ。妙なことに、そうした物語は歴史に残るブッダのための「力の物語」を形作っているにもかかわらず、80年という彼のこの世の人生の外側にある。

仏教の成功は、釈迦という人物を取り巻く数々の神話的な「物語」によって作り上げられた力だといえるのかもしれない。釈迦が実際の伝記で語られ、一地域あるいは一国と密接に結びついていたなら、仏教は小規模な宗教のままだったかもしれない。けれども、人知を超えた次元で語られる長い先史と、きわめて精神的な前世の存在を含むストーリーの拡大によって、仏教は文化に縛られなくなった。仏教は早くから、スリランカにくわえ、中国領トルキスタン、チベット、アフガニスタン、ミャンマー（ビルマ）、インドネシアなどの南アジアと東南アジアに進出した。マハーヤーナ（大乗仏教）として形を変えて、北東アジアのモンゴルから中国、韓国、日本へと伝わったのは、神権政治の帝国主義というより文化の拡大だった。ハインツ・ベヒェルトとリチャード・ゴンブリッチは「仏教の世界」を、経歴や歴史の事実についての論争から離れ、想像上の「物語」をベースにした、教義的な対立のない改良の力と述べている。仏教は軍国主義、攻撃、あるいは改宗を介することなく世界的宗教になった。それは瞑想と精神の鍛錬の宗教だ。領土は社会の変革の起源となるべきひとりひとりの精神である。仏教が示す方向はふたつ。神々との関係が薄れて、信者の内面的な生き方にのみ焦点を合わせ、あやしげな神の世界ではなく人生のための悟りが重要視される未来へ向かう。同時に、自然界と人間界の両方に精神的な力があるという大昔の考え方、宗教の出発点を呼び覚まし、生き返らせる。国家のイデオロギーを避けながら、神々から離れ、全世界の平和の究極の基盤となる人間の精神へ向かうのだ。

救世主の物語

1896年、カイロにあったシナゴーグの天井裏の書庫（ゲニザ）に放置されていたたくさんの写本のなかから、それまで知られていなかった「物語（ナラティブ）」を記した中世のふたつの不完全な写本が見つかった。現在ダマスコ文書と呼ばれるそれは、1910年に初めて公表された。それを記したのは、紀元前1千年紀の最後の1世紀に、ヨルダン川西岸地区にあるクムランで修道院のような暮らしをしながら信仰に専念していた非主流派のユダヤ教団、エッセネ派である。この文書には、それまで知られていなかった指導者、「義の教師」（モレー・ツェデク）と呼ばれる人物の話が記されている。それがだれだったのかはわからず、その生涯についてもほとんど不明だが、その人物とダマスコ文書は現在、エルサレムと地中海沿岸地域に離散したユダヤ人社会の多くで、ユダヤ人の信仰に大きな影響を与えたと認識されている。しかしながら、文書が記されてから発見されるまでに2000年も経過していたため、歴史的な位置づけは今も謎に包まれている。

発見から半世紀後、義の教師はユダヤ教学者のあいだで新たに注目を浴びることになった。1947年以降、近づくことがほぼ不可能な死海の洞窟で、宝の山のごとく写本が発見されたのである。砂漠の山羊飼いによる発見の話は、あたかも感動的なドラマのようだった。めったに使わない道を通って山羊たちを歩かせながら、彼が何気なく暗い洞窟に石を投げたところ、陶器に当たった音がした。のちに、洞窟1と呼ばれることになるその場所に戻った彼と友人は、羊皮紙の巻物が入った背の高い陶製の壺を発見したという。それから数年のあいだに、11の洞窟、数十の壺、数多くの隠された巻物が見つかった。写本の数は数百、断片は数千にのぼった。エステル記を除く旧約聖書のすべての書のヘブライ語版が、場合によっては何点も発見された。そのなかに、現在「死海文書」として知られるエッセネ派に特有の文書が数多く残されていた。また10点以上のダマスコ文書の写しが含まれていたため、同文書はエッセネ派の教団にとって重要な物語だったのかもしれないと考えられるようになった。すべてを合わせると、1896〜97年にカイロで見つかった断片よりも、はるかに完全な「物語」の姿があらわになった。

クムランの考古学調査（1951〜56）からは硬貨も見つかり、人々が暮らしていた年代は紀元前150〜後68年と特定されている。放射性炭素14を用いる年代特定によれば、「現代の学者の一般的な見解ではクムランの巻物はおよそ紀元前200〜後70年のものである」。巻物の文章の分析からは文書が記されたおおよその年代順が判明し、文書は10年（紀元前45〜35）という短い期間に書かれたもので、その10年のあいだに、年代が特定された107の文書のうちの半数以上が書かれたとわかった。その後、政治的混乱によって社会的重圧がかかり、続きの文書が書けないうちにクムランの教団は崩壊したようである。

70年ごろに終わりを迎えた支配というと、ちょうどローマ帝国とユダヤ人とのあいだに起きたユダヤ戦争の時期と一致する。侵略と文書の破壊をおそれたユダヤ人が、エッセネ派の書物を死海の上に高くそびえる崖の洞窟に隠したのだろう。複数の聖書の写本とダマスコ文書が見つかっているため、クムランが襲われる数か月前に、パレスティナ周辺の別の場所からエッセネ派の書物が運び込まれたとも考えられる。埋められた宝物のリストがあることから、文書が被災しないよう移されたことが示唆される。ワイズらが英訳して論じているそのリストには、ローマ領ユダヤ一帯に埋められた宝も含まれている。宝物の多くはエルサレムの神殿の丘に近い場所に隠されたといわれており、リストに記されている宝物は第二神殿のもので、リストも安全のために隠されたとする説が提唱されている。リストは本物だと考えられているが、第二神殿との関連性は、隠された宝を探す試みが何度も失敗に終わっているため推測でしかない。おそらく何世紀も前に場所が突き止められて略奪されてしまったのだろう。

巻物には義の教師にまつわる広範な記録が記されている。この教師は現在、ヘブライ人の偉大な預言者であるイザヤ、エレミヤ、エゼキエル、ゼカリヤに匹敵する人物だと考えられている。巻物の数から見て、クムランに置かれたエッセネ派の主要な教団はほかの多くの教団に影響をおよぼしていたと考えられる。ユダヤ史学者ヨセフスの推定によれば、4000人のエッセネ派がパレスティナ各地で「大きな集団を作って」暮らしていた。考古学記録によれば、エルサレムにもエッセネ派の居住区があり、ヘロデ王の時代に作られた城壁にはエッセネ派の門があり、またエッセネ派の墓地があったとわかっているが、この宗派の影響力はもっと広い範囲におよんでいた。1世紀までに、エジプトのアレクサンドリアには100万人のユダヤ人がおり、シリア、アナトリア、キュプロス、イタリア、スペイン、ローマ領ガリア、アフリカの北部沿岸部にも大きなユダヤ人コミュニティーがあった。エレゴールによれば、「証拠は、エッセネ派がユダヤ人のあいだできわめて重要な宗教運動だったことを示して」おり、エッセネ派の思想がローマ帝国中に広がって、とりわけ、シナゴーグが建てられていたヨーロッパ南部一帯の離散ユダヤ人に普及していたとわかる。

ダマスコ文書の枠組みは、契約とそれを守らなかったイスラエル人の失敗に焦点を合わせて短くまとめたイスラエルの史詩ともいうべきもので、旧約聖書の預言とヤハウェの怒りの物語の範疇に入る。文書には、クムランの教団は「神が彼らをバビロンのネブカドネザル王の手に引き渡して［紀元前586年］から390年後の怒りの時代」に築かれたとある。つまり、紀元前196年ごろだ。しかしながら、ヤハウェが「神の御心へと彼らを導く義の教師を遣わす」までのあいだは、「彼らは手探りで道を探す盲人のようだった」という。注目すべきこの主張は、義の教師がイスラエルの史詩にとって重要な、神の計画の一部だったことを示している。義の教師は自分自身を大きな木々に囲まれた「若枝」とみなし、近くにある「秘密の泉」によって「永遠の木」になるまで育つと考えていたようだと、死海文書のさまざまな詩篇を参考にワイズは指摘している。義の教師は紀元前2世紀の信仰の要となった。

けれども、状況の詳しい説明はないが、義の教師はやがて宗派同士の争いの犠牲になった。ダマスコ文書は彼の死後に書かれたものであるため、神話化されている。彼は、紀元前6世紀にイスラエルの救世主だった王たちが滅びたあとに神に選ばれた、新たな預言者ともいうべき救世主（メシア）

とみなされていた。神は「祭司」である彼に「すべての秘密を知らしめて」、「民に起きるものごとを知る神のしもべ、預言者、の言葉をすべて理解する」知恵を授けた。この神話のような称賛からは、義の教師をきわめて重要な宗教指導者と定める創作された「力の物語（ナラティブ・オブ・パワー）」の枠組みが見えてくる。聖書のハバクク書に対する注解には「ユダヤ人のうち律法を実行する者は〔中略〕神の手で裁きの家から救い出されるだろう。なぜなら彼らは苦しんでおり、義の教師を信じているからだ」とある。信仰に焦点を当てているという点で、この主張は、信じれば義と認められる新約聖書のパウロの手紙の考え方とほぼ同じで、アウグスティヌスからルターまで神学の長い歴史で続いていた思想である。注解は続く。だれのことかはわからないが「邪悪な祭司」が「義の教師を追放の家まで追いかけて、悪意に満ちた怒りで彼を惑わせようとした」。つまり、義の教師は彼に異を唱える何者かによってクムランに追放された。これが正確に何を意味しているのかはわからないが、「義の教師に対する邪悪な行為」には不吉な響きがあり、「悪病の恐怖による〔中略〕厳罰」や「彼〔邪悪な祭司〕の肉体への仕返し」といった神による復讐も同様だ。言葉からはエッセネ派とその指導者が、もしかするとパリサイ派やサドカイ派に迫害されたと考えられるが、実際に何が起きたのかは、おそらく解明できないだろう。しかしながら、神が選んだ民の敵に対する神の「罰」と「復讐」は、イスラエルの史詩を通して描かれている神の役割、とりわけモーセ、ヨシュア、イスラエルの王たちの敵の扱いと同じである。

　義の教師ほどインパクトのある人物はなかなか忘れられない。死海文書の発見で、彼は一躍有名になった。ドイツの神学者ゲルト・イェレミアスは彼を「後期ユダヤ教で知られているなかで最高の人物」と呼んだ。フランスのイエズス会士でローマ教皇パウロの枢機卿（すうききょう）のひとりだったジャン・ダニエルーは、義の教師は「人類史でもっともすばらしい宗教家」と評した。

状況から判断して、義の教師とその弟子たちが、彼らより前の時代の人物の名前と彼を関連づけていた可能性もある。感謝の詩篇やダマスコ文書といった文献をもとに、彼を「最初のメシア」と呼ぶマイケル・ワイズは、彼がユダと呼ばれていたのではないかと述べている。証拠はないが説得力のある推測だ。聖書外典のシラ書（ベン・シラの知恵、集会の書とも呼ばれる）はそれより強く別の名を示唆している。シラ書は格言や預言的知恵を集めたもので、聖書正典の箴言（しんげん）にも登場する「知恵」が、擬人化されて一人称で語る部分がある。シラ書の3分の2は、ダマスコ文書とともに1896年にカイロで発見され、のちにクムラン近くの洞窟でも断片が見つかった。モーセの律法の流れに沿って知恵について語るシラ書は、ローマ・カトリック教会の第2正典として受け入れられている。シラ書は紀元前180年ごろエルサレムにいたギリシア人の青少年指導者が書いたもので、著者は義の教師と同時代に生きた若干年上の人物である。ひょっとすると義の教師が「若枝」だったときに彼を育てた「木々」のひとりかもしれない。外典のなかで唯一、明らかにされている著者の名はイエスス・ベン・シラ（シラの息子イエスス）である。ギリシア語のイエスス、つまりヘブライ語のヨシュアという名は、旧約聖書では世界の創造より1000年以上経ってから登場する、エジプトから奴隷を率いてイスラエルという国を作ったモーセの子孫である。もとの名をホシェアといったが、モーセがヨシュアと改名した。そうした改名、つまり宗教上重要な称号は、名前が持つ象徴的な意味を目立たせるために、後世の編纂者たちが手をくわえた証である。ヨシュア／イエススは「救世主」を意味する。義の教師にふさわしい名前があるとしたら、イスラエルの指導者でシラ書の著者だったヨシュア／イエススは最適な候補かもしれない。

イエススという名の由来は憶測にすぎないが、メシアという役割は議論の的になった。エッセネ派の重要な文書に「感謝の詩篇」がある。「主よ、感謝します」という式文から始まるためそう呼ばれている。そのなかに「メシアの賛歌」と呼ばれるものがふたつあるのだが、しわくちゃにされ、汚された状態で死海文書のあいだに隠されていた。聖書学者のイスラエル・ノールは、それが、エッセネ派の教団内部の臆病な、あるいは保守的な人の目にはほとんど神への冒瀆に等しいと映ったためかもしれないと述べている。「メシアの賛歌」のひとつに登場する第一人称の語り手は、自分は神で苦痛を受けているという。瞬時に、何世紀も前のイザヤ書にある「主の僕の苦難と死」を思わせる象徴的表現だとわかる。

［わたしほど］さげすまれた者が［いるだろうか？］［わたしほど］拒絶された［者が］いるだろうか？［わたしほど］邪悪に［耐えた者］がいるだろうか？［中略］天使のなかにわたしのような者がいるだろうか？［わたしは］［中略］聖［なる者たち］とともにある。［中略］わたしと肩をならべ、わたしの裁きと比較できる者がいるだろうか？［中略］［わたしの教えに］まさる教えはない。［中略］わたしは［中略］天上の天使たちとともにある。

ふたつ目のメシアの賛歌は、エッセネ派の人々に「喜べ〔中略〕歓呼して賛美せよ〔中略〕〔彼の〕救いの角を立てるために〔中略〕彼の偉大なる力を知らしめるために」と呼びかける。ハノン・エシェルはそれを「自己賛美の歌」と呼んでいる。

バートン・マックはこれらの歌の語り手を「ときに神のような人間、ときに詭弁家や物知りと呼ばれる哲学の起業家」と呼んでいる。エミール・ピュエシュは、語り手はみずから救世主の指導者を名乗るただの人間だと考えている。だが、ノールは躊躇なく「この歌にはずうずうしさや自己権力の拡大は見られない」としたうえで、すべての証拠は「自分自身をメシアとみなし、教団からもそうみなされていた〔中略〕クムラン教団で活動していた歴史的な人物である」ことを示していると述べている。これまで知られているなかで、この自称メシアにふさわしい唯一の指導者といえば義の教師であり、現在はほとんどの聖書学者がそう考えている。しかしながら、ひとつだけ注意しておきたいことがある。それは「わたしは〔中略〕天上の」というくだりだ。これは文書が義の教師の死後に書かれたものであることを示している。また、信者に彼を「賛美せよ」と勧めながらも、義の教師自身の言葉であるかどうかの言及を避けている点からも、この賛歌を作った弟子のひとりが彼の死後、彼をメシアとみなしたものと考えられる。

義の教師とメシアが同一人物であること、そしてイスラエルの祖である「救世主」を意味するヨシュア（別名イェシュア）と象徴的に関連していることを踏まえると、義の教師が1世紀に、ギリシア語で「救世主・メシア」を意味する「イエス・キリスト」、パウロの手紙に初めて出てくるその二重の称号へといつの間にか変化した可能性がある。死海文書と義の教師が発見された瞬間から、彼をキリストとするいくつかの説がささやかれている。2000年ものあいだ義の教師が知られていなかったこと、そして1世紀の最初の3分の1に生まれ、暮らし、死んだ「イエス」の異なる伝記が福音書に描かれていることを考えると、これは驚くべきことかもしれない。キリスト教徒が何世紀にもわたって受け入れてきた伝統的な説明と正統な福音書が、義の教師の伝記をもとにした作り話かもしれないというのである。

現存している写本の調査を見ると、1世紀の最初の3分の1には、実在したイエスに該当する人物の形跡がまったくない。ジョージ・ミードは衝撃的なタイトルの著書『イエスは紀元前1世紀にいた? *Did Jesus Live 100 B.C.?*』で、証明の難しさについて語っている。「キリスト教福音書でよく知られている物語が、確かな歴史にもとづいていないということを受け入れなければならない。〔中略〕福音書に描かれている話には、確かな歴史的証拠がなく、美しいけれどもひどく間違った伝説である」。アルバート・シュヴァイツァーは著書『実在したイエスを探す旅 *Quest for the Historical Jesus*』から手ぶらで戻ってきた。「メシアとして現れ、地上における神の国の倫理を説き、みずからのつとめに身を捧げて死んでいったナザレのイエスは、実在しなかった」。ルドルフ・アウクシュタインはもう少し厳しく、「キリスト教会はどうして実在すらしなかったイエスに訴えることができるのか」と問いただしている。アール・ドハティは著書『イエスの謎 *The Jesus Puzzle*』で、伝統的な福音書にあるイエスの複数の「生涯」にある問題を幅広く分析し、とりわけ、パウロの手紙にある超自然的で矛盾したキリストを取り上げている。アルヴァル・エレゴールとデイヴィッド・フィッツジェラルドは、本当にイエスが存在していたなら記されていいそうな1世紀の歴史に関する数多くの文献を細かく調べたが、そのような記述はひとつも発見されなかった。

義の教師がモデルだったと仮定した場合、エッセネ派のこの預言者のどの部分が1世紀まで伝わったのだろう？　義の教師の経歴についての情報は、詳しくはわからない不吉な死を遂げたということ以外に何もない。情報は1世紀の40～50年代に執筆したパウロの手には入らなかった。

その点、パウロは正直である。経歴についてては何もでっちあげていない。パウロが利用している情報は「イエス」「キリスト」「主」という偽名だけだ。けれども、パウロはエッセネ派の教えにあるたくさんの「言葉」を手紙に引用している。ここで注意すべき点がひとつある。パウロの手紙の「言葉」はのちの福音書の「イエス」の言葉とみなされがちだ。つまり、伝統的な（後世の）イエスの生涯の話が心理的にパウロの手紙にさかのぼって投影されてしまうのである。それを避けるためには、イエスの福音書のことはいったん忘れて、エッセネ派の背景を考察する必要がある。

さて、死海文書の多くは、エッセネ派の信仰と崇拝の規律となる社会の規則、入信の儀式、契約の更新、礼拝の祈り、日々の祈り、祝福について記した写本で、信仰についての疑問に答えている。先に述べたように、エッセネ派の集団は、パウロが訪れ、手紙をしたためたアテナイ、コリント、フィリピ、ローマ、テサロニケのさまざまなシナゴーグ（集会所を意味するギリシア語のシュナゴゲー）を含め、ローマ帝国各地に存在していた。ローマの使徒への手紙12～14章、コリントの使徒への手紙1の8～14章にそれが記されている。パウロの「わたしがあなたがたに伝えたことは、わたし自身、主から受けたものです」あるいは「わたしがここに書いてきたことは主の命令である」といった言葉はどちらも、エッセネ派の規則、儀式、信条と同じである。あたかもパウロがエッセネ派の規則や信条を熟知していて、ヨーロッパ南部のさまざまなシナゴーグでパウロの教えを聞いた離散ユダヤ人はそれらを知らなかったかのように見えるが、ヘルムート・ケスターがいうように、パウロが語った主の言葉が「行き当たりばったり」だったとは考えにくい。「むしろ、パウロは信者集団の規律を記した資料を頼っただけでなく、すでにその論議や解釈の影響を受けていた」のだろう。義の教師と1世紀のパウロとの時間的距離、また文字で記されたエッセネ派の資料が少なかったことを考えると、パウロの手紙は改めて教えを伝えるためのものだったと考えられる。教会の参列者がすでに知っている内容であっても、繰り返し聞かせる必要があるために、聖書の物語やすでに受け入れられている教義が何度も語られる説教のようなものだ。ヴァイン・デロリア・ジュニアがキリスト教の中核としているこの「教えと説教」による強調は、パウロの手紙から始まったのである。

パウロの手紙に記されている言葉は、その語り手についての経歴を含んでおらず、実在した人物かどうかにもいっさい触れていない。30年ごろとされるイエスの死の直後に書かれたといわれているパウロの手紙のどこを見ても、イエスの経歴の情報はひとつもない。のちの福音書や使徒(しと)言行録(げんこうろく)に伝統的なイエスの話があるのとは対照的に、パウロの手紙には誕生、家柄、系図、旅、教え、死、埋葬、復活、昇天の話がない。パウロの手紙にイエスの生涯の話がまったく出てこないのは、実在しなかったからだと考えてよいだろう。驚くことに、イエスの生涯と運命を決定づけたふたりの政治家、ヘロデ王とユダヤ総督のポンテオ・ピラトも、パウロの手紙にはまったく登場しない。パウロはまた、ローマ、コリント、ガラテヤ、エフェソ、フィリピ、テサロニケの信徒に神学的な答えを書き送ったときにも、福音書の教え、たとえ話、イエスの奇跡に触れていない。ゆえに、パウロがそうした詳細を手紙に書かなかったのは、それらの話がのちの福音書より前には存在していなかったからだと結論づけることは理にかなっているように思われる。A・N・ウィルソンは述べている。「復活であり命であるメシア、パウロのコリントの使徒への手紙で人々の前に現れた救世主は、歴史とはかけ離れた人物である。彼はパウロの厚い信仰心から生まれた存在だ」。パウロが描くイエスは、地上では存在感がない。意外なことに、実体のないキリスト像こそがパウロが手紙で語りたかったものだったのだ。

パウロのメッセージは、彼が啓示と解釈した個人的な経験、つまり、人知を超えた存在の声が中心になっている。それ以外の何でもない。2度にわたって言及されているその経験は、間違いなく重要なできごとである。なぜなら、例外なく、新約聖書で語られるすべてのできごとのなかで唯一の経験者本人が語る話だからだ。福音書はみな数十年後に、実際には目撃していない人々が書いたものである。それだけでも、福音書を信頼できる伝記や歴史とみなすことに疑問が生じる。コリントの信徒への手紙1で、パウロはその体験を、よくある「教養の要約」あるいは信仰の「礼拝の言葉」の範疇に置いている。つまり、既存の教理の暗唱のようなものを手紙に書き入れて、そこへ自分に起きた変化の体験をつけくわえているのである。

もっとも大切なこととしてわたしがあなたがたに伝えたのは、わたしも受けたものです。すなわち、キリスト「メシア」が、聖書に書いてあるとおりわたしたちの罪のために死んだこと、葬られたこと、また、聖書に書いてあるとおり三日目に復活したこと、ケファに現れ、その後十二人に現れたことです。［中略］そして最後に、［中略］わたしにも現れました。（1コリ15章3〜8節）

1世紀の50年代に書かれたこのコリントの使徒への手紙の話は、イエスの物語のプロローグ、つまり創作による伝記が発展していく最初の一歩だった。「3日目に復活した」という言葉について、ジョン・シェルビー・スポングは「これが聖書における最初の復活の物語だ」と主張しているが、その解釈はのちの福音書の教えの伝統的な説明の影響を受けすぎている。パウロの「物語」の復活にあたる「起き上がる（エギゲルタイ）」という言葉は、福音書では、「復活（アナスタシス）」（動かなくなったものがまた動き出すの意）に置き換えられている。その後、福音書には空になった墓、死者の蘇生、生き返った生身の人間との遭遇が含まれるようになった。けれどもパウロの話はまったく異なる体験を表している。コリントの使徒への手紙2で、パウロは「キリストに結ばれていた」人について語り、彼がいうところの「主が見せてくださった事と啓示してくださった事」を描写している。もっとも「体のままか、体を離れてか」はわからないという。さらにその人は「第三の天にまで引き上げられ」て「人が口にするのを許されない、言い表しえない言葉」を耳にする。これは幻想体験の典型例で、さまざまな宗教体験のひとつであり、それについてはイーヴリン・アンダーヒルが想像上のできごととして詳しく説明している。アブラハム・マズローの言葉を借りれば、それは「至高体験」だ。「出現」の直接体験を語るこの話からは、のちの福音書にある空の墓や蘇った肉体の話は、精神が見たものに物質をあてがおうとして追加された作り話だとわかる。また、パウロの紋切り型の話はそれより前の「出現」についても触れているが、それらはみな出現の「伝統」である肉体のない、幻のような、あるいは精神的なもので、まさに、エッセネ派の「感謝の詩篇」で義の教師が死後に語った「わたしは天上の天使たちとともにある」という言葉を思い起こさせる。この幻想は最古のキリスト出現といってよいかもしれない。パウロのかいつまんだ話には時代が記されていなかったため、のちの福音書ができごとの時代と順序を示唆、あるいは一方的に押しつけることになった。聖書に書かれているキリストの出現がごく短い期間に集中しているのは、十字架の処刑から40日後に天に上がったため、その後の出現が不可能になったからである。けれどもたった40日間出現しただけでは「伝統」にはならない。「伝統」と呼ぶからには、場合によっては数十年以上というかなり長い年月のあいだ人々のもとへ繰り返し出現したと考えられる。アルヴァル・エレゴールは「パウロはイエスが地上にいた時期はかなり前だと考えていた」という。また「イエスとされる人物の形跡は紀元前2世紀末に見られる」ともいう。ダマスコ文書とパウロのコリントの使徒への手紙（57頃）は１００年ほど離れている。「出現」のうわさや報告が、パウロがいうところの「伝統」になるには十分な時間だ。

パウロの時代はもとより啓蒙運動より前の文化ではみな、こうした出現はすべて、夢であれ、幻であれ、死者が暮らす霊魂の世界からの訪問とみなされていた。「イエス・キリスト」（救世主・

メシア）として正体を隠して天から話しかける義の教師はまさにそうである。死後も霊魂が生き続けるというほぼ普遍的な考えは、霊魂は「実在するもの、［中略］実体のある物理的な存在」と説明するエドワード・バーネット・タイラーの『原始文化の宗教』で認識されている。ロバート・R・マレットが指摘しているように、霊魂と死後も生き続けるという概念は「宗教の出発点」だ。各地のユダヤ教のシナゴーグに宛てたパウロのメッセージは、数十年にわたってユダヤの教団で崇拝されてきた義の教師の霊魂が「救世主・メシア」（イエス・キリスト）と名を変えて、彼の前に現れたということだった。つまり、エッセネ派の指導者が生き続ける霊魂の力として姿を現したということである。パウロはそれを証明しなかったし、証明できなかった。またその必要もなかった。義の教師はとうの昔から、ユダヤ教の預言者として重要な地位にあったからだ。

長く尊敬されていた「イエス・キリスト」の名声に個人と体験が追加されたことで、パウロの手紙すべてを特徴づける、新しい「力の物語」が誕生した。死海文書では、義の教師が迎えた最後は、不吉というだけで詳しくは記されていない。ユダヤ人がローマ帝国に対して反乱を起こした最初のユダヤ戦争の終わりに、エルサレムでアレクサンドロス・ヤンナイオス王（在位紀元前103～76）の命により十字架にはりつけられた800人のユダヤ教の指導者たち（紀元前94～88）のひとりだった可能性もある。処刑はユダヤ人の記憶に焼きついていた。義の教師がそのひとりだったなら、生き残ったエッセネ派の人々の目に、無実のメシアが処刑されたと映ったに違いない。背景についてはいっさい触れずに、パウロはキリストが十字架にかけられて処刑され、復活したと説き、離散ユダヤ人たちがすでに知っていた預言の教えが正しいことを証明してみせ、創作「物語」に新たな層を積み重ねるための土台を作った。

1世紀が終わりに近づくころ、義の教師の記憶は、ローマによる略奪と虐待によって失われた過去のものとなった。確かな記録がなく、謎に包まれた受難がほのめかされている彼の1世紀の代役、イエス・キリストは、実体がよくわからない人物のままだった。ユダヤの人々に対する長期にわたるローマの弾圧は、ユダヤ戦争（66～70）で絶望的な状況に達した。そのときにクムランの居住地が滅ぼされたため、エッセネ派の巻物は消失あるいは破壊されないように隠された。その文化の混乱のなかで、ひとりの才ある作者が初めてイエス・キリストの「生涯」を創作し、それがやがて、ふたつ目の福音としてキリスト教の正典になった。彼が記した「イエス」はいつだかわからない過去の人間だった。マルコによる福音書ではユダヤ戦争が、イエスが預言した最近のできごととして記されている。学者のあいだで小黙示録と呼ばれているそれは、イエスの預言の力を高めるために創作された、福音の「物語」によくあるいかにも怪しげな予言だ。その話を「マルコ」、そしてその後の3つの話をそれぞれ「マタイ」「ルカ」「ヨハネ」の作品とする説はよくても2世紀の推測でしかなく、だれか別の人物が書いたかもしれないその話には、救世主を意味する「イエス」と「キリスト」という象徴的な名を持つ人物の自然を超えた力がつけくわえられている。その名が義の教師の偽名だった可能性はある。

新約聖書はすべて、アレクサンドロス大王が征服した紀元前4世紀から中東の主要言語となっていたギリシア語で記された。ヘブライ語のメシアという概念はギリシア語でもメシアと音訳されたが、ギリシア思想にとってあまりにも異質だったため、新約聖書ではヨハネによる福音書のなかに2回登場するだけで、1度目は「油を注がれたものという意味」という注釈、2度目は「キリストと呼ばれる」という解説文がつけられている。ギリシア人にとって、メシアはなんの意味も持たないユダヤ人の概念だった。メシアの代わりに用いられるようになった「クリストス」という言葉は、ギリシア語で「油を注ぐ」を意味するクリオが起源で、ユダヤ文化のメシアに含まれる言外の意味をまったく持たない言葉であるようだ。こうしてギリシア語の新約聖書で「キリスト」は称号ではなく名誉ある姓になった。

パウロの「出現」の話をもとに、福音書では詳細な説明が追加されている。たとえばマルコによる福音書では、女たちが朝早く墓を訪れると、墓が開いていて遺体がなくなっており、弟子たちはガリラヤ（およそ96キロ離れた場所）へ行ってイエスに会うよう指示される。けれども、この場面はもともと福音書にはなかった。マルコによる福音書の9～16章に記されているさまざまなイエスの出現は、ほかの人物が書き足したものである。それらは、のちの福音書における出現の「物語」と照らし合わせたときに辻褄が合うように創作されたものと解釈するとわかりやすい。書き足された出現からは、フィクションというものがいかに力の捏造に用いられているかがよくわかる。ただし、結末が創作であることが認識されていない欽定訳聖書からは、これはわからない。のちの標準改訂訳聖書、新英訳聖書、新エルサレム聖書には、怪しげな追加をもともとの福音書から切り離す注釈がつけられている。

開けられて空になった墓の話は小さな追記だったが、遺体が盗まれた、初めからそこに葬られていなかった、墓を訪れた人々が勘違いをしたなど、数々の陰謀論を生んだ。空になった墓については、事実、フィクション、幻覚といったさまざまな視点から議論されている。クルアーン（コーラン）にあるイスラム教の見解では幻覚と解釈され、「かれらにそう見えたまででした」と記されている。イスラム教は、イエスは十字架にかけられて処刑されたことはなく、神によって死の瀬戸際から救い出され、直接天国に送られたという見解を維持している。つまり、十字架の処刑、埋葬、復活、出現という福音書が主張しているできごとのすべてが幻覚なのだ。それが、イエスは普通の人間で、ひとりの預言者にすぎないというイスラムの信仰の土台になっている。

80〜90年のあいだに書かれたマタイによる福音書にもまた別の追記がある。蘇ったイエスが、約束されたとおり、ガリラヤで弟子たちの前に姿を現すのである。もっとも、マタイによる福音書28章17節には、「疑う者もいた」あるいは「躊躇する者もいた」と書いてある。そのあいまいさと不正確さからは、パウロに起きたような霊魂の出現がまだはっきりと物理的な出現の形をとっていないとわかる。だが、まもなくそうなった。同じく80〜90年のあいだに書かれたルカによる福音書では、はばかることなく、イエスは完全に肉体を持つ者として出現する。そして早くても100年ごろに書かれたヨハネによる福音書では、イエスは生身の人間となり、疑いを抱いたトマスは傷に触れるようイエスにうながされる。ヨハネによる福音書の21章1〜14節では、蘇ったイエスが弟子たちの漁の網を魚でいっぱいにするという奇跡を起こし、みなと朝食をとって、自分が人知を超えた力を持つ人物である証拠を示している。

4つの福音書はすべてイエスが死んだとされる時期より40〜70年後に書かれたものであるため、書き手はものごとをじかに目撃していない。書かれていることはすべて推測だが、ひとつだけ例外がある。それはQ資料として知られる「失われた福音書」で、マタイによる福音書とルカによる福音書の源になったものと同じ教えをもとに書き上げられたものだ。Q資料については広範囲に調査と議論が続けられてきた。だが、これまで論じられていない可能性がひとつある。Q資料が、ことによると義の教師に起源があるかもしれないエッセネ派の文書で、クムランの書庫に隠されて押収を免れ、マタイとルカの記述に組み入れられる時期まで残っていたという説だ。もしそうであれば、義の教師の教えがだれのものかわからないまま1世紀まで伝わり、それ以来イエスの教えだと誤って受け取られていることになる。

この例外と思われるひとつを除けば、福音書の書き手が書き上げたものは、旧約聖書を参考にした想像上の「物語」だった。それがよくわかる例は十字架にかけられたイエスの最後の言葉に表れている。ふたつの福音書には「わが神、わが神、なぜわたしをお見捨てになったのですか」と記されているが、この言葉は詩篇22章1節からの引用である。別の福音書では「父よ、わたしの霊を御手にゆだねます」とあるが、これは詩篇31章6節からとったものだ。旧約聖書は新約聖書で起きることを予告しているという伝統的な見解は、どのバージョンが正しいのかという論点をはぐらかしている。福音書によれば、処刑に立ち会っていたのはマリアとローマの百人隊長だけなので、そのふたりしかイエスの最後の言葉の証人になりえない。ルカとマタイの相反する記述は作り話だ。ヨハネは、十字架の上のイエスに「渇く」とだけいわせ、「こうして、聖書の言葉が実現した」と創造性を駆使している。ぶどう酒を染み込ませたスポンジを口元に差し出されたあと、ヨハネは、イエス本人にも「成し遂げられた」といわせている。聖書の言葉を実現させるために、ヨハネはまずそれがどのように起こるのかを定義してから、旧約聖書の逸話を無作為に選んで、「渇くわたしに酢を飲ませようとします」という作者不明の詩篇を利用した。詩篇のその一節を思い出すかどうかは、十字架につけられて死を目前にした人間次第なのだから、これは新約聖書のなかでもっともばかげた預言の実現かもしれない。

当初は霊的な体験だったものが徐々に具体化していく復活のようすは、意図的に創作された預言と実現の話とならんで、福音書が特定の意図を持つ架空の「物語」であることを明示している。ジェイムズ・フレイザーが著書『金枝篇』（1890）で示しているように、エジプトからバビロニアやギリシアにおよぶ地中海沿岸地域の文化には死んで復活する神々がたくさんいるが、死体を蘇らせて永遠の命を描く話は福音書が初めてだった。しかしながら、ありえない力を描く架空の「物語」の発展はそこで終わらなかった。マタイとルカのふたつの福音書は、イザヤ書の7章14節にある預言をもとに、イエスは処女から生まれたと断言している。この奇跡の誕生の物語は今も昔も、絵画、彫刻、音楽に大きな影響をもたらし続けている。それは「きよしこの夜」「飼い葉の桶で」「われらはきたりぬ」「牧人ひつじを」「もろびとこぞりて」そして「天には栄え」といった歌とともに代表的なクリスマス文化に浸透し、今や福音書そのものよりもはるかに大きく、捏造された誕生「物語」の奇跡の力を維持することに貢献している。

ヨハネによる福音書はもうひとつ、創造のときから神とともにあった言（ことば）（ロゴス）としての存在にイエスをあてはめ、「言は肉となって、わたしたちの間に宿られた」という「物語」を作った。これは、アラン・ギャロウェイがいうところの「宇宙的キリスト論」に特徴づけられるキリスト論と、キリストを三位一体、すなわち父と子と聖霊の一部として描き直す4世紀の教義の先駆けとなる「物語」を生むことになった。

宇宙的キリストという図式は死んだ人間に神の力を授ける究極の「物語」かもしれないが、その魅力に魅入られたのは、アウグスティヌス、トマス・アクィナス、マルティン・ルター、ジャン・カルヴァン、ジョナサン・エドワーズ、ロラン・バルトといった、おもに哲学的な思考を掲げた神学者たちだけだった。それとは対照的に、一般のキリスト教徒は今も昔も、わかりやすい「物語」に目を向けがちだ。4つの福音書はみな、水をワインに変えたり、ほんの少しの魚とパンを数千人に与えられるほど増やしたり、ハンセン病を治したり、死者を生き返らせたりする奇跡を起こすものとしてイエスを描いている。それほどまでに超人的な力は、ギルガメシュ、アキレウス、オデュッセウス、アエネーアスといった西アジアや古典期の英雄をもしのぐ。

マルコからヨハネにいたるあいだに数が増えていったそうした奇跡とならんで、福音書には象徴的意味の発展も見受けられる。これは、「物語」のパターン化と同じように、経歴や歴史の要素というより想像上の文学に分類される。マルコはイエスの母マリアについて6回記しているが、いずれもイエスの誕生とは関係がなく、父ヨセフは一度も出てこない。マタイによる福音書では、マリアとヨセフは象徴的な意味を与えられている。マリアは処女で代理母だ。彼女の名のもとになったモーセの姉で乳母だったマリアム（ミリアム）と同じである。ヨセフはほとんど存在しないに等しく、マタイによる福音書ではひと言も発しない。彼は夢のなかだけで、マリアが懐妊したことを知り、子どもをイエスと名づけるよう指示され、ヘロデ王による暗殺から逃れるために家族をエジプトへ連れていけと命じられる。ヨセフは無言で指示にしたがう。子どもの象徴的な役割はまもなく明らかになる。「それは、『わたしは、エジプトからわたしの子を呼び出した』と、主が預言者を通して言われていたことが実現するためであった」。エジプトへ逃げてまだ戻ってくるという不自然な行動は、預言を作るための下準備である。ヨセフの夢は、旧約聖書でエジプト王家に仕え、夢を解き明かす力を持っていた預言者ヨセフと結びついている。旧約聖書で「エジプトから呼び戻された」息子はイスラエルの指導者ヨシュアで、帰還後、カナンに12の部族からなる王国を築いた。そして、同じくエジプトから呼び戻されたイエスは、12人の使徒とともにパレスティナに神の国を築く。

ミドラシュによる対比はヘブライ人の書記官が多用していた独創的な作文方法で、旧約聖書にはよくある。イスラエル人がヨルダン川を渡るときに都合よく水が分かれた話は、モーセが紅海をわたった場面の再現だ。ミドラシュのパターンは聖書全体に何度も登場し、歴史を超えた運命という枠組みを築き上げている。たとえば、洪水のときのノアの40日、シナイ山でのモーセの40日、40日でニネヴェが滅びるというヨナの予言、ダビデとソロモンのぴたりとそろった在位40年、イエスが荒れ野でサタンに誘惑される40日がそうである。ヘブライ人によるミドラシュのパターンをもとに、パウロはギリシア語でも同じような予型と対型を作り、それが、ローマの使徒への手紙にあるように、最初のアダム（予型）が人類を罪へと導き、2番目のアダム（対型）であるイエスが人類を救ったとする神学になった。旧約聖書のヨセフとヨシュアは予型で、新約聖書のヨセフとイエスは対型である。「主イエスの変容」の話で、顔が太陽のように輝き、衣類が

「まぶしいほど光っている」神々しい姿のイエスの傍に立っているモーセとエリヤは、どちらも火と関連づけられる人物だ。モーセは燃える柴のなかのヤハウェに会い、エリヤは火の戦車で天に上っていった。これらが予型で、神々しい姿で昇天するイエスは対型である。

一般原則として、ミドラシュと予型論のパターンが多いほど、信頼できる伝記あるいは歴史の記録ではなくなっていく。福音書は伝記ではなく文学作品で、歴史ではなくフィクションだ。4つの福音書にはメシアのパターンがたくさんあり、それらが預言や歴史とみなされている。何年も前にヒュー・アンダーソンはこう語っている。「ユダヤ人がメシアを望めば、むろん、モーセのような人物が台頭する可能性は十分あった」。そのなかのひとりが「クムラン教団の歴史あるいは神学における義の教師」だった。死海文書の断片から組み立てられた義の教師の「規則」、あるいはそれより広範囲な一連の「法」は、モーセのものとされる幅広い律法を思い起こさせる。義の教師とモーセを結びつけるそうしたパターン化が、イエスとモーセとの同じようなつながりを生んだのだろう。ゆえに、B・W・ベーコンはモーセとイエスを新旧の立法者と呼んでいる。ベーコンの指摘によれば、マタイによる福音書1～2章は3～25章の序章で、後者は5部あるいは「書」に分けられ、それぞれが「物語」の紹介文や決まり文句で区別されている。つまり、マタイは新しいモーセ五書、あるいはG・D・カーパトリックがいうところの「福音聖句集の改訂版」を作ろうとしたのかもしれない。モーセ五書の2冊目にある古い十戒と同じように、マタイによる福音書の2番目の部分にあたる5～7章に、新しい「山上の説教」があることがその説をより強力にしている。当然のことながら、モーセ五書が5つの部分に分かれているのは、何度も編集して改定し、エジプト脱出の「物語」に幅広い律法を挿入しようとした結果やむなくそうなってしまったもので、歴史的な意味はない。けれども、マタイが意図的に新しい五書を作ろうとして架空の話の上に架空の模倣を積み上げて作った5部構成によって、わたしたちはさらに歴史から離れ、確実に創作「物語」の領域に入ってしまった。

福音書の詳細を調べると、歴史的信頼性をすべて損ない、入念でしばしば見え透いたフィクションであることを示す問題や不一致が見えてくる。たとえば、福音書は1世紀初めごろのイエスの実在を揺るぎないものにしようとしている。福音書の書き手たちは、ローマ軍によるパレスティナでの残虐行為、66～70年の戦争におけるエルサレムと神殿の破壊、そしてイスラエルの衝撃的な終焉の直後に執筆していた。もっとも知られていた迫害者は、うわべだけユダヤ教に改宗したけれども、ダビデ王から続くイスラエル王家の血筋とはなんの関係もないアラブ人だった傀儡の王ヘロデ（在位紀元前37～4）である。ヘロデは、ダビデとは無関係の栄光と豊かさを示す豪勢な宮殿を建てた自己顕示欲の強い人物として知られており、ユダヤ人からは憎まれていた。ヘロデ朝は1世紀のほとんどを通して抑圧的な支配を続けた。6年、ユダヤはローマの属州となり、新しくシリアのキリニウスが総督に任命されて国勢調査を行い、ユダヤ人の反乱に火をつけた。

ヘロデ王について漠然と触れている以外にに、マルコもマタイもイエスの誕生と正確な歴史とのつながりは描いていないが、ルカは記している。ローマの支配より前の豊かなエッセネ派の伝統を知らなかった彼は、イエスの誕生を「キリニウスがシリア州の総督であったとき」のヘロデ王の時代に置いた。ルカはそれが暴君による支配だったことしか知らなかった。その誤った知識によって彼の福音書は設定がいい加減なフィクションになってしまった。ヘロデ王が死去したのは紀元前4年、キリニウスが総督になったのは後6年である。両者が同時に支配していたときにイエスが生まれること自体が不可能なのだ。くわえて、キリニウスが実施した国勢調査は、ルカによる福音書2章1～2節に示されているようなローマ皇帝カエサル・アウグストゥスに命じられた帝国全土の住民登録ではなく、どう見ても一地方だけの調査だった。ユダヤの歴史家ヨセフスが『ユダヤ古代誌』で、それは、パレスティナをローマの属州として併合したのに続いて実施された税の登録であって国勢調査ではないと、正しく説明している。ルドルフ・ブルトマンは今からおよそ100年前、ヘロデ王が死んだ年には言及していないものの、キリニウスと「住民登録の要素」については、ルカが「福音書の物語を世界史の枠組みにはめ込もうとした」ものだと説明している。ヘルムート・ケスターは住民登録を架空の歴史と認めたうえで、それは「イエスの誕生を皇帝アウグストゥスと関連づけるものであり、地上に平和をもたらすイエスと、数十年続いた内戦のあとに平和を築いたことを誇っていたアウグストゥスとを対応させようとして、ルカが追加したのかもしれない」と述べている。ほかの作家たちはもっと辛辣だ。ランデル・ヘルムズはヨセフとマリアがナザレからベツレヘムへ移動したことに触れて、「必要もないのに妊娠末期の女性に約145キロも旅をさせる」など「じつにばかげている」と指摘した。もっとも幅広く論じているウタ・ランケ＝ハイネマンはこの作り話がもたらした結果をじつに正確に定義している。「そのような住民登録を命じる皇帝の勅令があったと断言していること自体が、物語全体が作り話である何よりの証拠だ」。物語は、ミカ書5章2節の預言を実現させるするために、ヨセフとマリアをナザレからベツレヘムへ行かせる宗教的なフィクションだった。しかしながら、ベツレヘムへの旅の話はルカによる福音書にしか見られない。マタイによる福音書ではイエスが生まれたときに両親はすでにベツレヘムにおり、エジプトから戻って初めてナザレに移る。イエスの誕生を史実に見せかけるこの筋書きよりも何よりも、1世紀の最初の数十年にイエスが実在した痕跡が聖書以外にまったくないことが、物語がフィクションである証拠だ。

福音書に書かれているものごとは、ヘルムズが列挙しているように、本質的に異なる見解の寄せ集めである。ユダヤ人と離散したあとの人々にはまったく関心が抱かれていない。人々はそれぞれ異なる地域から集まってくるが、肝心のパレスティナからはだれもこない。福音書は広範囲に普及していたギリシア・ローマ文化を重んじるプロパガンダになろうとしていた。裁判と非難の「物語」では処刑の責任の矛先がローマ人からユダヤ人に変わり、裁判の手続きはユダヤ教の律法や裁判とはかけ離れたものになった。

創作と捏造はたくさんあるが、とりわけエッセネ派の教えに照らして考えるとよくわかる。エッセネ派の教団規定によれば、名前はわからないけれども、義の教師とともにいた教団のメンバーは12人だった。しかしながら、福音書では、イエスの弟子たちの名はあげられているのに彼らは登場しない。12人の男たちが集団で地方をさまよっていたことが正しいとするなら、僻地のガリラヤに集まった弟子たちはユダヤ系の名前だと考えるのが普通である。旧約聖書の膨大な系図にあるような一般的な名前が予想される。ところが、シモン、ヤコブ、ヨハネ、アンデレ、フィリポ、バルトロマイ、マタイ、トマス、タダイ、ユダという弟子の名は、マルコによる福音書で初めて登場する。このリストはマタイとルカにも転記されている。旧約聖書の系図に多数の名前が集められているにもかかわらず、弟子の名はユダを除くすべてが、福音書より前の聖書に存在しない。実際、それらはヘブライ人の名前ですらなく、ギリシア人やローマ人の名前である。福音書を書いたといわれる人々と、使徒言行録6章のステファノもそうだ。ヘブライ人に起源を持たないということは、ギリシア語の文化が優勢な地域の出身ということで、そうなるとこの使徒集団は架空の存在といわざるをえない。さらに、同じ観点から描かれている3つの福音書でシモンがただちにペトロに、ヨハネによる福音書ではわざわざアラム語の岩を意味するケファと改名されるのは、神学的発想にもとづくマタイによる福音書のギリシア語の語呂合わせのためであるように読める。「あなたはペトロ。わたしはこの岩（ペトラ）の上にわたしの教会（エクレシア）を建てる」。しかしながら、マタイはギリシアの歴史をよく知らなかったと見える。ギリシア語のエクレシアはもともと、古代アテナイで政治的な議論を行うために集まった人々のことで、特定の宗教集団よりもはるかに広い範囲の人々を指していたからである。エクレシアを「教会」と訳した英語の解釈はキリスト教の先入観が混ざった誤訳だが、英語の聖書には50回以上も登場する。この好都合な誤訳のために、イエスの口から発せられたその主張は英語を話す人々にとって、これまで作られたなかで最強の「力の物語」のひとつになった。なぜならその言葉が、何世紀にもわたって続く組織、世界最大の宗教、10億人を超える人々の信仰の比喩的な土台となったからである。

これまで語られてきたよりも前の紀元前1世紀にメシアがいたと考えるにあたっての最大の障壁は、イエスが生まれたとされる年を紀元とする一般的な暦である。525年にディオニュシウス・エクシグウスが作ったこの暦は、キリスト教にもとづく時間体系を築くために、ほかのさまざまな暦の記録をもとに逆算されている。現在世界中で用いられているこの暦は、イエスが生まれたときヘロデ王の支配下にあったとするマタイとルカの福音書がもとになっている。つまり、紀元がヘロデ王が生涯を閉じた紀元前4年寄りになっていて不正確だ。それでも、それより前の時代を指す紀元前（キリストより前）という呼称が認知的な障壁となって、それより前のメシアという概念の邪魔をする。今や世界に広がった暦は根拠がないどころか、もしかすると正しくないと考え直すことはほぼ不可能である。

救世主・メシア（イエス・キリスト）の信仰は従来、福音書に共通する神の国というテーマに結びつけられてきた。マルコによる福音書1章15節でイエスは告げる。「時は満ち、神の国は近づいた」。よくても怪しげな言葉である。神の国への言及はマルコによる福音書に19回、マタイに54回、ルカに41回ある。神の国が意味するものは、ユダヤ教の教団によってさまざまに異なる。政治的な王朝は紀元前586年にエルサレムが滅びて崇高さを失っていた。その後も、ジョン・ブライトがいうように「政治的な復興の望みは夢物語のままで［中略］治る見込みのない慢性の病気」のようだった。その穴を埋めるように賢人や預言者が知られるようになり、政治の崩壊直後に精神的な指導者という概念が誕生した。義の教師はもしかすると、君主制の崩壊から数百年経って初めてメシアを名乗った人物だったのかもしれない。イエスはふたり目だったが、1世紀の「イエス」はどうやら新しい時代と場所で新しい名前をつけられた義の教師らしいとわかった。かくして「実在したイエスを探す旅」は失敗に終わった。歴史に存在したもともとの「救世主・メシア」は、たくさんの学者が目を向け続けている1世紀に見つかるはずがないのだからあたりまえだ。それでも彼は存在する。たとえ探している場所に見つからなくても、何世紀もかけて巨大な力を手にするようになった創作「物語」のなかに生きている。福音書はそれまでとは比べものにならないほどすばらしい新たな英雄を描き出した。彼は1世紀末の教会にとって都合のよい驚くべき言葉、ありえないような主張、ドラマティックな想像の物語を与えられた。マタイによる福音書28章18節で彼はいう。「わたしは天と地の一切の権能を授かっている」。ルカによる福音書24章46～47節はイエスにこういわせている。「メシアは苦しみを受け、三日目に死者の中から復活する。［中略］罪の赦しを得させる悔い改めが、その名によってあらゆる国の人々に宣べ伝えられる」

イエス・キリストと神の国の「物語」は、ギリシア・ローマの世界で発展した。そこでは、イェシュア（ヨシュア）／イエスス（イエス）の生涯のほぼすべての側面について、それ以前のギリシア語とヘブライ語の「物語」に先例を見つけることができた。ローマの皇帝の神格化という画期的な方法や、周辺文化における皇帝崇拝にともなう大きな名声に合わせて、伝説と断片的な逸話が修正され、強化されていた。ローマ皇帝の神殿は各地にあった。イスラエル沿岸部のカエサリア・マリティマにも、ヘロデ王が建てたアウグストゥスの神殿があった。

1世紀末までに、イエス・キリストの力を信じる集団は圧倒的なローマの政治力に対抗するようになった。ローマの伝統と神話、何世紀にもわたる歴史、伝説の創始者、神のような皇帝は、巨大な石造建築、バシリカや凱旋門、道路や水道、船や軍隊、既知の世界の果てまで広がる属州を持つこの不滅の都市に、とてつもない名声を与えていた。それほど大きな力に物理的に立ち向かうことは不可能だ。奥深い精神の「物語」で刃向かうしかない。福音書、使徒たちの想像上の「行動」、そして神の王となる宗教指導者の誕生は、ひどく抑圧された文化のなかの熱心で才能ある書き手たちにとってはあたりまえのことだったのかもしれない。新約聖書の勝利は想像の物語の勝利だ。キリスト教による欧米社会の征服は、歴史上他に類を見ない。それは、物理的な死を復活によって乗り越えて人間が神になったという勝利ではなく、新たな象徴的存在であるイェシュア・クリストス（イエス・キリスト）と、彼らが作り出した聖なる歴史によって、神になった人間が現実の歴史を圧倒したという勝利である。

HarperCollins.
Sukenik, E. L. 1955. *The Dead Sea Scrolls of the Hebrew University.* Jerusalem: Magnes Press.
Tylor, Edward Burnett. 1970. *Religion in Primitive Society.* Gloucester, MA: Peter Smith.
Underhill, Evelyn. 1930. *Mysticism: A Study of the Nature and Development of Maan's Spiritual Consciousness*（1911）, 12th ed. New York: E. P. Dutton.『神秘主義：超越的世界へ到る途』門脇由紀子ほか訳、ナチュラルスピリット、2016年
Vermes, Geza. 1997. "The Damascus Document." In *The Complete Dead Sea Scrolls in English.* New York: Penguin Books, 125– 43.
Whiston, William, trans. 1987. *The Works of Josephus.* Peabody, MA: Hendrickson.
Wilson, A. N. 1992. *Jesus: A Life.* New York: W. W. Norton.
Wise, Michael. 1996. *The Dead Sea Scrolls: A New Translation.* San Francisco, CA: HarperCollins.
——. 1999. *The First Messiah: Investigating the Savior Before Christ.* San Francisco, CA: HarperCollins.

HarperCollins.
Deloria Jr., Vine. 1973. *God Is Red.: A Native View of Religion.* Golden, CO: Fulcrum Publishing.
Dimont, Max I. 1962. *Jews, God and History: A Modern Interpretation of a Four- Thousand Year Story.* New York: Simon & Schuster『ユダヤ人：神と歴史のはざまで』藤本和子訳、朝日新聞社、1984 年
Doherty, Earl. 1999. *The Jesus Puzzle: Did Christianity Begin with a Mythical Christ?* Ottawa, Canada: Age of Reason.
Dupont-Sommer, A. 1952. *The Dead Sea Scrolls: A Preliminary Survey.* Oxford: Basil Blackwell.
Ellegard, Alvar. 1999. *Jesus — One Hundred Years Before Christ.* London: Century Publishers.
Eshel, E. 1999. "The Identification of the 'Speaker' of the Self-Glorification Hymn." In *The Provo International Conference on the Dead Sea Scrolls.* Ed. Donald W. Parry and Eugene Ulrich. Brill: Leiden, 619– 35.
Fitzgerald, David. 2010. *Nailed: Ten Christian Myths That Show That Jesus Never Existed at All.* Morrisville, NC: Lulu.
Frazer, Sir James George. 1961. "Dying and Reviving Gods." In *The New Golden Bough.* Ed. Theodore H. Gaster. Garden City, NY: Anchor Books, 161– 225.
Galloway, Allan. 1951. *The Cosmic Christ.* Chicago: Harper.
Helms, Randel McCraw. 1988. *Gospel Fictions.* Amherst, NY: Prometheus Books.
Hone, William. 1963. *Lost Books of the Bible.* Old Saybrook, CT: Konecky & Konecky. Reprint of *The Lost Books of the Bible and the Forgotten Books of Eden.* New York: World.
Kilpatrick, G. D. 1950. *The Origins of the Gospel according to St. Matthew.* Oxford: Oxford University Press.
Kloppenborg, Jonh S. 2008. *Q, the Earliest Gospel: An Introduction to the Original Stories and Sayings of Jesus.* Philadelphia, PA: Westminster John Knox Press.
Knohl, Israel. 2000. *The Messiah before Jesus: The Suffering Servant of the Dead Sea Scrolls.* Trans. David Maisel. Berkeley: University of California Press.
Koester, Helmut. 1990. *Ancient Christian Gospels: Their History and Development.* Philadelphia, PA: Trinity Press International.
Mack, Burton L. 1993. *The Lost Gospel: The Book of Q and Christian Origins.* San Francisco, CA: HarperCollins.『失われた福音書：Q 資料と新しいイエス像』秦剛平訳、青土社、2005 年
Marrett, Robert R. 1902. *The Threshold of Religion.* London: Methuen.
Mead, G. R. S. 1903. *Did Jesus Live 100 B.C.?* London: University Books.
Puech, E. 1993. "La croyance des Esseniens en la vie future: Immortalite, resurrection, view eternelle." *Etudes Biblique* 22 Paris, 392– 95.
Ranke-Heinemann, Uta. 1994. *Putting Away Childish Things: The Virgin Birth, the Empty Tomb, and Other Fairy Tales You Don't Need to Have a Living Faith.* New York: HarperCollins.
Rubinstein, Richard E. 1999. *When Jesus Became God: The Epic Fight of Christ's Divinity in the Last Days of Rome.* New York: Harcourt Brace.
Schweitzer, Albert. 1906. *The Quest of the Historical Jesus,* ed. John Bowden. Minneapolis, MN: Fortress Press.
Spong, John Shelby. 1994. *Resurrection: Myth or Reality?* San Francisco, CA:

Francis and Thomas, eds. 1987. *Jataka Tales.* Bombay: Jaico.
Goswami, Bijoya, trans. 2001. *Lalitavistara.* Kolkata: The Asiatic Society.
Guenther, Herbert. 1972. *Buddhist Philosophy in Theory and Practice.* London: Penguin.
Harvey, Peter. 1990. *An Introduction to Buddhism: Teachings, History and Practices.* Cambridge: Cambridge University Press.
Humphreys, Christmas. 1969. *The Buddhist Way of Life.* New York: Schocken Books.
Ling, T. O. 1972. *A Dictionary of Buddhism: A Guide to Thought and Tradition.* Chicago: Scribners.
Meiland, Justin, trans. 2009. *Garland of the Buddha's Past Lives by Aryasura.* 2 vols. [Clay Sanskrit Library] . New York: New York University Press.
Miksic, John. 1990. *Borobudur: Golden Legends of the Buddha.* Berkeley: Periplus Editions.
Murti, T. R. V. 1955. *The Central Philosophy of Buddhism* : *A Study of the Madhyamika System,* 2nd ed. London: George Allen & Unwin.
Ohlig, Karl- Heinz, and Gerd-R Puin, eds. 2009. *The Hidden Origins of Islam: New Research into Its Early History.* Amherst, NY: Prometheus Books.
Olcott, William Tyler. 2005. *Sun Lore of All Ages.* Mineola, NY: Dover.
Pleyte, Cornelis Marinus. 1901. *Die Buddha Legend in den Skulpturen des Temples von Boro-Budur.* Reprint: Charleston, NC: Nabu Press, 2010.
Poussin, Louis de La Valle. 1905. *Encyclopedia of Religion and Ethics* (ERE) , IV: 179– 84.
Popp, Volker. 2009. "From Ugarit to Samarra: An Archeological Journey on the Trail of Ernest Herzfeld." In Ohlig, 14– 175.
Stcherbatsky, Fyodor. 1923. *The Conception of Buddhist Nirvana with Sanskrit Text of Madhyamaka-Karika*, 2nd ed. Reprint: Delhi: Motilal Barnarsidass.
Suzuki, D. T. 1963. *Outlines of Mahayana Buddhism.* New York: Schocken Books.『大乗仏教概論』佐々木閑訳、岩波書店、2016年
Thomas, E. J. [1927] 2011. *The Life of Buddha as Legend and History.* Delhi: Motilal Banarsidass.
Von Glasenapp, Helmuth. 1966. *Buddhism: A Non-Theistic Religion.* New York: George Braziller.
Walshe, Maurice, trans. 1995. *The Long Discourses of the Buddha: A Translation of the Digha Nikaya* ⊠*The Teachings of the Buddha*⊠, 2nd ed. Somerville, MA: Wisdom.
Winternitz, Maurice. 1983. *Buddhist Literature and Jain Literature,* vol. II. Trans. S. Srinivasa Sarma. Delhi: Motilal Banarsidass.

15　救世主の物語

Anderson, Hugh. 1964. *Jesus and Christian Origins: A Commentary on Modern Viewpoints.* New York: Oxford University Press.
Augstein, Rudolf. 1972. *Jesus: Son of Man.* Trans. Hugh Young. New York: Urizen Books.
Bacon, B. W. 1930. *Studies in Matthew.* New York: Constable.
Borg, Marcus, ed. 1996. *The Lost Gospel Q: The Original Sayings of Jesus.* Berkeley, CA: Sestone.
Bright, John. 1963. *The Kingdom of God: The Biblical Concept and Its Meaning for the Church.* New York: Abingdon- Cokesbury Press.
——. 1972. *A History of Israel,* 2nd ed. Philadelphia, PA: Westminster Press.『イスラエル史』新屋徳治訳、聖文舎、1981年
Bultmann, Rudolf. 1976. *History of the Synoptic Tradition.* San Francisco, CA:

Silbermann. 2001. *The Bible Unearthed: Archaeology's New Vision of Ancient Israel and the Origin of Its Sacred Texts.* New York: Free Press.『発掘された聖書：最新の考古学が明かす聖書の真実』越後屋朗訳、教文館、2009年
Friedman, Richard Elliott. 1987. *Who Wrote the Bible?* New York: Harper & Row.『旧約聖書を推理する：本当は誰が書いたか』松本英昭訳、海青社、1989年
Greenstein, Edward L. 1985. "The Documentary Hypothesis." In Achtemeier, 985– 86.
Hadley, Judith M. 1987. "The Khirbet el-Qom Inscription." *Vetus Testamentum,* vol. 37, Fasc. 1: 50– 62.
Herzog, Ze'ev. 1999. "Deconstructing the Walls of Jericho." *Ha'aretz*（October 29）.
Maslow, Abraham. 1976. *Religions, Values, and Peak Experiences.* New York: Penguin Compass.『創造的人間：宗教・価値・至高経験』佐藤三郎、佐藤全弘訳、誠信書房、1981年
Mazar, Amihai. 1990. *Archaeology of the Land of the Bible: 10,000– 586 B.C.E.* New York: Doubleday.『聖書の世界の考古学』杉本智俊、牧野久実訳、リトン、2003年
Meshel, Ze'ev. 1978. *Kuntillet 'Ajrud: A Religious Centre from the Time of the Judean Monarchy on the Border of Sinai.* Jerusalem: Israel Museum Catalogue.
——. 2012. *Kuntillet 'Ajrud: An Iron Age II Religious Site on the Judah- Sinai Border.* Jerusalem: Israel Exploration Society.
Myers, Allen C., ed. 1987. *The Eerdman's Bible Dictionary.* Grand Rapids, MI: Eerdmans.
Paine, Thomas. 2009. *The Age of Reason: The Complete Edition.* Escondido, CA: World Union of Deists.『理性の時代』渋谷一郎監訳、泰流社、1982年
Peckham, Brian. 1993. *History and Prophecy: The Development of Late Judean Literary Traditions.* New Haven, CT: Anchor Bible.
Smith, Mark S. 1987. *The Early History of God: Yahweh and the Other Deities in Ancient Israel.* San Francisco, CA: Harper & Row.
Thompson, Thomas L. 1999. *The Mythic Past: Biblical Archeology and the Myth of Israel.* New York: Basic Books.

14　釈迦と前世の伝説

Aryasura. 2009. *Garland of the Buddha's Past Lives.* 2 vols. Trans. Justin Meiland. New York: New York University Press/ Clay Sanskrit Library.
Asvaghosa. 1894– 95. *The Buddha-Carita, or Life of Buddha.* Edited and translated by Edward B. Cowell.［Sacred Books of the East］. Oxford: Oxford University Press.
Bechert, Heinz, and Richard Gombrich, eds. 1984. *The World of Buddhism.* London: Thames & Hudson.
Berry, Thomas. 1992. *The Religions of India,* 2nd ed. New York: Columbia University Press.
Burlingame, Eugene Watson, trans. 1921. *Buddhist Legends.* 3 vols. Cambridge: Harvard University Press.
Chaitanya, Krishna. 1977. *A New History of Sanskrit Literature.* New Delhi: Ramesh C. Jain/Manohar Book Service.
Conze, Edward. 1951. *Buddhism: Its Essence and Development.* New York: Harper Torchbooks.『コンゼ仏教：その教理と展開』平川彰、横山紘一訳、大蔵出版、1975年
——. 1967. *Buddhist Thought in India.* Ann Arbor: University of Michigan Press.
Coomaraswamy, Ananda K. 1964. *Buddha and the Gospel of Buddhism.* Illustrated. New York: Harper and Row.
Cowell, Edward B. 1895. Introduction to Asvaghosa, 4–6.

Oakes, Lorna, and Lucia Gahlin. 2018. *Ancient Egypt: An Illustrated History.* Lorenz Books.
Ogilvie, R. M. 1960. "Introduction," in Livy, vi– xix.
Otis, Brooks. 1966. *Virgil: A Study in Civilized Poetry.* Oxford: Clarendon Press.
Ovid. *The Metamorphoses.* Trans. Horace Gregory. New York: New American Library.『変身物語』高橋宏幸訳、京都大学学術出版会、2019-2020 年
Pfeiffer, John E. 1977. *The Emergence of Society.* New York: McGraw- Hill.
Pollock, Sheldon, trans. 2005. Valmiki, *Ramayana, Book Two: Ayodhya.* New York University Press/JJC Foundation.
Powell, Barry B. 1995. *Classical Myth.* Englewood Cliff s, NJ: Prentice- Hall, 213– 15.
Renfrew, C. 1987. *Archeology and Language: The Puzzle of Indo- European Origins.* London: Jonathan Cape.
——. 1989. "The Origins of Indo- European Languages." *Scientific American,* vol. 261, no. 4: 106– 14.
Rogers, Nigel. 2007. *The Rise and Fall of Ancient Rome.* London: Anness.
Rubenstein, Richard A. 1999. *When Jesus Became God: The Epic Fight over Christ's Divinity in the Last Days of Rome.* New York: Harcourt Brace.
Taplin, O Liver. 1986. "Homer," in Boardman, 44– 71.
Turner, Patricia, and Charles Russell Coulter. 2000. *Dictionary of Ancient Deities.* New York: Oxford University Press.
Valla, Lorenzo. 1985. *The Profession of the Religious* and the Principal Arguments from *The Falsely-Believed and Forged Donation of Constantine.* Trans. Olga Zorzi Pugliese. Toronto: Centre for Reformation and Renaissance Studies.
Virgil, 1952. *The Aeneid.* In *The Works of P. Virgilius Maro.* Trans. Levi Hart and V. H. Osborn. New York: David McKay and V. Osborn, 9– 384.
Whitman, Cedric H. 1958. *Homer and the Homeric Tradition.* Cambridge, MA: Harvard University Press.
Wood, Michael. 1985. *In Search of the Trojan War.* London: BBC.

13　イスラエルの律法を作ったモーセ

Achtemeier, Paul J., ed. 1985. *Harper's Bible Dictionary.* San Francisco, CA: HarperCollins.
Barton, John. 2019. *A History of the Bible: The Story of the World's Most Infl uential Book.* New York: Viking.
Becking, Bob, et al. 2001. *Only One God?: Monotheism in Ancient Israel and the Veneration of the Goddess Asherah.* Sheffi eld: Sheffi eld Academic Press.
Berlin, Adele. 1985. "Moses." In Achtemeier, 655– 59.
Bright, John. 1972. *A History of Israel,* 2nd ed. Philadelphia, PA: Westminster Press.『イスラエル史』新屋徳治訳、聖文舎、1981 年
Dever, William G. 1969– 70. "Iron Age Epigraphic Material from the Area of Khirbet el-Kom." *HUCA,* vol. 40– 41: 139– 204.
——. 1984. "Asherah, Consort of Yahweh? New Evidence from Kuntillet ʿ Ajrud." *Bulletin of the American Schools of Oriental Research,* vol. 255: 21– 37.
——. 2017. *Beyond the Texts: An Archaeological Portrait of Ancient Israel and Judah.* Atlanta, GA: SBL Press.
Finkelstein, Israel, and Neil Asher

Dunn, Ross E., and Laura J. Mitchell. 2015. *Panorama: A World History.* New York: McGraw- Hill.
Durando, Furio. ed. 2001. *Ancient Italy.* Vercelli, Italy: White Star.
Ellerbe, Helen. 1995. *The Dark Side of Christian History.* San Rafael, CA: Morningstar Books.『キリスト教暗黒の裏面史』杉谷浩子訳、井沢元彦監修、徳間書店、2004 年
Evans, John D. 1971. "Neolithic Knossus: The Growth of a Settlement." *Proceedings of the Prehistoric Society,* vol 37, Part 2, December.
Forrest, George. 1980. "Greece: The History of the Archaic Period." In Boardman, 13–43.
Gimbutas, Maria. 1985. "Primary and Secondary Homeland of the Indo-Europeans." *Journal of Indo- European Studies,* vol. 13: 185– 202.
Glinister, Fay. 2006. "Reconsidering 'Religious Romanization.' " In *Religion in Republican Italy,* ed. Celia E. Schulz and Paul B. Harvey, Jr. Cambridge: Cambridge University Press, 3– 22.
Graves, Robert. 2018. *The Greek Myths: The Complete and Defi nitive Edition,* 2 vols. New York: Viking.『ギリシア神話』高杉一郎訳、紀伊國屋書店、1998 年
Gray, John. 1971. *I and II Kings: A Commentary.* Philadelphia, PA: Westminster John Knox Press.
Hawkes, Jacquetta. 1968. *Dawn of the Gods: Minoan and Mycenaean Origins of Greece.* New York: Random House.
Hooper, Finley. 1967. *Greek Realities. Life and Thought in Ancient Greece.* Detroit, MI: Wayne State University Press.
Isidore of Seville. 624 CE. *History of the Kings of the Goths, Vandals, and Suevi.* Trans. Guido Donini and Gordon B. Ford, Jr. Leiden: E. J. Brill.
Johanson, Donald C., and Maitland A. Edey. 1981. *Lucy: The Beginnings of Humankind.* New York: Simon & Schuster.『ルーシー：謎の女性と人類の進化』渡辺毅訳、どうぶつ社、1986 年
Jordan, Michael. 1993. *Encyclopedia of Gods.* New York: Facts on File.
Kitto, H. D. F. 1951. *The Greeks.* London: Pelican Books.『ギリシア人』向坂寛訳、勁草書房、1980 年
Kofou, Anna. 2000. *Crete,* 3rd ed. Athens: Ekdotike Athenon S.A.
Langdon, Stephen. 1923. *Historical Inscriptions, Containing Principally the Chronological Prism W-B 444.* London: Oxford University Press.
Lea, Henry Charles. 1961. *The Inquisition of the Middle Ages.* Abridgement by Margaret Nicolson. New York: Macmillan.
Leeming, David Adams. 1996. *A Dictionary of Creation Myths.* New York: Oxford University Press.
Livy. 1960. *The Early History of Rome,* ed. R. M. Ogilvie. Middlesex: Penguin.
Lord, Albert B. 1960. *The Singer of Tales.* Cambridge: Harvard University Press.
Mallory, J. P. 1989. *In Search of the Indo-Europeans: Language, Archaeology and Myth.* London: Thames & Hudson.
Michailidou, Anna. 1989. *Knossos: A Complete Guide to the Palace of Minos.* Athens: Ekdotike Ahtenon, S.A.
Mountford, Peter. 2011. "Aeneas: An Etruscan Foundation Legend." *Australasia Society for Classical Studies*（ASCS）. *Selected Proceedings,* vol. 32: 1– 8.
Myers, Allen C., ed. 1987. *The Eerdmans Bible Dictionary.* Grand Rapids, MI: Eerdmans.

Joshi, Umashankar. 1975. "The Ramayana and Its Impact on Gujarati Literature." In Raghavan, 397– 408.
Kulkarni, V. M. 1980. "Jain Ramayanas and Their Source." In Raghavan, 226– 41.
Muryanto, Bambang. 2012. " 'Ramayana' Ballet Breaks World Records." *The Jakarta Post* (October 17) .
Nagaswamy, R. 1975. "Sri Ramanaya in Tamilnadu in Art, Thought, and Literature." In
Raghavan, 409– 29.
Olivelle, Patrick, trans. 2008. *The Upanishads.* Oxford: Oxford University Press.
Raghavan, V., ed. 1980. *The Ramayana Tradition in Asia: Papers Presented at the International Seminar on The Ramayana Tradition in Asia, New Delhi, December, 1975.* New Delhi: Sahitya Academi.
Ratnam, Kamala. 1975. "The Ramayana in Laos (Vientiane Version) ." In Raghavan, 256– 281.
Santoso, Soewito. 1980. "The Old Javanese Ramayana, Its Composer and Composition." In Raghavan, 20– 39.
Sarapadnuke, Chamlong. 1975. "Ramayana in Thai Theatre." In Raghavan, 245– 55.
Stratton, Carol, and Miriam Scott. 1988. *The Art of Sukhothai: Thailand's Golden Age from Mid-Thirteenth to Mid- Fifteenth Centuries.* New York: Oxford University Press.
Sweeney, Amin. 1980. "The Malaysian *Ramayana* in Performance." In Raghavan, 122– 37.
Vyasa, Veda, Kisari Mohan Ganguli, trans. 1883– 86. *The Mahabharata.* http://www.krishnapath.org/ Library/ Mahabharata/ Mahabharata- By_Kisari_Mohan_ Ganguli.pdf.
Vyasa, and Paul Wilmot. 2006. *The Mahabharata: Book Two: The Great Hall.* New York: New York University/ JJC.

12 伝説のローマ建国

Abramsky, Samuel, et al. 2007. "Solomon." *Encyclopedia Judaica* 18, 2nd ed.. Farmington Hills, MI: Gale, 755– 63.
Adams, Laurie Schneider. 2006. *Exploring the Humanities: Creativity and Culture in the West.* Upper Saddle River, NJ: Prentice Hall.
Andronicos, Manolis. 1998. *Olympia.* Athens: Edkotike Athenon S. A.
Boardman, John, et al. 1980. *Greece and the Hellenistic World.* New York: Oxford University Press.
Brown, Peter. 1981. *The Cult of the Saints : The Rise and Function in Latin Christianity.* Chicago, IL: University of Chicago Press.
Cook, Albert. 1966. *The Classic Line.* Bloomington: Indiana University Press.
Cornell, Tim, and John Matthews. 1983. *Atlas of the Roman World.* Alexandria: Stonehenge.『古代のローマ』小林雅夫訳、平田寛監修、朝倉書店、2008 年
Cunningham, Lawrence, and John Reich. 2002. *Culture and Values,* 5th ed. London: Wadsworth.
Danielou, Alain. 1964. *Hindu Polytheism.* New York: Pantheon Books.
Davis, Raymond, ed. 1989. *The Book of Pontiffs (Liber Pontificalis): The Ancient Biographies of the First Ninety Roman Bishops to AD 715.* Liverpool: Liverpool University Press.
Drews, Robert. 1988. *The Coming of the Greeks: Indo- European Conquests in the Aegean and the Near East.* Princeton, NJ: Princeton University Press.
——. 1995. *The End of the Bronze Age: Changes in Warfare and the Catastrophe ca 1200 BC.* Princeton, NJ: Princeton University Press.

Complete Edition. Escondido, CA: World Union of Deists.『理性の時代』渋谷一郎監訳、泰流社、1982 年
Peckham, Brian. 1993. *History and Prophecy: The Development of Late Judean Literary Traditions*. New Haven, CT: Anchor Bible.
Rainey, Anson F. 1985. "Khaparu." In *Harper's Bible Dictionary*, ed. Paul J. Achteneier. San Francisco, CA: HarperCollins, 525.
Smith, Mark. 2002. *The Early History of God: Yahweh and the Other Deities in Ancient Israel*, 2nd ed. Grand Rapids, MI: Eerdmans.
Thompson, Thomas L. 1974. *The Historicity of the Patriarchal Narratives: The Quest for the Historical Abraham*. Berlin: Walter de Gruyter.
——. 1999. *The Mythic Past: Biblical Archeology and the Myth of Israel*. New York: Basic Books.
Turner, Patricia, and Charles Russell Coulter. 2000. *Dictionary of Ancient Deities*. Oxford: Oxford University Press.
Wolkstein, Diane, and Samuel Noah Kramer, eds. 1983. *Inanna: Queen of Heaven and Earth: Her Stories and Hymns from Sumer*. New York: Harper & Row.

11 古代インドの伝説の帝国

Ariswara et al. 1994. *Prambanan*. Jakarta: PT Intermasa.
Basham, A. L. 1954. *The Wonder That Was India*. London: Sidgwick & Jackson『バシャムのインド百科』日野紹運訳、山喜房佛書林、2014 年
Blank, Jonah. 1992. *Arrow of the Blue-Skinned God: Retracing the Ramayana through India*. New York: Doubleday.
Bonheur, Albert Le, and Jaroslav Poncar. 1995. *Of Gods, Kings, and Men: Bas- Reliefs of Angkor Wat and Banyon*. London: Serindia.
Buck, William. 1965. *Ramayana*. Berkeley: University of California Press.
——. 1973. *Mahabharata*. Berkeley: University of California Press.
Burrman, Peter. 1988. *Wayang Golek: The Entrancing World of Classical Javanese Puppet Theatre*. New York: Oxford University Press.
Cadet, J. M. 1970. *The Ramakien: The Stone Rubbings of the Thai Epic*. Bangkok: Kodansha.
Coomaraswamy, Ananda. 1985. *History of Indian and Indonesian Art*（1927）. New York: Dover.
Damdinsuren, T. S. 1975. "Ramayana in Mongolia." In Raghavan, 653– 59.
Dhammika, S. trans. 1993. *The Edicts of King Asoka: An English Rendering*. Sri Lanka: Buddhist Publication Society.
Diskul, M. C. Subhadrasdis. 1975. "Ramayana in Sculpture and Painting in Thailand." In Raghavan, 670– 88.
Dobie, J. Frank. 1931. *The Longhorns*. Austin: University of Texas Press.
Dunn, Ross E., and Laura J. Mitchell. 2015. *Panorama: A World History*. New York: McGraw- Hill.
Goldman, Robert P. trans. 2005. *Ramayana: Book One: Boyhood*. New York: New York University Press/ JJC Foundation.
Green, Margery. 1955. *Tales from the Mahayana*. Madras: Macmillan India.
Haditjaroko, Sunardjo. 1962. *Ramayana: Indonesia Wayang Show*. Jakarta: Penerbit Djambatan.
Han, U. Thein, and U. Khin Zaw. 1975. "Ramayana in Burmese Literature and Art." In Raghavan, 301– 14.

——. 1989. “The Origins of Indo- European Languages.” *Scientifi c American,* vol. 261, no. 4: 106– 14.
Taplin, Oliver. 1980. “Homer.” In Boardman, 44– 71.
Thucydides. 1954. *History of the Peloponnesian War.* Trans. Rex Warner. New York: Penguin Books.
Wood, Michael. 1985. *In Search of the Trojan War.* London: BBC.

10 太祖、エジプト脱出、イスラエルの史詩

Becking, Bob, et al. 2012. *Only One God? Monotheism in Ancient Israel and the Veneration of the Goddess Asherah.* Edinburgh: Bloomsbury T&T Clark.
Bright, John. 1962. *The History of Israel.* Second edition. Philadelphia, PA: Westminster Press.『イスラエル史』新屋徳治訳、聖文舎、1981 年
——. 1963. *The Kingdom of God: The Biblical Concept and Its Meaning for the Church.* New York: Abingdon- Cokesbury Press.
Dimont, Max I. 1962. *Jews, God and History: A Modern Interpretation of a Four- Thousand Year Story.* New York: Simon & Schuster『ユダヤ人：神と歴史のはざまで』藤本和子訳、朝日新聞社、1984 年
Friedman, Richard Elliott. 1987. *Who Wrote the Bible?* New York: Harper & Row.『旧約聖書を推理する：本当は誰が書いたか』松本英昭訳、海青社、1989 年
Frye, Northrop. 1982. *The Great Code: The Bible and Literature.* New York: Harcourt Brace Jovanovich.『大いなる体系：聖書と文学』伊藤誓訳、法政大学出版局、1995 年
Greenberg, Moshe. 1955. *The Hab/piru,* Vol. 39. New Haven, CT: American Oriental Society.
Harris, Stephen L. 2002. *Understanding the Bible.* New York: McGraw- Hill, 50– 51.
Heidel, Alexander. 1951. *The Babylonian Genesis: The Story of Creation,* 2nd ed. Chicago, IL: University of Chicago Press.
Hobbes, Thomas. 1651. “The Number, Age, Aim, Authority, and Interpreters of the Books of the Bible.” In *Leviathan,* Chap. 33. 4th ed.（1982）. London: Penguin.
Hooke, S. H. 1963. *Middle Eastern Mythology.* New York: Penguin Books.『オリエント神話と聖書』吉田泰訳、山本書店、1967 年
Johnson, Paul. 1987. *A History of the Jews.* New York: Harper & Row.『ユダヤ人の歴史』阿川尚之、池田潤、山田恵子訳、石田友雄監修、徳間書店、1999 年
Jordan, Michael. 1993. *Encyclopedia of Gods: Over 2,500 Deities of the World.* New York: Facts on File.
Kramer, Samuel Noah. 1968. “The ‘Babel of Tongues’: A Sumerian Version.” *Journal of the American Oriental Society,* vol. 88, no. 1: 108– 11.
Mazar, Amihai. 1990. *Archaeology of the Land of the Bible: 10,000– 586 B.C.E.* New York: Doubleday.『聖書の世界の考古学』杉本智俊、牧野久実訳、リトン、2003 年
Mead, G. R. S. 1903. *Did Jesus Live 100 B.C.?* London: University Books.
Montgomery, David R. 2012. *The Rocks Don’t Lie: A Geologist Investigates Noah’s Flood.* New York: W. W. Norton.『岩は嘘をつかない：地質学が読み解くノアの洪水と地球の歴史』黒沢令子訳、白揚社、2015 年
Myers, Allen C. ed. 1987. *The Eerdman’s Bible Dictionary.* Grand Rapids, MI: Eerdmans.
Olson, K. A. 1999. “Eusebius and the *Testamonium Flavianum.*” *The Catholic Biblical Quarterly,* vol. 61, no 3: 305.
Paine, Thomas. 2009. *The Age of Reason: The*

Anderson, William S. 1969. *The Art of the Aeneid.* Upper Saddle River, NJ: Prentice Hall.
Andronicos, Manolis. 1998. *Olympia.* Athens: Edkotike Athenon S. A.
Askin, Mustafa. 1996. *Troy: Legends, Facts, and New Developments.* Istanbul: Keskin Color Kartpostalcilik.
Bittlestone, Robert, et al. 2005. *Odysseus Unbound: The Search for Homer's Ithaca.* Cambridge: Cambridge University Press.
Blegen, C. W. 1995. *Troy and the Trojans.* New York: Barnes & Noble.
Blegen, C. W. et al. 1950– 58. *Troy: Excavations Conducted by the University of Cincinnati, 1932– 38,* 4 vols. Princeton, NJ: Princeton University Press.
Boardman, John, et al., eds. 1980. *Greece and the Hellenistic World.* New York: Oxford University Press.
Cavalli-Storza, Luca, and Walter F. Bodmer 1994. *The History and Geography of Human Genes,* 3rd ed. Princeton, NJ: Princeton University Press.
Cline, Eric H. 2015. *1177 BC: The Year Civilization Collapsed.* Princeton, NJ: Princeton University Press.
Drews, Robert. 1988. *The Coming of the Greeks: Indo- European Conquests in the Aegean and the Near East.* Princeton, NJ: Princeton University Press.
——. 1995. *The End of the Bronze Age: Changes in Warfare and the Catastrophe ca. 1200 BC.* Princeton, NJ: Princeton University Press.
Dunn, Ross E., and Laura J. Mitchell. 2015. *Panorama: A World History.* New York: McGraw- Hill.
Finley, M. I. 1974. *Schliemann's Troy: One Hundred Years after.* London: British Academy. Forrest, George. 1980. "Greece: The History of the Archaic Period." In Boardman, 13– 43.
Gimbutas, Marija. 1985. "Primary and Secondary Homeland of the Indo- Europeans: Comments on Gamkrelidze– Ivanov Articles." *Journal of Indo-European Studies,* vol. 13（Spring– Summer）: 185– 201.
Hawkes, Jacquetta. 1968. *Dawn of the Gods: Minoan and Mycenaean Origins of Greece.* New York: Random House.
Homer. 1952. *The Iliad.* Trans. Richmond Lattimore. Chicago, IL: University of Chicago Press.
——. 1993. *The Odyssey.* Trans. Albert Cook. New York: W. W. Norton.
Hooper, Finley. 1967. *Greek Realities. Life and Thought in Ancient Greece.* Detroit, MI: Wayne State University Press.
Kitto, H. D. F. 1951. *The Greeks.* London: Pelican Books.『ギリシア人』向坂寛訳、勁草書房、1980 年
Kofou, Anna. 2000. *Crete,* 3rd ed. Athens: Ekdotike Athenon S.A.
Littman, Robert. 1974. *The Greek Experiment: Imperialism and Social Confl ict 800- 400 BC.* Philadelphia, PA: Transatlantic Arts.
Mallory, J. P. 1989. *In Search of the Indo-Europeans: Language, Archaeology and Myth.* London: Thames & Hudson.
Michailidou, Anna. 1989. *Knossos: A Complete Guide to the Palace of Minos.* Athens: Ekdotike Ahtenon, S.A.
Ovid. 2009. *The Metamorphoses.* Trans. Horace Gregory. New York: Signet Classics.『変身物語』高橋宏幸訳、京都大学学術出版会、2019-2020 年
Pfeiffer, John E. 1977. *The Emergence of Society.* New York: McGraw- Hill.
Renfrew, Colin. 1987. *Archeology and Language: The Puzzle of Indo-European Origins.* London: Jonathan Cape.

York : Associated Press.

8 シュメールの伝説の帝国

Albright, W. F. 1923. "The Babylonian Antediluvian Kings." *Journal of the American Oriental Society*, vol. 43: 323– 29.

Algaze, Guillerno. 1989. "The Uruk Expansion: Cross- cultural Exchange in Early Mesopotamian Civilization." *Current Anthropology,* vol. 30, no. 5 (December) , 571– 608.

——. 1993. *The Uruk World System: The Dynamics of Expansion of Early Mesopotamian Civilization.* Chicago, IL: University of Chicago Press.

Bonatz, Dominik. 2007. "The Divine Image of the King: Religious Representation of Political Power in the Hittite Empire." In ed. M. Feldman and M. Heinz. *Representations of Political Power: Case Studies from Times of Change and Dissolving Order in the Ancient Near East.* Winona Lake, IN: Eisenbrauns, 111– 36.

De Mieroop, Marc Van. 2004. *A History of the Ancient Near East, ca. 3000– 323 BC.* Malden, MA: Blackwell.

Foster, Benjamin, trans. 2000. *The Epic of Gilgamesh.* New York: W. W. Norton.

Gibson, McGuire. 1973. "Violation of Fallow and Engineered Disaster in Mesopotamian Civilization." In ed. Theodore E. Downing and McGuire Gibson. *Irrigation's Impact on Society.* Tucson: University of Arizona Press, 7– 19.

Gurney, O. R. 1991. *The Hittites.* London: Penguin.

Heidel, Alexander. 1942. *The Babylonian Genesis: The Story of Creation.* Chicago, IL: University of Chicago Press.

Kramer, Samuel Noah. 1961. *Sumerian Mythology: A Study of Spiritual and Literary Achievements in the Third Millennium B.C.* New York: Harper.

——. 1963. *The Sumerians: Their History, Culture, and Character.* Chicago, IL: University of Chicago Press. Appendix E.

Langdon, S. 1923. *The Weld–Blundell Collection,* vol. II. *Historical Inscriptions, Containing Principally the Chronological Prism,* W-B. 444. Oxford: Oxford University Press.

Leeming, David Adams. 1996. *A Dictionary of Creation Myths.* New York: Oxford University Press.

Lord, Albert B. 1960. *The Singer of Tales.* Cambridge: Harvard University Press.

Pfeiffer, John E. 1977. *The Emergence of Society.* New York: McGraw- Hill.

Roaf, Michael. 1990. *Cultural Atlas of Mesopotamia and the Ancient Near East.* New York: Facts on File.『古代のメソポタミア』松谷敏雄監訳、朝倉書店、2008 年

Rowton, M. B. 1960. "The Date of the Sumerian King List." *Journal of Near Eastern Studies,* vol. 19, no. 2: 156– 62.

Smith, Sidney. 1928. *Early History of Assyria to 1,000 B.C.* London: Chatto and Windus.

Wallerstein, Immanuel. 1974– 2011. *The Modern World System,* 4 vols. New York: Academic Press.『近代世界システム』川北稔訳、名古屋大学出版会、2013 年

Willcox, G. H. 1974. "A History of Deforestation as Indicated by Charcoal Analysis of Four Sites in Eastern Anatolia." *Anatolian Studies,* vol. 24: 117– 33.

9 古典期以前のギリシアにおける伝説の帝国

Aeschylus. 2009. *The Oresteia.* Trans. Christopher Collard. Oxford: Oxford World Classics.

7　日本の天皇崇拝

Anon. 2019. "Japan's Emperor Proclaims Enthronement in Ancient- Style Ceremony." *The Manichi: Japan's National Daily* (October 22) .

Boot, Willem Jan, 1990. "The Religious Background of the Deification of Tolugawa Ieyasu." In Boscaro et al., 331– 37, 390– 91.

Boscaro, Adriana, et al. eds. 1990. *Rethinking Japan: Sociology, Ideology and Thought,* vol. 2. New York: St. Martin's Press.

Breen, John, and Mark Teeuwen. 2010. *A New History of Shinto.* London: Wiley-Blackwell.

Chang, Iris. 2012. *The Rape of Nanking: The Forgotten Holocaust of World War II.* New York: Basic Books.『ザ・レイプ・オブ・南京』巫召鴻訳、同時代社、2007年

Churchill, Winston. 1950. *The Grand Alliance.* Boston: Houghton Mifflin.

Farris, William Wayne. 1998. *Sacred Texts and Buried Treasures: Issues in the Historical Archaeology of Ancient Japan.* Honolulu: University of Hawaii Press.

Fujitani, T. 2001. "The Reischauer Memo: Mr. Moto, Hirohito, and Japanese American soldiers." *Critical Asian Studies,* vol. 33, no. 3 (September) : 379– 402.

Gimbutas, Marija. 1991. *The Civilization of the Goddess.* San Francisco, CA: HarperCollins.

Gunther, John. 1939. *Inside Asia.* New York: Harper.

Hane, Mikiso. 1991. *Premodern Japan: A Historical Survey.* Boulder, CO: Westview Press.

Keiji, Imamura. 1996. *Prehistoric Japan: New Perspectives on Insular East Asia.* Honolulu: University of Hawaii Press.

Mass, Jeffrey P. 1992. *Antiquity and Anachronism in Japanese History.* Stanford, CA: Stanford University Press.

Morton, W. Scott, and J. Kenneth Olenik. 2004. *Japan: Its History and Culture,* 4th ed. New York: McGraw- Hill.

Parrinder, Geoff rey. 1983. *World Religions: From Ancient History to the Present.* New York: Facts on File.

Philippi, Donald L. trans. 1969. *Kojiki.* Tokyo: University of Tokyo Press.

Piggott, Joan R. 1997. *The Emergence of Japanese Kingship.* Stanford, CA: Stanford University Press.

Sanson, Sir George. 1931. *Japan: A Short Cultural History.* London: Cresset Press.『日本文化史』福井利吉郎訳、東京創元社、1976年

Seagrave, Sterling, and Peggy Seagrave. 1999. *The Yamato Dynasty— The Secret History of Japan's Imperial Family.* New York: Broadway Books.『ヤマト王朝：天皇家の隠れた歴史』「ヤマト王朝」刊行委員会訳、展望社、2007年

Totman, Conrad. 2000. *A History of Japan.* Malden, MA: Blackwell.

Utley, Freda. 1937. *Japan's Feet of Clay.* New York: W. W. Norton.『日本の粘土の足：迫りくる戦争と破局への道』石坂昭雄、西川博史、沢井実訳、日本経済評論社、1998年

Wells, H. G. 1961. *The Outline of History,* 2 vols. Revised ed. New York: Garden City.『世界文化史大系』北川三郎訳、世界文化史刊行会、清文堂書店、1951年

Wood, Barry. 2019. "Beachcombing and Coastal Settlement: The Long Migration from South Africa to Patagonia— the Greatest Journey Ever Made." *Journal of Big History,* vol. 3, no. 4 (October) : 19– 46.

Yamaguchi, Mari. 2019. "Japan set to Celebrate Emperor Naruhito's Enthronement." New

Stanford, CA: Stanford University Press.
Jinghua, Ru, and Peng Hualiang. 2015. *Palace Architecture: Imperial Palaces of the Last Dynasty.* (Library of Ancient Chinese Architecture) Beijing: CN Times Beijing Media Time United.
Lau, D. C. 1979. "Introduction," in Confucius, *The Analects,* 9– 55.
Legge, James. 1960. *The Chinese Classics, Volume III: The Shoo King or the Book of Historical Documents. 1865.* Hong Kong: Hong Kong University Press.
Lewis, Mark Edward. 2006. *The Flood Myths of Early China.* New York: SUNY Press.
Liao, Mingchun. 2001. *A Preliminary Study on the Newly-unearthed Bamboo Inscriptions of the Chu Kingdom: An Investigation of the Materials from and about the Shangshu in the Guodian Chu Slips* (in Chinese) . Taipei: Taiwan Guji.
Manchao, Cheng. 1995. *The Origin of Chinese Deities.* Beijing: Foreign Language Press.
Marriott, Leo. 2011. *The Universe.* New York: Chartwell Books.
Mumford, Lewis. 1951. *The Conduct of Life.* New York: Harcourt Brace.『生活の智慧：人間をつくり、生活を更新しよう』福鎌達夫訳、理想社、1956 年
Nylan, Michael, and Thomas Wilson. 2010. *Lives of Confucius: Civilization's Greatest Sage through the Ages.* New York: Doubleday.
Palmer, Martin, et al. 1995. *Kwan Yin: Myths and Revelations of the Chinese Goddess of Compassion.* London: Thorsons.
Paludan, Ann. 1999. *Chronicle of the Chinese Emperors.* London: Thames & Hudson.『中国皇帝歴代誌』月森左知訳、稲畑耕一郎監修、創元社、2000 年
Parrinder, Geoffrey, ed. 1984. *World Religions: From Ancient History to the Present.* New York: Facts on File.
Pfeiff er, John E. 1977. *The Emergence of Society.* New York: McGraw- Hill.
Polo, Marco. 1958. *The Travels of Marco Polo.* Harmondsworth, UK: Penguin Books.
Roberts, J. A. G. 2003. *The Complete History of China.* Phoenix Mill, Gloucestershire: Sutton.
Ruggles, Clive L. N. ed. 2013. "The Cosmic Center in Early China and Its Archaic Resonances,""Oxford IX" International Symposium on Archaeoastronomy. *Proceedings IAU Symposium,* No. 278, 2011. Available on *academia.edu* as of July 7, 2013.
Saunders, J. J. 2001. *The History of the Mongol Conquests.* Philadelphia: University of Pennsylvania Press.
Schinz, Alfred. 1996. *The Magic Square: Cities in Ancient China.* Fellbach, Germany: Edition Axel Menges.
Shaughnessy, Edward L. 2005. *Ancient China: Life, Myth and Art.* London: Duncan Baird.
Tan, Amy. 1991. *The Kitchen God's Wife.* New York: Putnam.『キッチン・ゴッズ・ワイフ』小沢瑞穂訳、角川書店、1995 年
Wittfogel, Karl. 1957. *Oriental Despotism: A Comparative Study of Total Power.* New York: Random House.『オリエンタル・デスポティズム：専制官僚国家の生成と崩壊』湯浅赳男訳、新評論、1995 年
Yan, Ma. 2009. *Chinese Emperors: From the Xia Dynasty to the Fall of the Qing Dynasty.* New York: Fall River Press.
Yang, Xiagu. 2003. *The Invisible Palace.* Li, Shaobai (photography) ; Chen, Huang (translation) . Beijing: Foreign Language Press.
Yanxin, Cai. 2010. *Chinese Architecture: Palaces, Gardens, Temples and Dwellings.* Beijing: International Press.

Srivijaya Based on Palaeogeographical Interpretations." In *Studies on Srivijaya,* ed. Satyawati Suleiman, et al. Jakarta: Pusat Penelitian Arkeologi Nasional, 13–44.

Sastri, K. A. Nilakanta. 1949. *History of Sri Vijaya.* Mylapore: University of Madras.

Sengjuta, Arpatha Rani, ed. 2005. *God and King: The Devaraja Cult in South Asian Art and Architecture.* New Delhi: National Museum Institute.

Sharma, Ram Sharan. 2002. *Aspects of Political Ideas and Institutions in Ancient India.* New Delhi: Motilal Banarsidass.

Slametmuljana. 1966. *The Structure of the National Government of Madjapahit.* Djakarta: Balai Pustaka.

——. 1976. *A Story of Majapahit.* Singapore: Singapore University Press.

Valmiki. 2005. *Ramayana, Book One: Boyhood.* Trans. Robert E. Goldman. New York: New York University Press.

Wheatley, Paul. 1961. *The Golden Khersonese: Historical Geography of the Malay Peninsula before A.D. 1500.* Kuala Lumpur: Penerbit Universiti Malaya.

Willson, Martin. 1986. *In Praise of Tara: Songs to the Savioress: Source Texts from India and Tibet on Buddhism's Great Goddess.* Somerville, MA: Wisdom.

Zaehner, R. C. 1966. *Hinduism.* New York: Oxford University Press.

6 中国の天命

Allan, Sarah. 2012. "On Shu (Documents) and the Origin of the Shang shu (Ancient Documents) in Light of Recently Discovered Bamboo Slip Manuscripts." *Bulletin of the School of Oriental and African Studies,* vol. 75, no. 3: 547–57.

Blakney, R. B. trans. 1955. *The Way of Life.* New York: New American Library.

Bloomfield, Frena. 1983. *The Book of Chinese Beliefs.* London: Arrow Books.

Chamberlain, Jonathan. 1987. *Chinese Gods.* Petaling Jaya, Malaysia: Pelanduk.

Christian, David. 2004. *Maps of Time: An Introduction to Big History.* Berkeley: University of California Press.

Confucius. 1979. *The Analects.* Trans. D. C. Lau. London: Penguin Books.

De Groot, Jan J. M. 1982. *The Religious System of China: Its Ancient Forms, Evolution, History and Present Aspect, Manners, Customs and Social Institutions Connected Therewith,* 6 vols. Leiden: Brill.

Du Bary, W. T., Wing Tsit Chan, and Burton Watson, eds. 1960. *Sources of Chinese Tradition,* 2 vols. New York: Columbia University Press.

Elegant, Robert. S. 1971. *Mao's Great Revolution.* New York: World Publishing Company.

Emerson, Ralph Waldo. 1904. *The Conduct of Life,* in *The Complete Works of Ralph Waldo Emerson.* Concord Edition. Vol. 6. Boston: The Riverside Press.

Fairbank, John K. and Edwin O. Reischauer 1989. *China: Tradition and Transformation.* Sydney: Allen & Unwin.

Gascoigne, Bamber. 2007. *The Dynasties of China: A History.* Philadelphia, PA: Running Press.

Grousset, Rene. 1970. *The Empire of the Steppes: A History of Central Asia.* New Brunswick, NJ: Rutgers University Press.

Habberstad, Luke. 2017. *Forming the Early Chinese Court: Rituals, Spaces, Roles.* Seattle: University of Washington Press.

Hucker, Charles O. 1995. *China's Imperial Past: An Introduction to Chinese History and Culture.*

Woolf, Greg, 2008. "Divinity and Power in Ancient Rome." In Brisch, 244– 47.

5 インドのデーヴァ・ラージャと東南アジア

Blom, Jessy. 1939. *The Antiquities of Singasari.* Leiden: Burgersdijk & Niermans.
Coedes, George. 1918. "Le Royaume de Crivijaya." *Bulletin de l'Ecole Francaise d' Extreme-Orient,* Tome 18: 1– 36.
——. 1963. *Angkor.* Trans. Emily Floyd Gardiner. Singapore: Oxford University Press.『アンコール遺跡：壮大な構想の意味を探る』三宅一郎訳、連合出版、1993年
——. 1966. *The Making of South East Asia.* Trans. H. M. Wright. Berkeley: University of California Press.
——. 1968. *The Indianized States of Southeast Asia.* Trans. Susan Brown Cowing. Kuala Lumpur: University of Malaya Press.『東南アジア文化史』山本智教訳、大蔵出版、2002年
Coomaraswamy, Ananda K. 1985. *History of Indian and Indonesian Art*（1927）. New York: Dover.
Danielou, Alain. 1964. *Hindu Polytheism.* New York: Pantheon Books.
Daweewarn, Daween. 1982. *Brahmanism in South-East Asia.* New Delhi: Sterling.
Day, J. David. 1988. *Java: Island of Antiquities.* Kuala Lumpur: Tropical Press.
Diskul, M., and C. Subhadradiks, eds. 1980. *The Art of Srivijaya.* Paris: UNESCO.
Geertz, Cliff ord. 1983. *Local Knowledge: Further Essays in Interpretative Anthropology.* New York: Basic Books.『ローカル・ノレッジ：解釈人類学論集』梶原景昭ほか訳、岩波書店、1999年
Goldman, Robert P. trans. 2005. *Ramayana, Book One: Boyhood, by Valmiki.* The Clay Sanskrit Library. New York: New York University Press and the JJC Foundation.
Gupta, Shakti M. 1974. *Vishnu and His Incarnations.* Bombay: Somaiya.
Koentjaraningrat, 1985. *Javanese Culture.* Singapore: Oxford University Press.
Munoz, Paul Michel. 2006. *Early Kingdoms of the Indonesian Archipelago and the Malay Peninsula.* Singapore: Editions Didier Millet.
Munshi, K. M. 1962. *Foundations of Indian Culture.* Bombay: Bharatiya Vidya Bhavan.
Nakamura, Hajime. 1999. *Indian Buddhism.* New Delhi: Motilal Banarsidass.
Nigam, M. I. 2005. "A Plausible Explanation of the Origin of the 'Devaraja' Cult in Ancient India." In Sengupta, 11– 15.
Nikhilanada, Swami, trans. 1963. *The Upanishads.* New York: Harper & Row.
O'Flaherty, Wendy Doniger, trans. 1966. *The Rig Veda.* London: Penguin.
Olivelle, Patrick, trans. 2008. *The Upanishads.* Oxford: Oxford University Press.
Parrinder, Geoffrey, ed. 1971. *World Religions: From Ancient History to the Present.* New York: Facts on File.
Pigeaud, Theodore G. Th. 1962. *Java in the 14th Century: A Study in Cultural History,* 5 vols. The Hague: Martinus Nijhoff.
Poundurai, Raju. 2005. "Cultural Contacts of South India and South- East and Far- East Asia: An Exploration of the Phenomenon of the Devaraja Cult." In Sengupta, 25–40.
Ptolemy, Claudius. 1991. *The Geography.* Trans. Edward Luther Stevenson. New York: Dover.
Raffles, Sir Stamford. 1817. *The History of Java.* 2 vols. Singapore: Oxford University Press.
Sartono, S. 1981. "The Capitals of

Human Remains of an Individual Retrieved from the Amphipolis Agora," *Excavating Classical Amphipolis & On the Lacedaemonian General Brasidas,* ed. Koukouli- Chrysanthaki, Chaido and Anagnostis P. Agelarakis, *Anthropology Faculty Publications,* 12. New York: Adelphi University. https:// digitalcommons. adelphi.edu/ ant_ pubs/ 1

Boardman, John, and Jasper Griffi n. 1988. *Greece and the Hellenistic World.* Oxford: Oxford University Press.

Brisch, Nicole, ed. 2008. *Religion and Power: Divine Kingship in the Ancient World and Beyond.* Chicago, IL: University of Chicago Press.

Cartledge, Paul. 2004. *Alexander the Great: The Hunt for a New Past.* Woodstock, NY: Overlook Press.

Coleman, Christopher Bush. 1914. *Constantine the Great and Christianity, Three Phases: The Historical, the Legendary and the Spurious.* New York: Columbia University Press.

Cornell, Tim, and John Matthews. 1983. *Atlas of the Roman World.* United Kingdom: Time Life.『古代のローマ』小林雅夫訳、平田寛監修、朝倉書店、2008 年

Crummy, Philip, and Peter Froste. 1997. *City of Victory: Story of Colchester— Britain's First Roman Town.* Colchester: Colchester Archaeological Trust.

Dunn, Ross E., and Laura J. Mitchell. 2014. *Panorama: A World History.* New York: McGraw-Hill.

Forsythe, Gary. 2005. *A Critical History of Early Rome: From Prehistory to the First Punic War.* Berkeley: University of California Press.

Goldberg, Sander M. 1995. *Epic in Republican Rome.* Oxford: Oxford University Press.

Hornblower, Simon. 1988. "Greece: The History of the Classical Period." In Boardman and Griffi n, 118– 49.

Josephus. 1987. *The Antiquities of the Jews.* In William Whiston, trans. *The Works of Josephus.* New Updated Edition. Peabody, MA: Hendrickson Publishers, 27– 542.

Kitto, H. D. F. 1991. *The Greeks.* London: Penguin Books.『ギリシア人』向坂寛訳、勁草書房、1980 年

Livy. 2002. *The Early History of Rome.* Revised ed. London: Penguin.

Ovid. 1955. *Metamorphoses.* Trans. Rolph Humphries. Bloomington: Indiana University Press.『変身物語』高橋宏幸訳、京都大学学術出版会、2019-2020 年

Price, Simon. 1988. "The History of the Hellenistic Period." In Boardman et al. 309– 31.

Rodgers, Nigel, 2004. *The Rise and Fall of Ancient Rome.* Dayton, OH: Lorenz Books.

Rubenstein, Richard E. 1999. *When Jesus Became God: The Epic Fight over Christ's Divinity and the Last Days of Rome.* New York: Harcourt Brace.

Stamatopoulou, Maria, and Marina Yeroulanou, eds. 2002. *Excavating Classical Culture: Recent Archaeological Discoveries in Greece,* vol. 1. Oxford: Archaeopress Archaelology.

Walbank, Frank William. 2017. *The Hellenistic World. Fontana Press.* Waukegan, IL: Fontana Press.『ヘレニズム世界』小河陽訳、教文館、1988 年

Watts, Alan. 1944. *The Theologica Mystica of Saint Dionysius.* Sausalito: Society for Comparative Philosophy.

——. 1950. *The Supreme Identity: An Essay on Oriental Metaphysic and the Christian Religion.* New York: Pantheon Books.

middleeast/ 17.
Spence, Kate. 2001. "Astronomical Orientation of the Pyramids." *Nature,* vol. 412: 699– 700.
Stille, Alexander. 2015. "The World's Oldest Papyrus and What It Can Tells Us about the Great Pyramids." *The Smithsonian* (October 2015) : 26– 37.
Tallet, Pierre. 2012. "Wadi al-Jarf: An Early Pharonic Harbour on the Red Sea Coast." *Egyptian Archaeology,* vol. 40: 40– 43.
Turner, Patricia, and Charles Russell Coulter. 2001. *Dictionary of Ancient Deities.* Oxford: Oxford University Press.
Tylor, Edward Burnett. 1970. *Primitive Religion* (1871) . Gloucester, MA: Peter Smith.
Wilkinson, Toby. 2010. *The Rise and Fall of Ancient Egypt: The History of a Civilisation from 3000 BC to Cleopatra.* London: Bloomsbury.
Wilson, John A. 1951. *The Culture of Ancient Egypt.* Chicago, IL: University of Chicago Press.

3　ヘブライ人の王

Alchtemeier, Paul J. ed. 1985. *Harper's Bible Dictionary.* San Francisco, CA: HarperCollins.
Bright, John. 1969. *A History of Israel.* Philadelphia, PA: Westminster Press.『イスラエル史』新屋徳治訳、聖文舎、1981 年
Finkelstein, Israel. 2007. "Digging for the Truth: Archaeology and the Bible." In Finkelstein and Mazar, 9– 20.
Finkelstein, Israel, and Amihai Mazar. 2007. *The Quest of the Historical Israel,* ed. Brian B. Schmidt. Atlanta: Society of Biblical Literature.
Frye, Northrop. 1981. *The Great Code: The Bible and Literature.* New York: Harcourt Brace Jovanovich.『大いなる体系：聖書と文学』伊藤誓訳、法政大学出版局、1995 年
Gates, Charles. 2003. "Near Eastern, Egyptian, and Aegean Cities." In *Ancient Cities: The Archaeology of Urban Life in the Ancient Near East and Egypt, Greece and Rome.* London: Routledge.
Macaulay, Vincent et al. 2005. "Single, Rapid Coastal Settlement of Asia Revealed by Analysis of Complete Mitochondrial Genomes." *Science,* vol. 308: 1034– 36.
Maisels, Charles Keith. 1993. *The Emergence of Civilization* (*From Hunting and Gathering to Agriculture, Cities and the State of the Near East*) . London: Routledge.
Mazar, Amihai, 1990. *Archaeology of the Land of the Bible: 10,000– 586 BCE.* New York: Doubleday.『聖書の世界の考古学』杉本智俊、牧野久実訳、リトン、2003 年
Myers, Allen C. 1987. *The Eerdman's Bible Dictionary.* Grand Rapids, MI: Eerdmans.
Thompson, Thomas L. 1999. *The Bible in History: How Writers Create a Past.* London: Jonathan Cape.
Wade, Nicholas. 2006. *Before the Dawn: Recovering the Lost History of Our Ancestors.* New York: Penguin.『5 万年前：このとき人類の壮大な旅が始まった』沼尻由起子訳、イースト・プレス、2007 年
Wells, Spencer. 2006. *Deep Ancestry: Inside the Genographic Project.* Washington, DC: National Geographic.『旅する遺伝子：ジェノグラフィック・プロジェクトで人類の足跡をたどる』上原直子訳、英治出版、2008 年

4　ローマ皇帝の神格化

Agelarakis, A. 2002. "Physical Anthropological Report on the Cremated

Short Century of Divine Rule in Ancient Mesopotamia." In Brisch, 33– 46.
Mithen, S. J. 2003. *After the Ice: A Global Human History, 20,000- 5,000 BC.* London: Weidenfeld.『氷河期以後：紀元前二万年からはじまる人類史』久保儀明訳、青土社、2015 年
Oppenheim, A. Leo. 1977. *Ancient Mesopotamia: Portrait of a Dead Civilization.* Revised ed. Chicago, IL: University of Chicago Press.
Pfeiffer, John E. 1977. *The Emergence of Society: A Prehistory of the Establishment.* New York: McGraw- Hill.
Roaf, Michael. 1990. *Cultural Atlas of Mesopotamia and the Ancient Near East.* Abingdon: Oxford University Press.『古代のメソポタミア』松谷敏雄監訳、朝倉書店、2008 年
Winter, Irene J. 1985. "After the Battle Is Over: The 'Stele of the Vultures' and the Beginning of Historical Narrative in the Ancient Near East." In *Pictorial Narrative in Antiquity and the Middle Ages.* Ed. Herbert L. Kessler and Marianne S. Simpson. Washington, DC: National Gallery of Art, 11– 32.
——. 2008. "Touched by the Gods: Visual Evidence for the Divine Status of Rulers of the Ancient Near East." In Brisch, 75– 101.
Wittfogel, Karl. 1957. *Oriental Despotism: A Comparative Study of Total Power.* New York: Random House.『オリエンタル・デスポティズム：専制官僚国家の生成と崩壊』湯浅赳男訳、新評論、1995 年

2　不滅のファラオ

Ayrton, Edward, and W. L. S. Loat. 1924. *Predynastic Cemetery at El Mahasna.* London: Egypt Exploration Fund.
Brier, Bob. 2007. "How to Build a Pyramid," *Archaeology,* vol 60, no. 3 (May/ June) : 22– 27.
——. 2009. "Return to the Great Pyramid." *Archaeology Archive,* vol. 62, no. 4. www.archive.archaeology.org/ 0907/ etc/ khufu_pyramid.html.
Budge, E. A. Wallis. 1988. *From Fetish to God in Ancient Egypt* (1934) . New York: Dover.
Dunn, Ross E., and Laura J. Mitchell. 2014. *Panorama: A World History.* New York: McGraw- Hill.
Emery, Walter Brian. 1938. *Excavations at Saqqara: The Tomb of Hemaka.* Cairo: Antiquities Department of Egypt.
——. 1954. *Great Tombs of the First Dynasty,* 3 vols. London: Egypt Exploration Society.
Gaster, Theodor G. 1960. *Thespis: Ritual, Myth and Drama in the Ancient Near East.* New York: Harper and Row.
Herodotus. 1998. *The Histories.* Trans. Robin Waterfield. Oxford: Oxford University Press.
Lehner, Mark. 2002. "The Pyramid Age Settlement of the Southern Mount at Giza." *Journal of the American Research Center in Egypt,*" vol. 39: 27– 74.
Lichtheim, Miriam, ed. 1975. *Ancient Egyptian Literature.* 2 vols. Berkeley: University of California Press.
Oakes, Lorna. 2003. *Ancient Egypt: An Illustrated Reference to Myths, Religions, Pyramids and Temples of the Land of the Pharaohs.* New York: Barnes & Noble.
Redford, Tim. 2001. "Pyramids Seen as Stairways to Heaven." *The Guardian* (14 May) .
Slackman, Michael. 2008. "In the Shadow of a Long Past, Patiently Awaiting the Future." *New York Times* (18 November) . www.nytimes.com/ 2008/ 11/ 17/ world/

1943 年
Oppenheimer, Stephen. 2012. "Out-of-Africa, The Peopling of Continents and Islands: Tracing Uniparental Gene Trees across the Map." *Philosophical Transactions of the Royal Society B,* vol. 367（1590）: 770– 84.
Reichard, Gladys A. 1977. *Navaho Medicine Man Sandpaintings.* New York: Dover.
Rose, Jeff ry I. et al. 2011. "The Nubian Complex of Dhofar, Oman: An African Middle Stone Age Industry in Southern Arabia." *PLOS ONE,* 6（November）. DOI:10.1371/ pone.0028239.
Spence, Lewis. 1994. *Myths of the North American Indians*［reprint of 1914 edition］. New York: Gramercy Books.
Teiser, Stephen F. 1988. *The Ghost Festival in Medieval China.* Princeton, NJ: Princeton University Press.
Tylor, Edward Burnett. 1970. *The Origins of Culture and Religion in Primitive Culture*（1871）; Gloucester, MA: Peter Smith.
White, Hayden. 1987. *The Content of the Form: Narrative Discourse and Historical Representation.* Baltimore: Johns Hopkins University Press.
Wilson, Edward O. 2013. *The Social Conquest of Earth.* New York: Liveright.
Wong, C. S. 1987. *An Illustrated Cycle of Chinese Festivities in Malaysia and Singapore.* Kuala Lumpur: Jack Chia- MPH.

1　メソポタミアの神聖な王

Adams, Laurie Schneider. 2006. *Exploring the Humanities : Creativity and Culture in the West.* 2 vols. Upper Saddle River, NJ: Prentice Hall.
Bentzen, Jeanet S., Nicolai Kaarsen, and Asger Wingender. 2017. "Irrigation and Autocracy." *Journal of the European Economic Association,* vol. 15: 1– 53.
Brisch, Nicole, ed. 2008. *Religion and Power: Divine Kingship in the Ancient World and Beyond.* Chicago: Oriental Institute.
De Mieroop, Marc Van. 2004a. *A History of the Ancient Near East, ca. 3000 to 323 BC.* Oxford: Blackwell.
——. 2004b. *King Hammurabi of Babylon.* Oxford: Blackwell.
Foster, Benjamin R., ed. 2001. "The Sumerian Gilgamesh Poems." In *The Epic of Gilgamesh.* New York: W. W. Norton, 99– 155.
Frankfort, Henri. 1965. *Kingship and the Gods: A Study of Ancient Near Eastern Religion as the Integration of Society and Nature.* Chicago, IL: University of Chicago Press.
Jacobsen, Thorkild. 1939. *The Sumerian King List.* Assyriological Studies 11, Chicago, IL: University of Chicago Press.
Kramer, Samuel Noah. 1956. *History Begins at Sumer: Thirty- Nine Firsts in Man's Recorded History.* Philadelphia: University of Pennsylvania Press.
——. 1963. *The Sumerians: Their History, Culture, and Character.* Chicago, IL: University of Chicago Press.
——. 1969. *The Sacred Marriage: Aspects of Faith, Myth and Ritual in Ancient Sumer.* Bloomington: Indiana University Press.『聖婚：古代シュメールの信仰・神話・儀礼』小川英雄、森雅子訳、新地書房、1989 年
Maisels, Charles Keith. 1990. *The Emergence of Civilization.* London: Routledge.
Michalowski, Piotr. 1938. "History as Charter Some Observations on the Sumerian King List." *Journal of the American Oriental Society,* vol. 103, no. 1: 237– 48.
——. 2008. "The Mortal Kings of Ur: A

徳田喜三郎、森本佳樹、伊沢紘生訳、筑摩書房、1973 年
Ashwell, Reg. 1978. *Coast Salish: Their Art, Culture and Legends.* Blaine, Washington: Hancock House.
Bird-David, Nurit. 2000. " 'Animism' Revisited: Personhood, Environment, and Relational Epistemology." *Current Anthropology,* vol. 41（S1）: 67– 91.
Cann, Rebecca L., Mark Stoneking, and Allan C. Wilson. 1987. "Mitochondrial DNA and Human Evolution." *Nature,* vol. 325: 31– 36.
Chagnon, Napoleon A. 1968. *Yanomamo: The Fierce People.* New York: Holt, Rinehart and Winston.
Chan, E. K. F. et al. 2019. "Human Origins in a Southern African Paleo-Wetland and First Migrations." *Nature,* vol. 575（October 28）: 185– 89. DOI:10.1038/s41586- 019- 1714- 1.
Clarkson, Chris. 3017. "Human Occupation of Northern Australia by 65,000 Years Ago." *Nature,* vol. 547: 306– 10.
Codrington, R. H. 1972. *The Melanesians: Studies in Their Anthropology and Folklore*［reprint of the 1891 original］. New York: Dover Publications.
Crocker, William H., and Jean G. Crocker. 2004. *The Canela: Kinship, Ritual, and Sex in an Amazonian Tribe.* Belmont, CA: Thomson- Wadsworth.
Dentan, Robert Knox. 1968. *The Semai: A Nonviolent People of Malaya.* New York: Holt, Rinehart and Winston.
Downs, James E. 1966. *The Two Worlds of the Washo: An Indian Tribe of California and Nevada,* 2nd ed.　San Francisco, CA: Holt Rinehart & Winston.
Fu, Q. et al. 2013. "A Revised Timetable for Human Evolution Based on Ancient Mitochondrial Genomes." *Current Biology,* vol. 23: 553– 59.
Goldschmidt, Walter. 1986. The Sebei: A Study in Adaptation. New York: Holt, Rinehart and Winston.
Hewitt, J. N. B. 1902. "Orenda and a Definition of Religion.," *American Anthropologist New Series,* vol. 4, no. 1（January– March, 1902）: 33– 46.
Hoebel, E. Adamson. 1960. *The Cheyennes: Indians of the Great Plains.* New York: Holt, Rinehart and Winston.
Hudson, A. B. 1983. *Padju Epat: The Ma'anyan of Indonesian Borneo.* New York: Irvington Publishers.
Krige, Eileen Jensen. 1950. *The Social System of the Zulus.* Pietermaritzburg, South Africa: Shuter & Shooter.
Kuper, Hilda. 1963. *The Swazi: A South African Kingdom,* 2nd edition. New York: Holt, Rinehart and Winston.
Lambert, Johanna, ed. 1993. *Wise Women of the Dreamtime: Aboriginal Tales of the Ancestral Powers.* Rochester, VT: Inner Traditions International.
Margolin, Malcolm. 1978. *The Ohlone Way: Indian Life in the San Francisco- Monterey Bay Area.* Berkeley: Hayday Books, 1978『オローニの日々：サンフランシスコ先住民のくらしと足跡』冨岡多恵子訳、人間家族編集室、プリミティヴプランプレス、スタジオ・リーフ、2003 年
Marrett, R. R. 1900. "Pre-Animistic Religion." *Folk-Lore*（June）: 162– 82.
——. *The Threshold of Religion.* London: Methuen.
Murdock, George Peter. 1934. *Our Primitive Contemporaries.* New York: Macmillan.『世界の原始民族』土屋光司訳、聖紀書房、

参考文献

序章

Alvarez, Walter. 2017. *A Most Improbable Story: A Big History of Our Planet and Ourselves.* New York: W. W. Norton.

Barthes, Roland. 1977. *Image– Music– Text.* Trans. Stephen Heath. New York: Hill and Wang.

Boyd, Brian. 2009. *On the Origin of Stories: Evolution, Cognition, and Fiction.* Cambridge: Belknap Press.『ストーリーの起源：進化、認知、フィクション』小沢茂訳、国文社、2018 年

Brown, Donald. 1991. *Human Universals.* New York: McGraw Hill.『ヒューマン・ユニヴァーサルズ：文化相対主義から普遍性の認識へ』鈴木光太郎、中村潔訳、新曜社、2002 年

Chaisson, Eric. 2006. *Epic of Evolution: Seven Ages of the Cosmos.* New York: Columbia University Press.

Christian, David. 2018. *Origin Story: A Big History of Everything.* New York: Little, Brown.『オリジン・ストーリー：138 億年全史』柴田裕之訳、筑摩書房、2019 年

Davis, Raymond, trans. 2010. *The Book of Pontiffs (Liber Pontificalis) : The Ancient Biographies of First Ninety Roman Bishops to A.D. 715.* Liverpool: Liverpool University Press.

Hardy, Barbara. 1968. "Towards a Poetics of Fiction: An Approach through Narrative." *Novel,* vol. 2, no. 1: 5– 14.

Herman, David, ed. 2003. *Narrative Theory and the Cognitive Sciences.* Stanford, CA: CSLI.

Marshack, Alexander. 1991. *The Roots of Civilization: The Cognitive Beginnings of Man's First Art, Symbol and Notation.* Revised ed. Kisco, NY: Moyer Bell.

Montessori, Maria. 1948. *To Educate the Human Potential.* Madras: Kalakshetra.『人間の可能性を伸ばすために：実りの年 6 歳～ 12 歳』田中正浩訳、青土社、2018 年

Oppenheim, A. Leo. 1977. *Ancient Mesopotamia: Portrait of a Dead Civilization.* Chicago, IL: University of Chicago Press.

Schama, Simon. 2000. *A History of Britain: At the Edge of the World, 3000 B.C.– A.D. 1603.* New York: Hyperion.

Spencer, Mark G., ed. 2013. Introduction to Karl Marx. *Capital: A Critical Analysis of Capitalist Production.* Hertfordshire: Wordsworth Classics.

Turner, Mark. 1996. *The Literary Mind.* New York: Oxford University Press.

White, Hayden. 1981. "The Value of Narrative in the Representation of Reality." *On Narrative,* ed.

W. J. T. Mitchell. Chicago: University of Chicago Press. 1– 24.

プロローグ

Anon. 1963. *The Sea Dyaks and Other Races of Sarawak: Contributions to the Sarawak Gazette between 1888 and 1930.* Kuching, Sarawak: Borneo Literature Bureau.

Ardrey, Robert. 1963. *African Genesis: A Personal Investigation into the Animal Origins and Nature of Man.* London: HarperCollins.『アフリカ創世記：殺戮と闘争の人類史』

【著者】バリー・ウッド（Barry Wood）

カナダ生まれ、アメリカに帰化。スタンフォード大学で英米文学、人文学、宗教学の博士号を取得。ヒューストン大学でビッグバンから現在までの宇宙の物語の歴史と人類の状況との深いかかわりに重点を置く「コズミック物語」の教鞭を執る。テキサス国際教育コンソーシアムとマレーシアのマラ工科大学でも教壇に立った。そのほかさまざまな学術誌に寄稿している。国際ビッグヒストリー学会の創設メンバーでもある。

【訳者】大槻敦子（おおつき・あつこ）

慶應義塾大学卒。訳書にカーカー『ココナッツの歴史』、クィンジオ『鉄道の食事の歴史物語』、マーデン『ミラーリングの心理学』、ジョーンズ『歴史を変えた自然災害』、スウィーテク『骨が語る人類史』、ハンソン&シムラー『人が自分をだます理由』、カイル『ネイビー・シールズ最強の狙撃手』などがある。

Invented History, Fabricated Power
by
Barry Wood

捏造と欺瞞の世界史

創作された「歴史」をめぐる30の物語

上

●

2023年2月27日　第1刷

著者…………バリー・ウッド

訳者…………大槻敦子

装幀…………伊藤滋章

発行者…………成瀬雅人
発行所…………株式会社 原書房

〒160-0022 東京都新宿区新宿1-25-13
電話・代表03（3354）0685
http://www.harashobo.co.jp
振替・00150-6-151594

印刷…………新灯印刷株式会社
製本…………東京美術紙工協業組合

ISBN978-4-562-07262-0, Printed in Japan